KU-456-224

Jürgen Hopfmann · Georg Winter

Zukunftsstandort Deutschland

Jürgen Hopfmann
Georg Winter

Zukunftsstandort Deutschland

Das Programm der umweltbewußten Unternehmer

Die Deutsche Bibliothek – CIP-Einheitsaufnahme

Hopfmann, Jürgen:
Zukunftsstandort Deutschland : das Programm der
umweltbewussten Unternehmer / Jürgen Hopfmann ;
Georg Winter. – München : Droemer Knaur, 1997
ISBN 3-426-26939-2
NE: Winter, Georg:

Die Folie des Schutzumschlages sowie die Einschweißfolie
sind PE-Folien und biologisch abbaubar.
Dieses Buch wurde auf chlor- und säurefreiem Papier gedruckt.

Jürgen Hopfmann: *Kapitel 1 bis 4;* Georg Winter: *Kapitel 5*
Umschlaggestaltung: Agentur ZERO, München
DTP-Satz und Herstellung: Barbara Rabus
Druck und Bindearbeiten: Spiegel Buch, Ulm
Printed in Germany
ISBN 3-426-26939-2

2 4 5 3 1

Inhalt

Kapitel 2

Die Geburtsfehler der Marktwirtschaft 127

Kapitel 3

Schritte in die ökosoziale Zukunft 209

Vorwort

Umsteuern!

Die deutsche Wirtschaft hat seit ein paar Jahren größte Mühe mit der Wettbewerbsfähigkeit. In diesen Zeiten scheint es der Umweltschutz besonders schwer zu haben. Umweltschutz war eben in der Vergangenheit fast immer im Gewande eines Kostenfaktors aufgetreten. Mit besonderer Verärgerung hatte die freie Wirtschaft registriert, daß die Politik den Umweltschutz mit Unterstützung der Medien zu immer ehrgeizigeren Zielen vorantrieb und dabei die Kosten vernachlässigte. Zwar gab es für den rechnenden Manager auch Georg Winters hervorragendes Buch *Das umweltbewußte Unternehmen* mit seinen 28 Checklisten, bei denen nach Umweltschutzmaßnahmen gefragt wird, die sich positiv auf das Betriebsergebnis auswirken, und das war weit mehr, als man naiverweise dachte. Manche Firmen konnten auch durch ehrgeizigen und sichtbaren Umweltschutz ihre Kundenbindung oder ihre Mitarbeiterbindung deutlich verbessern. Aber letztlich läßt sich nicht leugnen, daß scharfe Schadstoffbegrenzungsauflagen und lange Genehmigungszeiten Kostenfaktoren sind, die in wirtschaftlichen Krisenzeiten unvermeidlich unter Beschuß kommen.

So sind denn im Laufe der Jahre 1995 und 1996 kaum noch neue umweltpolitische Initiativen ergriffen worden. Das Bundesumweltministerium setzt mehr und mehr auf freiwillige Vereinbarungen, deren Reichweite, vorsichtig gesagt, strittig ist.

Ist dies ein unabänderliches Schicksal? Nein. Aber der Umweltschutz und vor allem die Umweltpolitik müssen ihr Gesicht verändern.

Die globale Umweltsituation ist weiterhin überaus alarmierend. Artenschutz, Klimaschutz, Schutz vor Überfischung der Meere,

Reduktion der weltweiten Stofflawinen, nachhaltige Lebensstile, das sind alles höchst dringliche Themen, die aber von dem deutschen Immissionsschutz- und Abfallrecht, in denen wir uns so gern als Weltmeister fühlen, schlechterdings nicht beeinflußt werden.

Der Ausweg, der auch in wirtschaftlichen Krisenzeiten gangbar ist, liegt darin, daß wir dem technischen Fortschritt einen neuen, ökologischen Richtungssinn geben. Neben die Arbeitsrationalisierung muß dringend als zweites, mindestens gleich großes Thema die Ressourcenrationalisierung treten.

Die Arbeitsproduktivität ist heute gut zwanzigmal so hoch wie zu Beginn der Industrialisierung. Und nach Schätzungen der Welt-Arbeitsorganisation ILO leiden heute bereits rund 800 Millionen Menschen an Arbeitslosigkeit oder schwerer Unterbeschäftigung.

Die Ressourcenproduktivität, also die Menge Wohlstand pro eingesetzter Einheit Energie oder Rohstoffe, ist im Vergleich dazu kläglich zurückgeblieben. Sie ist in den letzten hundert Jahren bloß um etwa 1 Prozent jährlich gestiegen. Technisch müßte diese Langsamkeit nicht sein. Ich halte 3 Prozent pro Jahr für technisch ohne weiteres machbar, sowohl weltweit wie bei uns im Lande. Das ergäbe eine Vervierfachung der Ressourcenproduktivität innerhalb von 46 Jahren. Wenn dieser »Faktor Vier« erreicht wäre, könnten wir den Wohlstand weltweit verdoppeln und *gleichzeitig* weltweit den Naturverbrauch halbieren.

Leichthin wird gegen diese wünschenswerte Neuausrichtung des Fortschritts eingewandt, sie widerspräche halt den Gesetzen der Ökonomie, des Weltmarkts. Es ist ja nicht zu leugnen, daß zu heutigen Weltmarktpreisen das Einsparen von Energie, Wasser und festen Rohstoffen viel weniger lohnend ist als das Einsparen von Arbeitskräften. Mit der Folge, daß die Arbeitslosigkeit weiter steigt und der Naturverbrauch auch.

Aber was heißt eigentlich »Weltmarkt«? Was hat zum Beispiel den stetigen Verfall der Öl- und Gaspreise von 1982 bis 1995 ausgelöst? Es waren im wesentlichen »Fortschritte« beim Ausräubern von prinzipiell endlichen Naturschätzen. Die so zustande gekommenen »Weltmarktpreise« entsprechen einer Ökonomie des Schatztruhen-Knackens, wie Hans-Peter Dürr das gerne nennt. Irgendwann kommt diese Strategie an ihr natürliches Ende. Und im übrigen ist die eigentliche Grenze vielleicht gar nicht die Rohstoffbasis, sondern die Aufnahmekapazität der Atmosphäre für die Treibhausgase. Wenn sich unsere Zivilisation dem schlichten »Markt«geschehen unterwirft und sich aus ideologischen Gründen keine rechtzeitige Korrekturstrategie erlaubt, rennt sie ins Verderben. Denn *wenn* die Knappheitssignale dann auftreten, womöglich durch plötzliche Kartellbildungen (wie 1973) abrupt beschleunigt, dann gibt es schreckliche politische Brüche und Kapitalvernichtungen.

Doch wie sieht die Korrekturstrategie aus? Da gibt es viele Instrumente. Freiwillige Vereinbarungen können sehr wohl den Einstieg machen. Aber sie sind kein Ersatz für staatliche Rahmenveränderungen. Der Rahmen kann als erstes durch »least cost planning« korrigiert werden, wobei neue Kraftwerke nur noch dann genehmigt würden, wenn keine billigere Strategie in Sicht ist, um den angenommenen Energiebedarf zu befriedigen. Mit diesem Rahmeninstrument hat man in den USA viele Dutzend geplanter Kraftwerke eingespart. Bislang blockiert Deutschland aber die Verabschiedung einer entsprechenden EU-Richtlinie und hat dafür in Brüssel wie ein Löwe für die weitgehend freie Energiedurchleitung gekämpft, die die Energieeinsparung noch unrentabler macht.

Ein weiteres wichtiges Instrument ist die volle Verbraucheraufklärung über die »ökologischen Rucksäcke« von Waren und Dienstleistungen. Man kann auch die Umweltnutzung kontingentieren und die Kontingente zum handelbaren Gut machen. Doch Vorsicht: das kann ganz rasch äußerst schmerzliche Folgen haben.

Will man die Wirtschaft nicht insgesamt weiter belasten, sondern eher entlasten, dann kann man das Steuersystem so korrigieren, daß es das Wünschenswerte entlastet, das Verwünschte belastet. Das ist der Grundgedanke der ökologischen Steuerreform, für die sich die Autoren dieses Buches aussprechen. Sie stellen sich damit dem ebenso einseitigen wie unvernünftigen Druck der deutschen Industrieverbände entgegen. Wie die Beispiele der EU-Länder Dänemark, Finnland, Niederlande und Schweden zeigen, kann man sehr wohl eine ausgesprochen wirtschaftsfreundliche Wachstumspolitik mit einer ökologischen Steuerreform kombinieren. Es wird Zeit, daß der selbsternannte »Weltmeister im Umweltschutz«, Deutschland, endlich auf den längst fahrenden Zug der ökologischen Steuerreform aufspringt.

Ernst Ulrich von Weizsäcker
Wuppertal Institut für Klima, Umwelt, Energie

Einleitung

Für eine ökologisch orientierte soziale Marktwirtschaft

Die soziale Marktwirtschaft erweckte in Deutschland nach dem Zweiten Weltkrieg Kräfte, die nicht nur den Wiederaufbau bewältigten, sondern Deutschland auch eine führende Wettbewerbsposition unter den Industrieländern sicherten. Jetzt besteht die Chance, daß eine ökologisch orientierte soziale Marktwirtschaft nicht nur maßgeblich zu einer zukunftsfähigen Entwicklung in der Welt beiträgt, sondern Deutschland gleichzeitig eine hervorragende Marktstellung in allen umweltrelevanten Wirtschaftsbereichen verschafft.
Damit würde sich Deutschland gezielt in Branchen positionieren, die zwangsläufig in der Zukunft die höchste Wichtigkeit erlangen werden, weil die Menschen ihre Produkte zum Überleben benötigen. Die vielen neu geschaffenen Arbeitsplätze wären zukunftssicher. Bereits heute liegt Deutschland gut im Rennen. Es ist nach den USA und vor Japan der zweitgrößte Exporteur umweltrelevanter Produkte auf dem Weltmarkt. Aber die Wettbewerber holen auf, und Deutschland hat seine frühere Position als »Exportweltmeister« umweltrelevanter Güter bereits verloren.
Eine ökologisch orientierte soziale Marktwirtschaft muß den Energieverbrauch minimieren und den Anteil von Solarenergie zu Lasten des Anteils von fossiler und Kernenergie maximieren. Das effektivste marktwirtschaftliche Mittel zur Förderung der verschiedenen Formen der Solarenergie ist eine ökologische Steuerreform, die alle Arten nichtregenerativer Energie verteuert. Mit einer gleichzeitigen Senkung der Nebenkosten auf Lohn und Gehalt wird eine zusätzliche finanzielle Belastung der Unternehmen vermieden. Durch diesen Schritt werden außerdem Arbeitsplätze erhalten und neu geschaffen.

Die Förderung der Energieeinsparung sowie der Solarenergie mittels der ökologischen Steuerreform entspricht der Forderung, möglichst wenig gebundene Energie freizusetzen und möglichst viel freie Sonnenenergie zu binden. Diese doppelte Forderung wiederum läßt sich aus dem Entropiegesetz ableiten. Indem das pflanzliche und tierische Leben auf dieser Erde diese Doppelforderung erfüllte, sicherte es bis zum heutigen Tage seine Existenz.
Die Strategie der Biosphäre, die eigene Existenz durch möglichst weitgehende Bindung freier Sonnenenergie und möglichst geringfügige Abgabe gebundener Energie zu sichern, ist ein Vorbild für die menschliche Zivilisation. Das gilt unabhängig davon, ob wir diese Strategie der Biosphäre als zwangsläufigen Ausfluß der kosmischen Evolution oder als Werkzeug einer die Evolution steuernden göttlichen Macht ansehen.

Alles hat sein Maß und seine Zeit

Die Bürger scheinen sich an die düsteren Prognosen verheerender globaler Katastrophen zu gewöhnen. Vor drei Jahrzehnten kam es noch zu einem Aufschrei der öffentlichen Meinung. Man hatte bemerkt, daß der deutsche Wald durch die Umweltbelastungen zu 30 Prozent geschädigt war. Gegenwärtig hat das weltweite Waldsterben bereits mehr als 50 Prozent erreicht. Die Öffentlichkeit nimmt davon kaum noch Notiz.
Heute leidet nicht nur die Natur unter einer galoppierenden Schwindsucht. Der kostenlose Naturverbrauch bedroht zunehmend die soziale Sicherheit. Die unmittelbare Angst um die Zukunft der nationalen Wirtschaft und um den Verlust der Arbeitsplätze bestimmen immer mehr das Denken und Handeln der Menschen. Je größer die wirtschaftliche Angst wird, um so verzweifelter sägen die Politiker an dem ökosozialen Ast, auf dem die Bürger sitzen.
Die Erosion der modernen Wirtschaft wird tagtäglich durch Billiarden von Fehlentscheidungen vorangetrieben, getroffen auf

der Basis grundlegender Fehlinformationen. Denn der Markt besitzt keine Information über seinen Naturverbrauch. Naturblind, wie er ist, informiert er Käufer und Verkäufer in Form der Preise nur über die Reproduktionskosten der verbrauchten Anteile des Kapitals und der Arbeit. Die Naturgüter werden zwar auch ständig verbraucht, doch sie sind kein Bestandteil des Kostpreises der Waren und Dienstleistungen. Naturgüter sind öffentliche Güter. Jeder Nachfrager kann sie verbrauchen, ohne ihre Reproduktionskosten zu bezahlen. Die naturblinden Güterpreise gaukeln den Nachfragern ständig vor, sie lebten nach wie vor in einem Schlaraffenland unendlichen Naturreichtums.
Es gibt eine alte Weisheit. Der äthiopische Denker Wäldä Heywat formulierte sie im 17. Jahrhundert:

> »Vergiß niemals, daß alles seine Zeit hat; daß alle Dinge, die nicht in ihrer rechten Zeit getan wurden, Not und großes Leid bringen.«[1]

Die Zeit für eine ökosoziale Wende ist nicht nur reif. Sie ist längst überfällig.
»Zukunftsstandort Deutschland« versucht, die Zielsetzung, den Weg und die Schrittfolge der ökosozialen Wende abzustecken und dabei Rolle und Chancen unternehmerischen Handelns zu umreißen. Viele konkrete Beispiele belegen, daß Ökonomie und Ökologie nicht länger im Widerspruch stehen müssen. Auf längere Sicht wird profitabel nur noch wirtschaften können, wer sich seiner ökologischen Verantwortung stellt.
Ausgangspunkt ist die These, daß alle Prozesse und Erscheinungen in der Natur und in der Gesellschaft einem physikalischen Zweck unterworfen sind. Dieser Zweck lenkt die kosmische und irdische Evolution. Die Grundbedingung jeglichen Lebens wird durch ein einfaches Naturgesetz bestimmt. Dieses Gesetz bewirkt, daß zum Beispiel das Wasser immer nur bergab fließen kann, niemals von selbst bergauf. Das Naturgesetz heißt Entropiesatz, der Zweite Hauptsatz der Thermodynamik (Wärmelehre).

Das erste Kapitel des vorliegenden Buches vermittelt leicht verständlich den theoretischen Inhalt des Entropiesatzes und die praktischen Folgen, die sich daraus ergeben. Dabei stellt sich heraus, daß die Industriegesellschaft sowohl den Naturzweck als auch den sozialen Sinn ihrer Existenz mißachtet. Sie spielt mit dem Feuer. Es besteht die reale Gefahr der Selbstverbrennung durch das Spiel mit dem fossilen und kernenergetischen Feuer.
Das zweite Kapitel analysiert den ökonomischen Mechanismus der ökosozialen Fehlentwicklung. Die Marktwirtschaft ist bekanntlich nur im Umgang mit den Produktionsfaktoren Kapital und Arbeit effizient. Ihr »naturblindes Auge« lenkt die sozialen Aktivitäten in die Richtung der Naturzerstörung. Dieser Geburtsfehler der modernen Wirtschaft schädigt auch das »soziale Gehör« der Volkswirtschaft. Der Markt ist deshalb von Geburt an naturblind und sozial taub.
Die ökosozialen Folgen dieser beiden Geburtsfehler werden politisch noch verstärkt. Die Subventionierung des Naturverbrauchs auf der einen Seite und die Besteuerung von Arbeit und Kapital auf der anderen beschleunigen den sozialen Selbstzerstörungsprozeß. Wachsende private Gewinne erweisen sich unter dem volkswirtschaftlichen Strich als Explosion ökosozialer Verluste: »freie« Marktwirtschaft ist parasitär.
Das dritte Kapitel untersucht die Schrittfolge der ökosozialen Wende. Der erste Schritt besteht zweifellos darin, die Subventionierung des Naturverbrauchs zu beseitigen. Der Heilungsprozeß der kranken Sinnesorgane der Marktwirtschaft sollte aber mit dem nötigen Augenmaß und in richtigen Therapieschritten erfolgen.
Die Politiker verstehen sich als Ärzte am Krankenbett der Gesellschaft. Ein Gesellschafts-Arzt, der etwas vom Fach versteht, kann die Geburtsfehler der Marktwirtschaft heilen. Ein Kurpfuscher wird die schädlichen Auswirkungen der Krankheit jedoch verstärken. Auch wenn er im besten Glauben handelt, beschleunigt er den Tod des Patienten.
Der Preis für nichtregenerierbare Energieträger ist die Medizin. Die Wege der Therapie sind vielfältig. Relativ schmerzlos ist die

politische Operation in Form einer ökosozialen Steuerreform. Auch hier gibt es mehrere Varianten, die im einzelnen vorgestellt und diskutiert werden.

Das vierte Kapitel untersucht die Möglichkeiten des ökosozialen Heilungsprozesses auf dem Weltmarkt. Der Weltmarkt stellt heute die mühsam erreichten umweltpolitischen und sozialen Errungenschaften der modernen Gesellschaft in Frage. Gerade hier ist der gezielte politische Eingriff der internationalen Staatengemeinschaft längst überfällig. Die Menschheit kann alles verlieren. Sie kann aber auch eine reiche ökosoziale Zukunft gewinnen.

Das fünfte Kapitel beschäftigt sich mit dem Verhältnis zwischen Wirtschaft und Umwelt in den letzten 25 Jahren, in der Gegenwart und dem beginnenden 2. Jahrtausend. Dieses Kapitel behandelt die ökologische Steuerreform im Zusammenhang mit anderen Entwicklungen und Maßnahmen an den Schnittstellen zwischen Wirtschaft und Ökologie. Dabei wird eines klar: Die ökologische Steuerreform ist entscheidend für die langfristige Sicherung des Lebens und der Gesundheit unserer Bevölkerung und die Erhaltung unserer Biosphäre. Gleichzeitig ist sie der stärkste Impuls für die Zukunftsfähigkeit unserer Industrie.

Kapitel 1

Wollen wir uns selbst verbrennen?

Vom Spiel mit dem Feuer ...

Die Prognosen der Wissenschaftler sind düster. Seit Beginn der Industrialisierung wurden weltweit solche Mengen an Treibhausgasen in die Atmosphäre geblasen, daß deren Konzentration heute Werte erreicht wie nie zuvor in mehr als 200 000 Jahren. Die Durchschnittstemperatur der Erde erhöhte sich seit dem Beginn des 20. Jahrhunderts weltweit um 0,7 Grad Celsius. Der Weltmeeresspiegel stieg um etwa 30 Zentimeter. Die Verdunstung des Meereswassers tropischer Breiten erhöhte sich, und entsprechend der Temperaturunterschiede nahm auch die Windenergie zu.

Heute zweifelt kein ernsthafter Wissenschaftler mehr an der Gefahr der globalen Erwärmung. Die ausführlichen Berichte des Intergovernmental Panel on Climate Change [IPCC] der UNO sowie der Weltmeteorologischen Organisation [WMO] sind eindeutig. An diesen Berichten haben Hunderte namhafter Klimaforscher aus aller Welt mitgewirkt.

Die Sturmschäden in den Küstengebieten bedrohen die dortige Infrastruktur. Das spürt besonders die Versicherungsbranche. Die Münchener Rückversicherungs-Gesellschaft registriert von Jahr zu Jahr wachsende Rekordschäden durch Naturkatastrophen. Die globale Mitteltemperatur hat seit Beginn der weltweiten Temperaturmessung noch nie so hohe Werte erreicht wie in den vergangenen 15 Jahren. Das Jahr 1995 bildete dabei bislang den absoluten Höhepunkt. Dieses Jahr war auch das bisherige Rekordjahr in der Geschichte der weltweiten Katastrophen. Die volkswirtschaftlichen Gesamtschäden durch Sturmfluten, sintflutartige Regenfälle und Überschwemmungen sowie Erdbeben und Brände beliefen sich 1995 auf über 180 Milliarden Dollar. Ein Jahr zuvor waren es »nur« 65 Milliarden Dollar.

In den vergangenen zehn Jahren stieg die Zahl der weltweit registrierten Katastrophen im Vergleich zu den sechziger Jahren um über 400 Prozent an. Die volkswirtschaftlichen Schäden erhöhten sich dadurch um 800 Prozent, und die versicherten Schäden wuchsen auf über 1500 Prozent an. Das Versicherungsgeschäft mit Naturkatastrophen rechnet sich nicht mehr. Die auszuzahlenden Versicherungssummen übersteigen in einigen Gebieten bereits die Versicherungsprämien. Deshalb haben sich mehrere Versicherer zum Beispiel aus der kalifornischen Region zurückgezogen. Die Münchener Rück mußte Verluste von 2,6 Milliarden Mark in der Zeit von 1990 bis 1991 hinnehmen. Dennoch schreibt die Branche heute wieder schwarze Zahlen. So konnte die Münchener Rück im Geschäftsjahr 1994/95 einen Gewinn von 325 Millionen Mark erwirtschaften. Die gute Bilanz ist das Ergebnis verstärkter Zurückhaltung bei der Versicherung von Naturkatastrophen. So zahlten die Versicherer im Jahre 1994 nur 16 Milliarden und im Jahre 1995 nur 17 Milliarden Dollar aus. Das war weniger als noch im Jahre 1992.

Die Forschungsergebnisse der Rückversicherer lesen sich wie eine Horrorlektüre. Eine Studie des Branchenzweiten Schweizer Rück weist darauf hin, daß die gewaltigen Kapitalreserven der Versicherungswirtschaft heute längst nicht mehr ausreichen, um die Naturrisiken zu tragen. Deshalb sollen künftig die internationalen Kapitalmärkte zur Risikoübernahme einbezogen werden. Die Idee ist sehr einfach. Es werden auf den Märkten hochspekulative Papiere angeboten. Die Eigentümer der Wertpapiere erhalten so lange hohe Renditen, solange kein Katastrophenfall eintritt. Im Fall einer Naturkatastrophe geht das Geld allerdings verloren.

Die Bebauung in Überschwemmungsgebieten und in Erdbebenregionen nimmt bekanntlich ständig zu. Besonders der Raum um Tokio ist hochgradig gefährdet. Dort erwarten die Experten in den nächsten zehn Jahren ein gewaltiges Erdbeben. Die jüngsten Prognosen ergaben allein für Tokio einen geschätzten volkswirtschaftlichen Schaden von 3,3 Billionen US-Dollar. Die Erdbebengefahr lauert auch an der amerikanischen Westküste. San Francisco könnte durch ein Erdbeben total vernichtet werden. Die Versicherungsexperten sprechen nicht mehr darüber, *ob* es zu diesem Erdbeben kommt. Sie diskutieren nur noch über den Zeitpunkt, *wann* es kommt, und welche Folgen für die Finanzmärkte der Welt daraus entstehen. Die Kapitalmärkte können infolge solcher Giga-Katastrophen zusammenbrechen. Die betroffenen Länder ziehen dann nämlich ihr Kapital weltweit ab. Sie brauchen das Geld zum Wiederaufbau der betroffenen Gebiete.

Die Menschen können Erdbeben nicht kontrollieren. Sie sind aber für die Folgeschäden verantwortlich. Die ungezügelte Bautätigkeit in den Krisengebieten ist die Hauptursache für die Schadenshöhe. Die Bebauung gefährdeter Räume führt auch dazu, daß die Sturm- und Wasserschäden schon bei ganz »normalen« Naturereignissen ständig anwachsen.

Die Klima-Enquete-Kommission des Deutschen Bundestages prognostizierte bis zum Ende des nächsten Jahrhunderts eine globale Erwärmung um mindestens zwei Grad Celsius, wenn weiterhin bedenkenlos fossile Energieträger eingesetzt werden. Diese globale Erwärmung entspricht etwa der Hälfte des globalen Temperaturunterschieds zwischen den Eiszeiten und den Warmzeiten der Erde, die sich gegenwärtig in einer Zwischenwarmzeit befindet. Die zusätzliche Erhöhung der globalen Durchschnittstemperatur würde zu einer Hitzezeit führen.

Die Gefahr lauert vor der eigenen Haustür. Die direkten Folgen des Treibhauseffekts sind auch in den Industriestaaten erkennbar. Das ist die traurige Botschaft von »Ötzi«, dem Mann aus dem Eis. Dieser unglückselige Mensch erfror vor fünftausend Jahren auf dem Hauslabjoch in den Alpen. Die Freigabe seines Leichnams durch die ständig abschmelzenden Gletscher beweist, daß die Alpen in den letzten fünftausend Jahren noch niemals so wenig Eis und Schnee führten wie heute. Die Alpen fallen damit zunehmend als Wasserspeicher für weite Teile Mitteleuropas im Sommer aus. Die Rhône, der Rhein und andere große Flüsse Europas führen im Sommer immer weniger Wasser. Sie werden die riesigen Siedlungsgebiete an ihren Ufern kaum mit dem notwendigen Brauch- und Trinkwasser versorgen können. Zugleich drohen zunehmend Hochwasserkatastrophen infolge der permanent schmelzenden Gletscher im Frühjahr. Diese Erscheinung ist in fast allen Gebirgen der Welt zu beobachten. Die Gletscher tauen gegenwärtig schneller auf als am Ende der letzten Eiszeit.

Die verheerenden Folgen des Treibhauseffekts lassen sich nur dann verhindern, wenn sich die Menschheit bei der Verbrennung fossiler Energieträger auf ein naturverträgliches Maß beschränkt und nur noch ein Drittel der bereits erkundeten fossilen Energieträger verfeuert. Doch selbst bei dieser beispiellosen Selbstbeschränkung würde die Kohlendioxydkonzentration bis zum Ende des kommenden Jahrhunderts von gegenwärtig 355 CO_2-Partikel je Million Luftpartikel [ppm] auf 400 ppm ansteigen. Der Meeresspiegel würde sich dadurch um weitere 50 cm erhöhen. Auch bei diesem gemäßigten Szenario kommt es in jeder Computersimulation zu energieintensiven Luft- und Wasserbewegungen in Form von Überschwemmungs- und Sturmkatastrophen. Die Natur versucht nämlich, die regional angestauten Energieunterschiede auszugleichen. Die Küstenländer haben dann unter besonders schweren Umweltschäden zu leiden. In der gleichen Zeit ist aber ein starkes Wachstum der Weltbevölkerung zu erwarten: auf über zehn Milliarden Menschen in fünfzig Jahren.

Zu einer globalen Sintflut weiten sich die regionalen Umweltkatastrophen aus, wenn alle erkundeten fossilen Brennstoffe verbrannt werden. Allein die vollständige Verbrennung des Erdöls erhöht die CO_2-Konzentration von gegenwärtig 355 ppm auf etwa 380 ppm. Wenn außerdem noch das Erdgas verfeuert wird, steigt die CO_2-Konzentration in der Erdatmosphäre um weitere 37 ppm an. Und wenn dann noch die gesamte förderbare Kohle verbrannt wird, erhöht sich die CO_2-Konzentration nochmals um 100 ppm.[2] Bei einer CO_2-Konzentration von 500 ppm würde die Menschheit aber auf einem Scheiterhaufen stehen, den sie selbst angezündet hat. Sollte es dann noch Überlebende geben, werden sie von einer weltumspannenden Sturmflut hinweggespült. Wenn das kilometerdicke Schelfeis der östlichen Antarktis ins Meer rutscht, entsteht eine sechzig Meter hohe Flutwelle, die den Erdball mehrmals umrundet.

Um diesem Schicksal zu entgehen, muß der absolute Ausstoß von Kohlendioxyd bis zum Jahre 2050 im Verhältnis zu 1990 halbiert werden. Da wir davon ausgehen können, daß sich die Weltbevölkerung bis dahin fast verdoppeln wird, wäre die durchschnittliche Pro-Kopf-Emission von gegenwärtig 4,4 Tonnen CO_2 pro Jahr nicht nur auf 2,2 Tonnen CO_2, sondern auf 1,1 Tonnen zu senken. Da Kohlendioxyd nur mit 50 Prozent am Treibhauseffekt beteiligt ist, müßte auch die Freisetzung der anderen Treibhausgase entsprechend verringert werden.

In den Industriestaaten verbrauchen 30 Prozent der Weltbevölkerung fast 80 Prozent der Energievorräte. Jeder Bürger setzt hier durchschnittlich fast 14 Tonnen CO_2 pro Jahr frei. Dabei verbraucht ein US-Amerikaner doppelt soviel Energie wie ein Bürger der Bundesrepublik Deutschland. Es ist zu bezweifeln, ob die US-Amerikaner doppelt so gut leben wie die Deutschen. Auch jeder Russe verbraucht im Jahr die anderthalbfache Energiemenge eines Deutschen. Der Energieverbrauch ist folglich kein Kriterium für den Lebensstandard.

Es kommt nicht in erster Linie auf den Energiedurchsatz einer Gesellschaft an, sondern auf die Produktivität je Energieeinheit. Damit die Menschen in den industriell unterentwickelten Ländern der Erde im Jahre 2050 mindestens eine warme Mahlzeit am Tag und ein Dach über dem Kopf haben, müßte der Energieverbrauch der Industriestaaten um mehr als 80 Prozent des derzeitigen Standes verringert werden. Soll der Lebensstandard nicht sinken, muß die Energieproduktivität also um 80 Prozent steigen. Etwa 60 Prozent der anthropogenen Kohlendioxydsemissionen der vergangenen 200 Jahre stammen allein aus Nordamerika und aus Westeuropa. Daran war Nordamerika mit etwa 34 Prozent und Westeuropa mit 26 Prozent beteiligt. Die ehemalige UdSSR lud in den fast 75 Jahren ihrer Existenz etwa 14 Prozent auf ihr

Schuldkonto. Dagegen trug der ganze asiatische Raum einschließlich China und Japan nur etwa 10 Prozent bei.

Die globale Rechnung zur Bezahlung der Treibhauskosten müßte folglich den Emissionen entsprechend anteilmäßig von den jeweiligen Ländern getragen werden. In Wirklichkeit aber wird sie letztlich mit dem Lebensstandard oder sogar mit dem Leben der von den Naturkatastrophen betroffenen Menschen in aller Welt bezahlt.

Setzt man die weltweite Minimalforderung der Reduzierung von Treibhausgasen auf die deutschen Verhältnisse um, so ist im Verhältnis zum Jahre 1990 eine gestaffelte Reduktion der CO_2-Emissionen um 25 Prozent bis zum Jahre 2005, um 50 Prozent bis zum Jahre 2020 und schließlich um 80 Prozent bis zum Jahre 2050 notwendig. Die BRD emittierte 1990 etwa eine Milliarde Tonnen CO_2. Weltweit wurden damals etwa 20 Milliarden Tonnen CO_2 in die Atmosphäre geblasen. Bei einer 30prozentigen Reduktion der CO_2-Emissionen bis zum Jahre 2005 müßte die BRD auf die Emissionsmenge von etwa 300 Millionen Tonnen CO_2 verzichten. Im Jahre 2020 sollte sie nur noch 500 Millionen Tonnen CO_2 ausstoßen. Obwohl die Bonner Regierungsparteien dementsprechende politische Selbstverpflichtungen abgegeben haben, weisen ihre energiepolitischen Entscheidungen in eine andere Richtung. So soll der Verbrauch von Erdgas in der BRD bis zum Jahre 2020 dramatisch ansteigen, ohne daß etwa die Verbrennung von Erdöl oder der Kohleverbrauch drastisch reduziert werden sollen. Der Steinkohlenbergbau wird weiter subventioniert, die Braunkohlenproduktion wird gefördert, neue Kohlekraftwerke werden in Betrieb genommen.

Die heutigen Entscheidungen über den Bau neuer Kraftwerke beeinflussen aber die Kohlendioxydemissionen bis zur Mitte des nächsten Jahrhunderts. Es dauert etwa zehn Jahre, bis die jeweilige Investitionsentscheidung getroffen und in die Tat umgesetzt wird. Dann arbeitet das Kraftwerk mindestens vierzig Jahre lang, wenn es Gewinn abwerfen soll. Ähnliche Zeitspannen gelten auch für andere Großinvestitionen.

Obwohl die Energiesparpotentiale von morgen bereits heute existieren, gehen die Prognosen der großen Energieversorger davon aus, daß sich der Energieverbrauch bis zum Jahre 2050 nicht halbieren, sondern mehr als verdoppeln wird. Die großen Stromkonzerne bauen folglich neue Kraftwerke. Sie handeln, als glaubten sie, auch dann noch Gewinne erzielen zu können, wenn die nationalen Märkte und die Weltwirtschaft kollabiert sind.

Die sozialen Schäden jeder emittierten Tonne CO_2 wachsen in einem exponentiellen Verhältnis zur CO_2-Konzentration. Je höher die Konzentration an Treibhausgasen ist, desto größer wird der Schaden jeder Tonne, die noch hinzukommt. Jede heute freigesetzte Tonne Kohlendioxyd (bei 355 ppm CO_2) verursacht einen Schaden von etwa 80 Mark. Wenn die weltweite CO_2-Konzentration auf 450 ppm angestiegen ist, richtet jede zusätzliche Tonne CO_2 bereits einen Schaden von über 300 Mark an.[3] Der soziale Nutzen der Klimaschutzpolitik sollte deshalb an den eingesparten volkswirtschaftlichen Kosten bemessen werden. Wenn die CO_2-Emissionen infolge einer CO_2-Abgabe mit 40 Mark je Tonne in der Rechnungsführung der Unternehmen und Haushalte zu Buche schlagen würden, gäbe es eine marktwirtschaftliche Initialzündung zum Energiesparen. Unter dieser Bedingung wäre selbst der Solarstrom aus einem spanischen Parabolrinnenkraftwerk mit etwa 30 Pfennig/kWh im Verhältnis zum fossil erzeugten Strom in Deutschland konkurrenzfähig. Die verstärkte Nutzung der Solarenergie könnte den fossilen und kernenergetischen Scheiterhaufen, auf dem die Menschheit steht, löschen.

… zum verantwortlichen Umgang mit Energie

Der solare Wasserstoff galt lange Zeit als idealer Energiespeicher, der das Benzin relativ schnell ablösen sollte. Wasserstoff wird bekanntlich durch die Elektrolyse von Wasser gewonnen. Der dazu notwendige elektrische Strom ist aber heute bei weitem die teuerste Form der Energie. Die Erzeugung von Wasserstoff

aus Strom kann deshalb den großtechnischen Einsatz dieses Energieträgers bis weit in das nächste Jahrhundert unrentabel machen. Diese Rechnung bezieht sich allerdings nur auf das heutige Preissystem unbezahlter Reproduktionskosten des Naturverbrauchs fossiler Brennstoffe und der Kernenergie. Wenn der Naturverbrauch dieser Brennstoffe bezahlt werden muß, wird solarer Wasserstoff als Energieträger konkurrenzfähig.
Fahrzeuge mit Brennstoffzellen sind vielleicht die Autos von morgen. Nach einer Studie des amerikanischen Energieministeriums kann bereits im Jahre 2030 jedes vierte Fahrzeug mit Brennstoffzellen laufen. Brennstoffzellen verbrennen den Wasserstoff in einem katalytisch gesteuerten Prozeß bei relativ niedrigen Temperaturen und hohem Wirkungsgrad. Gegenwärtig werden Brennstoffzellen vor allem zur Stromgewinnung in Raumfahrzeugen und in U-Boot-Motoren genutzt.
Sie bestehen vom Prinzip her aus zwei Gefäßteilen, die durch eine halbdurchlässige Wand getrennt sind. In dem einen Teil des Gefäßes strömt Wasserstoff an der Trennwand vorbei und in dem anderen Teil sauerstoffreiche Luft. Die Löcher in der Trennwand sind so klein, daß nur die Kerne des Wasserstoffs, das heißt die »nackten« Protonen, hindurchpassen. Die Kerne des Wasserstoffs, die von ihrem Elektron entblößt sind, verbinden sich nach Durchlaufen der Trennwand auf der anderen Seite mit den dortigen Sauerstoffatomen zu Wassermolekülen. Diese Reaktion erfolgt nicht als Knallgasexplosion, sondern infolge der Diffusion relativ moderat. Die fehlenden Elektronen der entstandenen Wassermoleküle gelangen über den Umweg einer elektrischen Leitung zu »ihren« Molekülen. Auf diesem Umweg läßt man sie dann noch eine elektrische Arbeit verrichten. Sie treiben zum Beispiel den Elektromotor im Auto an.
Die ersten Fahrzeuge mit diesen Wasserstoff-Brennstoffzellen wurden in den USA, in Kanada, in Japan und in Deutschland getestet. Die Funktionsprinzipien unterscheiden sich sowohl durch den Aufbau des Elektrolyten als auch durch die Art und Weise der Wasserstofferzeugung und -speicherung. Die Marktreife des Prinzips hängt weitgehend von den internationalen Prei-

sen für nicht regenerierbare Energieträger ab. Je höher die Preise für fossile Brennstoffe sind, desto konkurrenzfähiger ist die solare Wasserstofftechnologie. Die Preise für fossile Brennstoffe nehmen aber gegenwärtig eine weltweite Talfahrt. Damit verschiebt sich der Marktdurchbruch der Wasserstofftechnologie immer weiter in die Zukunft.

Die ›Negawattstunde‹ und das ›Negawattkraftwerk‹ bezeichnen das Potential nicht verbrauchter Energie. Eine Negawattstunde ist eine eingesparte, das heißt nicht verbrauchte Megawattstunde [10^6 Wa/h]. Ein Negakraftwerk ist ein Kraftwerk, das man nicht zu bauen braucht. Die Energie, die das Kraftwerk geliefert hätte, wurde durch die Erhöhung der Energieproduktivität bei den Verbrauchern eingespart. Der Effekt der Energieeinsparung läuft im wirtschaftlichen Endergebnis auf denselben Nutzen hinaus wie die zusätzliche Energiebereitstellung. Der Unterschied besteht aber in den Kosten. Die Einsparung von Energie ist billiger als die Bereitstellung zusätzlicher Energie. Die Energieeinsparung reduziert außerdem den Treibhauseffekt, ohne auf den Nutzen verzichten zu müssen – eine doppelte Rendite.

Die Erhöhung der Energieproduktivität rückt seit den neunziger Jahren immer stärker in den Mittelpunkt des wirtschaftlichen Interesses. Es lohnt sich sowohl für die Unternehmen als auch für die Gewerkschaften, Kilowattstunden arbeitslos zu machen statt Arbeitskräfte. Der sparsame Einsatz von Primärenergie verbessert nicht nur die ökologische Verträglichkeit der Wirtschaft, sondern auch die soziale Stabilität.

Die Energiesparpotentiale der Wirtschaft sind enorm. Die technischen Möglichkeiten sind relativ problemlos zu realisieren. Der wirtschaftliche Gewinn der Energieeinsparung sind die eingesparten Energiekosten. Betriebswirtschaftlich eingesparte Kosten erhöhen die Konkurrenzfähigkeit der Unternehmen.

Auf Dauer wird sich der wirtschaftliche Fortschritt auch nicht durch den gegenwärtigen Bergrutsch der Energiepreise aufhalten lassen. Das folgende Rechenbeispiel soll das verdeutlichen. Ein mittelständisches Industrieunternehmen verbraucht im Jahr durchschnittlich etwa zwei Megawatt Strom und 20 Tonnen

Dampf. Den Strom bezieht es in der Regel von einem regionalen Stromversorger. Der Dampf wird dagegen durch einen betriebseigenen Sattdampfkessel erzeugt. Wenn das Unternehmen die Primärenergie zum Betrieb des Kessels nicht nur zur Erzeugung der Prozeßwärme nutzen würde, sondern damit eine Dampfturbine betreibt, könnte es mit der gleichen Menge an fossilen Brennstoffen nicht nur die 20 Tonnen Dampf erzeugen, sondern auch noch drei Megawatt Strom. Das Unternehmen wäre bei heutiger Technologie problemlos in der Lage, sowohl seinen eigenen Energiebedarf zu decken als auch noch ein Megawatt Überschußstrom auf dem Strommarkt zu verkaufen.

Das Problem ist nicht technischer Natur, sondern politischer. Das staatlich garantierte Monopol der großen Stromversorger verbot bisher in Deutschland den Verkauf von privat erzeugtem Strom. Das Strommonopol wurde im Energiewirtschaftsgesetz des Jahres 1935, das heißt in der Zeit des Hitlerfaschismus, festgeschrieben. Seitdem wurde der freie Energiemarkt blockiert. Die Politiker der Nachkriegszeit zementierten diesen Zustand durch weitere monopolistische Verordnungen und Bestimmungen. Das politisch geschaffene Strom-Monopol aber setzte die Marktgesetze außer Kraft. In einer funktionsfähigen Marktwirtschaft existieren riesige Sparpotentiale beim Naturverbrauch. In unserem Beispiel könnte sich das mittelständische Unternehmen statt einer Dampfturbine sogar eine moderne GuD-Anlage (Gasturbine, Abhitzekessel als Dampferzeuger und Dampfturbine) anschaffen. Dann kann es mit annähernd der gleichen Primärenergie 20 Tonnen Dampf und 14 Megawatt Strom erzeugen. Außerdem kann es die Abwärme durch einen Wärmeaustauscher »einfangen«. Die Energie der Abwärme kann der Vorwärmung des Wassers oder der Gebäudeheizung dienen. Die ökonomisch sinnvolle Kombination der bereits existierenden technischen Optionen und ihre Anwendung in der gesamten Wirtschaft könnte zu Einspareffekten führen, die heute noch undenkbar erscheinen. Dazu sind aber Rückspeisevergütungen von dezentral erzeugten Stromlieferungen notwendig, die mindestens 13 Pfennig je kWh betragen müßten. Dieser Preis liegt sogar noch um zwei

Pfennig unter den Grenzkosten des Zubaus neuer Atomkraftwerke. Die Negawattstunden und das Negakraftwerk sind bei gleicher Leistung schon heute kostengünstiger als der Strom aus neuerbauten Großkraftwerken.

Der allgemeine Energieerzeugungspreis steigt bereits dann auf 13 Pfennig an, wenn die staatlichen Subventionen für die Stromversorgungsunternehmen, die Kohleförderung und die Kernkraftwerke entfallen. Wenn die nichtregenerativen Energieträger keine Steuergelder »verbrennen« würden, wären bereits heute Kraft-Wärme-Kopplungen bei der Stromerzeugung sowie Dampf-Kraft-Kopplungen zur Nutzung der industriellen Abwärme auf dezentraler Ebene konkurrenzfähig.

Das doppelte Manko der Energiepolitik kommt hier klar zum Ausdruck. Zum einen wird die Nutzung der Solarenergie nicht ausreichend gefördert, und zum anderen wird der Verbrauch von nichtregenerierbaren Energieträgern hoch subventioniert. Unter dem volkswirtschaftlichen Strich wäre insoweit der Schaden kleiner, gäbe es überhaupt keine Energiepolitik.

Die politische Fehlentwicklung hat einen Grund. Es sind die zahllosen Verquickungen zwischen der Staatsmacht und den Wirtschaftsinteressen veralteter industrieller Strukturen. Wenn diese Kruste nicht durch eine politische Reform aufgebrochen wird, so besteht die Gefahr, daß sie später durch eine soziale Eruption gesprengt wird – mit unabsehbaren Folgen.

Eine progressive Energiepolitik käme auch den großen Energieversorgern und -verbrauchern zugute. Sie könnten ihre Erfahrungen und ihre wirtschaftliche Kraft nutzen, um zu Energiedienstleistungsunternehmen zu mutieren. Sie verkaufen dann Hauswärme, Licht zur Gebäude- oder Straßenbeleuchtung oder die Nutzung von Elektromotoren an ihre Kunden. Ihre Profite könnten sich auf der Grundlage einer Minimalkostenplanung verdoppeln. Sie würden dann im eigenen Geschäftsinteresse Wärme-Kraft-Kopplungen und GuD-Anlagen installieren. Sie besitzen nämlich nicht nur das notwendige Kapital, sondern auch das Know-how. Allein für Deutschland sind Kostenvermeidungspotentiale von etwa 100 Milliarden DM pro Jahr realisierbar.[4]

Die Kostenminimierung ist ein Wesenszug der Marktwirtschaft – genau das, was die Wirtschaftsteilnehmer ohne die politische Verzerrung des Energiemarkts tun würden.
Die aktuelle Politik weist leider in die entgegengesetzte Richtung. Der Verband Deutscher Elektrizitätswerke [VDEW] blokkiert die Entwicklung zu einer dezentralen Stromversorgung. Die Stadtwerke werden in den Ruin getrieben. In den neuen Bundesländern setzt man auf die Erzeugung von Kondensationsstrom auf Braunkohlenbasis.
Trotz aller ökologischen Bekenntnisse meidet auch die Europäische Gemeinschaft die energetische Wende wie der Teufel das Weihwasser. So versank der Vorschlag der Europäischen Kommission zur Einführung einer Kohlendioxydsteuer 1992 nach einem vielversprechenden Start in der politischen Versenkung.
Die Freisetzung von Kernspaltungs- oder Kernfusionsenergie verschlechtert den energetischen Zustand des globalen Gesamtsystems genauso wie die Verbrennung fossiler Energieträger. Auch dieser Weg der Energieversorgung ist ein Irrweg der wissenschaftlich-technischen Entwicklung.
Die Kernenergie kann das »fossilistische Problem« der Menschheit nicht lösen. Sie ist zudem auch noch ökonomisch ineffizient. Die volkswirtschaftlichen Kosten der Kernenergie wachsen in einer geometrischen Progression zum privaten wirtschaftlichen Gewinn. Der private wirtschaftliche Gewinn dieser Anlagen ist wesentlich kleiner als der volkswirtschaftliche Verlust, der beim Betrieb der Kernkraftwerke in Form von Langzeitsanierungskosten entsteht. Das Verhältnis zwischen den volkswirtschaftlichen Kosten und dem privaten Nutzen beträgt bei der Kernspaltung etwa 10 : 1.
Bei der Kernfusion liegt das Kosten-Nutzen-Verhältnis noch zehnmal schlechter – nämlich bei etwa 100:1. Die Aufheizung der Erdatmosphäre durch die Abwärme der Kernkraftwerke führt zu denselben Effekten wie die Verbrennung von fossilen Energieträgern. Kernkraftwerke brauchen riesige Kühlsysteme, um die Abwärme loszuwerden. Fusionskraftwerke arbeiten voraussichtlich mit einem Wirkungsgrad von 25 Prozent. Der Verlust von

75 Prozent durch Abwärme muß durch Kühlsysteme abgeführt werden. Dadurch wird nicht nur die Atmosphäre aufgeheizt. Auch die Weltmeere erwärmen sich. Die Aufgabe von Wissenschaft und Technik besteht jedoch nicht in der Entdeckung von Wegen, wie man möglichst viel gebundene Energie freisetzen kann. Sie besteht vielmehr darin, wie man bei gleicher Leistung erstens möglichst wenig davon freisetzt und wie man zweitens bei gleichem Aufwand möglichst viel freie Energie bindet.

Nachhaltigkeit – Ausweg aus der Wohlstandsfalle?

»Nachhaltigkeit« ist das Schlagwort der modernen Umweltdiskussion. Es signalisiert den hohen Anspruch an die Gesellschaft, sich zur Erhaltung ihrer Naturgrundlagen zu verpflichten. Der Begriff impliziert ein gewaltiges sozialpolitisches Programm. Die Nachhaltigkeit des gesellschaftlichen Lebens ist nicht nur auf den sparsamen Umgang mit nichterneuerbaren Ressourcen wie zum Beispiel mit fossilen Brennstoffen beschränkt.
Es geht auch um die Erhaltung der tropischen Regenwälder und der genetischen Vielfalt der biologischen Arten. Gerade auf diesem Gebiet wird in der Gegenwart verheerend mit dem Naturerbe umgegangen. Fünf Prozent der Biomasse auf der Landfläche der Erde wird alljährlich abgebrannt. Ein großer Teil davon sind Regenwälder. Durch die Rodung einer einzigen Bergkette in Ecuador wurden zum Beispiel neunzig Pflanzenarten für immer vernichtet. Ein Fünftel aller Vogelarten wurde bereits ausgerottet. Von den überlebenden 9040 Arten sind 11 Prozent gefährdet. Auf der Malaiischen Halbinsel ist bereits die Hälfte der 266 Süßwasserfischarten verschwunden. Alle einheimischen Baumschneckenarten auf Moorea sind ausgestorben.
Weltweit sind mehr als 20 Prozent aller Tier- und Pflanzenarten gefährdet oder stark bedroht. Die Mehrzahl der Organismen verschwindet allerdings von dieser Erde, ohne daß die Menschen das

überhaupt bemerken. Die Menschheit hat den weltweiten Artentod vertausendfacht, verglichen mit dem natürlichen Schwund.[5] Die wissenschaftlich beschriebene Zahl der biologischen Arten umfaßt heute etwa 1,5 Millionen. Die Zahl der noch unbekannten Spezies geht wahrscheinlich in dreistellige Millionenhöhe. Die meisten Arten sterben einen stillen Tod.
Die Menschheit ernährt sich gegenwärtig von weniger als dreißig verschiedenen Nutzpflanzen. Zur Ernährung könnte diese Zahl aber von einer wachsenden Erdbevölkerung auf mehr als 30 000 bekannte Pflanzenarten ausgeweitet werden.
Die Nachhaltigkeit des gesellschaftlichen Lebens ist nur dann gewährleistet, wenn die verbrauchten Naturgüter reproduziert werden. Daraus folgt, daß die Regenwaldvernichtung gestoppt und die genetische Vielfalt der biologischen Arten durch eine ökologische Landbewirtschaftung erhalten werden muß. Daraus folgt auch die Notwendigkeit des Stoffrecyclings aller genutzten Mineralien und einer ökologisch verträglichen Infrastruktur, unter anderem eine ökologisch und sozial verträgliche Bauwirtschaft und die Neuorientierung des gesamten Verkehrssystems. Das ist eine Jahrhundertaufgabe.
Die gegenwärtigen politischen Programme, die sich einer nachhaltigen Sozialentwicklung verpflichtet fühlen, versuchen nur, eine langsamere Gangart der Naturzerstörung einzulegen. Doch selbst das ist besser als gar nichts. Dadurch wird schonend der Gedanke ins Bewußtsein der Bürger gebracht, daß sie nicht mehr im Paradies leben.
Die Industriegesellschaft lebt heute auf Kosten der Reichtümer der Natur. Sie spart eine Mark mit dem Ergebnis, daß in naher Zukunft für jede gesparte Mark mehr als das Hundertfache für die Sanierung der zerstörten Naturgüter fällig wird.
Die gemäßigte Nachhaltigkeit bringt immerhin einen Pfennig der notwendigen Mark auf. Der Forderung einer gemäßigten Nachhaltigkeit liegt das Konzept zugrunde, daß die Menschen dazu verdammt sind, ihre Umwelt zu zerstören, um selbst zu leben. So heißt es zum Beispiel im *Handbuch des Umweltmanagements:*

»Da eine Produktion ohne Umweltbelastung nicht denkbar ist, kann Umweltschutz nur im Sinne einer relativen Umweltschonung praktiziert werden.«[6]

Diese Auffassung ist weit verbreitet. Indem sie behauptet, daß natürliche Umwelt und menschliche Existenz unversöhnliche Gegensätze seien, stellt sie das Ziel der Nachhaltigkeit grundsätzlich in Frage.
Aber gesellschaftliche Entwicklung und Schutz der Umwelt müssen sich nicht gegenseitig ausschließen. Die Nachhaltigkeit der gesellschaftlichen Entwicklung besteht nicht nur darin, den gegenwärtigen Umweltverbrauch etwas einzuschränken, damit spätere Generationen auch noch ein Stück von dem Umweltkuchen verzehren können. Nachhaltigkeit bedeutet vielmehr, daß die Gesellschaft als Teil des Naturganzen ihre eigene Entwicklung nur dann auf Dauer betreiben kann, wenn sie die Naturreichtümer erhält. Der Sinn einer nachhaltigen Entwicklung besteht nicht nur im sparsamen Umgang mit Naturgütern. Er besteht vor allem in der Erhaltung des ökologischen und sozialen Gesamtzusammenhangs. Die Erhaltung dieses Zusammenhangs ist die unabdingbare Voraussetzung für eine nachhaltige Sozialentwicklung.
Die einzelnen Entwicklungsniveaus der Evolution sind untereinander durch eine Abwärtskompatibilität verbunden: Die »höhere« Form der Evolution muß die Grundlagen ihres Daseins erhalten, wenn sie weiter existieren will.[7] Genauso, wie sich ein falsch informiertes Bewußtsein selbst auslöscht, wenn es seinen Körper in eine tödliche Situation manövriert, so zerstört sich auch die Gesellschaft, wenn sie die natürlichen Grundlagen ihrer Existenz vernichtet. Diese Selbstzerstörung kann durch einen sparsamen Umweltverbrauch nur hinausgezögert, aber nicht verhindert werden. Das Kriterium der Nachhaltigkeit besteht nicht darin, daß der Umweltverbrauch etwas verringert wird. Es besteht vielmehr in der Reproduzierbarkeit der verbrauchten Naturgüter.

Die Wohlstandsfalle

Die Menschen müssen bekanntlich ständig einen Teil ihrer Umwelt in Form von Nahrungsmitteln und Rohstoffen verbrauchen sowie Abfall erzeugen, um ihre körpereigenen und sozialen Lebensgrundlagen zu reproduzieren. Ob sie ihre Umwelt schnell verbrauchen oder langsam, das Resultat scheint immer dasselbe zu sein. Sie wirtschaften sich in jedem Fall ihrem unvermeidlichen Untergang entgegen. In der wissenschaftlichen Diskussion scheint man sich darüber einig zu sein, daß die menschliche Gesellschaft die Ordnung ihrer Umwelt unweigerlich zerstören muß, um ihre soziale Ordnung zeitweilig aufrechtzuerhalten.

Ein kurzer Blick auf die Entwicklung der technischen Zivilisation scheint diese Ansicht zu bestätigen. Die Erfindung von Maschinen war bekanntlich die Geburtsstunde der Industriegesellschaft. Die Dampfmaschine leitete die Verbrennung fossiler Energieträger im großen Maßstab ein, deren Verbrauch später durch den Verbrennungsmotor noch beschleunigt wurde. Die Verbrennung von Kohle, Erdöl und Erdgas führte im Lauf des 20. Jahrhunderts zu einer ständigen Erwärmung der Erdatmosphäre. Die gebundene Energie der fossilen Brennstoffe wurde freigesetzt, und das dabei entstehende Kohlendioxyd hielt die freigesetzte Wärmeenergie zusammen mit der Solarstrahlung in der Atmosphäre zurück. Dieser Mechanismus bedroht die Bewohnbarkeit unseres Planeten. Die Inlandgletscher schmelzen immer schneller ab. Der Regen fällt in einigen Regionen sintflutartig und in anderen gar nicht mehr. Der Effekt wird noch durch die Zerstörung der Ozonschicht verstärkt. Die hartwellige ultraviolette Strahlung dringt auf die Erdoberfläche vor und verbrennt nicht nur das Landleben, sondern auch das Leben in den Oberflächengewässern. Dadurch sterben die Pflanzen der Landflächen und die Algen in der oberen Wasserschicht der Weltmeere ab. Die abgestorbenen Pflanzen können erstens das Kohlendioxyd der Atmosphäre nicht mehr binden. Die Zersetzung der toten Substanzen erhöht zweitens noch die CO_2-Konzentration in der Atmosphäre – ein Kreislauf, der sich ab einer bestimmten Stufe selbst verstärkt.

Die globale Fehlentwicklung der Industriegesellschaft führte außerdem weltweit zur Erosion ausgedehnter Bodenflächen. Die Erosion landwirtschaftlicher Böden nahm im Lauf des 20. Jahrhunderts solche Ausmaße an, daß die Kontinente der Erde dabei sind, zu veröden. Seit Mitte der neunziger Jahre geht nicht nur die Pro-Kopf-Produktion an Getreide weltweit zurück, sondern auch die landwirtschaftliche Nutzfläche. Die Erosionserscheinungen auf diesen Böden wachsen jährlich in einer Größenordnung der Fläche von Kanada. Gleichzeitig wächst die Weltbevölkerung immer schneller an. Wirtschaftliches Lebensziel von zwei Drittel der Erdbevölkerung ist es, den Lebensstandard der Industriestaaten zu erreichen. Dieser Lebensstandard wurde aber durch die bisherigen Umweltzerstörungen erkauft. Die Pessimisten scheinen wohl recht zu haben: Das Ende der Menschheit ist nur eine Frage der Zeit, wobei der Umweltschutz die Galgenfrist lediglich hinausschiebt: »Nach uns die Sintflut!«

Entropie und ihre Botschaft

Diese Lebenseinstellung kann sich scheinbar auf eine wissenschaftliche Theorie berufen: die landläufige Interpretation des Zweiten Hauptsatzes der Wärmelehre. Ihr zufolge wächst die Unordnung in der Welt schneller an, als die Ordnung zunimmt. Diese Schlußfolgerung wird aus der wissenschaftlichen Tatsache gezogen, daß der Wirkungsgrad von Energiewandlungsprozessen immer kleiner als 1 ist. Ein Teil der Primärenergie entweicht bei jeder Energiewandlung als Wärme in die Umwelt. Die Arbeitsfähigkeit der Energie wird dabei entwertet. Es entsteht Entropie.
»Entropie« [S] ist ein physikalischer Begriff. Er beschreibt das Verhältnis der Energie [Q] eines Systems zu seiner Temperatur [T]. Damit gilt: [S = Q/T].
Die Energie fließt genauso wie das Wasser immer abwärts, niemals von selbst aufwärts. Wer sich einen Kaffee brühen will, muß

Wasser zum Kochen bringen. Dazu stellt er die Herdplatte oder den Tauchsieder bzw. die Kaffeemaschine an. Die Kochplatte gibt einen Teil der Hitze an den Wasserkessel ab. Der andere Teil erwärmt die Küche. Das kochende Wasser kommt in die Kaffeekanne, um den Kaffee aufzubrühen. Die heiße Kanne bzw. die heiße Tasse gibt dann ihre Wärmeenergie an die Umwelt ab. Bei jedem Schluck nimmt der Kaffeetrinker einen Teil davon auf. Die Wärme fließt als freie Energie immer von der hohen Wärmekonzentration zu der weniger hohen ab. Diese alltägliche Erscheinung wird durch den Zweiten Hauptsatz der Thermodynamik gesteuert, der als Entropiesatz bezeichnet wird. Er spiegelt die einfache Tatsache wider, daß alle energetischen Prozesse im Kosmos eine Richtung haben: Jeder warme Körper erwärmt mit seiner freien Energie seine weniger warme Umwelt. Energetische Prozesse finden nur dann statt, wenn dabei Entropie produziert wird.

Die Entropie ist das physikalische Grundprinzip der kosmischen Evolution. Sie ist nicht nur die Ursache jeder Bewegung – sie bestimmt auch ihre Richtung. Im Einklang mit diesem Naturgesetz entstanden sowohl die Himmelskörper als auch das irdische Leben.

Seit der theoretischen Erarbeitung der statistischen Thermodynamik durch Ludwig Boltzmann (1844–1906) wird die Entropie meist als Unordnung interpretiert. Aus diesem Denkansatz folgt, daß die Aufrechterhaltung und vor allem die Entwicklung der gesellschaftlichen Ordnung durch eine überproportional anwachsende Unordnung der natürlichen Umwelt erkauft werden muß. Die Menschheit kann nach dieser Auffassung nicht beides haben. Sie kann nicht ihre eigene Entwicklung vorantreiben und gleichzeitig die Ordnung ihrer natürlichen Umwelt erhalten. Es gibt hier nur die folgenschwere Alternative – entweder die Umwelt oder die Menschen. Wenn sich die Menschen für die nachhaltige Existenz der Ökosysteme entscheiden, dann müßten sie eigentlich kollektiven Selbstmord begehen. Wenn sich die Menschen dagegen für ihre eigene Entwicklung entscheiden, dann sind sie gezwungen, ihre natürliche Umwelt zu verbrauchen. Der eigene Untergang ist dann nur noch eine Frage der Zeit. Wenn

der größte Teil der natürlichen Lebensgrundlagen der Gesellschaft zerstört ist, dann ist auch das Schicksal der Menschen besiegelt. Es scheint eine Zwickmühle zu sein.
Wenn es stimmt, daß die allgemeine Tendenz zur Vergrößerung der Entropie stets mit dem Wachstum der Unordnung einhergeht, dann ist die gemeinsame Existenz von Biosphäre und Menschheit schwer zu erklären. Mensch und Umwelt bilden bei der Gleichsetzung von Entropie und Unordnung unversöhnliche Gegensätze.
Nach der »Unordnungstheorie« führt das ständige Anwachsen der Entropie zu einer ständigen Vergrößerung der Unordnung. Am Beginn der kosmischen Expansion muß die Entropie infolge extrem hoher Temperaturen unendlich klein gewesen sein. 10^{-43} Sekunden nach dem Urknall [big-bang] herrschte immer noch ein »Höllenfeuer« von 10^{32} Kelvin. Bei diesen Temperaturen konnten weder chemische Elemente noch kosmische Körper und schon gar kein Leben existiert haben. Geordnete Strukturen entstanden erst, nachdem sich der Kosmos expansiv genügend abgekühlt hatte.
Nach Auffassung von Max Planck (1911) wird die Entropie am absoluten Nullpunkt gleich Null sein. Eine Null-Entropie ist aber nach der »Unordnungstheorie« identisch mit einer absoluten Ordnung. Das ist ein Widerspruch in sich, denn wie kann die Entropie ständig anwachsen, wenn sie am Ende ihres Wachstums einen Nullwert erreicht? Wie kann die allgemeine Erscheinung geordneter Zustände im Kosmos und auf der Erde erklärt werden, wenn am Beginn der kosmischen Expansion keine nachvollziehbaren Ordnungsmuster existiert haben konnten? Die absolute Gleichsetzung von Entropie und Unordnung ist somit zu hinterfragen.
Erwin Schrödinger, einer der Väter der Quantenmechanik, schrieb in seinem Buch *Was ist Leben?* (1944):

> »Negative Entropie – das ist es, wovon der Organismus lebt, um es weniger paradox zu formulieren, das wesentliche am Stoffwechsel besteht darin, daß es dem Organismus gelingen muß, sich all der Entropie wieder zu entledigen, die er gezwungen ist zu produzieren, solange er lebt.«

Jeder Organismus nimmt zur Aufrechterhaltung seines Lebens Stoffe mit niedriger Entropie auf und gibt sie mit höherer Entropie an die Umwelt ab. Der niedrige Entropiestrom, den das Leben konsumiert, kommt von der Sonne.
Die atomaren Fusionsreaktionen in der Sonne erzeugen negative Entropie. Die Sonne ist im Sinne des Zweiten Hauptsatzes der Thermodynamik eine entropische Katastrophe. Ein Teil der negativen Solarentropie gelangt als freie Energie mit der Solarstrahlung auf die Erde. Die Pflanzen »fangen« diese Strahlung ein und neutralisieren so teilweise den negativen Entropiestrom. Sie erhöhen damit die entropische Bilanz der Erde. Außerdem geben sie die eingefangene Solarenergie im Nahrungsnetz der Biosphäre weiter.
Ein Teil der negativen solaren Entropie wurde im Verlauf der Evolution der Biosphäre in den fossilen Brennstoffen gespeichert. Diese nichtregenerierbaren Energieträger wirken zusammen mit den lebenden Organismen an der positiven entropischen Bilanz des irdischen Gesamtsystems mit, indem sie die freie Solarenergie thermodynamisch isolieren (speichern) und so die globale Durchschnittstemperatur verringern.
Die Auffassung von der wachsenden Unordnung der Welt beruft sich gern auf die Alltagserfahrung der Menschen. Bekanntlich muß eine Wohnung ständig aufgeräumt werden, wenn ihre Bewohner nicht im Chaos versinken wollen. Jeder Mensch muß atmen sowie essen und trinken, um das stoffliche und energetische Fließgleichgewicht seines Körpers zu erhalten. Die ständige Tendenz zum Zerfall der biologischen Systeme und der sozialen Strukturen muß also dauernd durch den Abbau von hohen Konzentrationen freier Energie kompensiert werden. – Das ist zwar richtig, doch nur die halbe Wahrheit. Die entscheidende Frage besteht darin, woher die Konzentrationen an freier Energie kommen, die zur Aufrechterhaltung des natürlichen und gesellschaftlichen Lebens benötigt werden.
Wenn die lebensnotwendige Wärmeenergie aus der Verbrennung fossiler Energieträger oder der Kernenergie stammt, dann wird thermodynamisch isolierte Energie freigesetzt, die bis dahin

ihre Umwelt überhaupt nicht erwärmt hatte. Diese Energieträger sind zwar ein Teil der Gesamtenergie des irdischen Systems, doch ihre Energie war in den Brennstoffen gebunden. Die Energieträger sind kalt. Erst nach der Verbrennung heizen sie ihre Umwelt auf, erst die Verbrennung destabilisiert die Umweltsysteme der Gesellschaft.

Verbrennungsprozesse erhöhen die freie Energie und die Temperatur in ihrer Umwelt. Es wird Arbeit am Umweltsystem durch den Wärmeeintrag [dQ] geleistet. Die Entropie des irdischen Umweltsystems verringert sich durch die Temperaturerhöhung um den Betrag: [$dS = dQ \times [1/T_2 - 1/T_1]$]. Da die Anfangstemperatur [T_1] kleiner ist als die Endtemperatur [T_2], wird der umgeformte Ausdruck: [$dS = dQ \times [T_1 - T_2]/T_2 \times T_1$] negativ. Die negative solare Entropie, die die fossilen Pflanzen in den Brennstoffen eingefangen hatten, wird durch ihre Verbrennung wieder freigesetzt. Dadurch wird der erreichte Ordnungsgrad der Biosphäre, der Gesellschaft und der Umwelt instabil. Sie zerfallen um so schneller, je heißer es wird.

Der Zweite Hauptsatz der Thermodynamik ist ein Naturgesetz. Alle kosmischen Prozesse und irdischen Erscheinungen sind daran gebunden. Auch die Evolution des Lebens wird durch dieses Gesetz gelenkt: Die Photosynthese der Pflanzen »fängt« das Sonnenlicht ein. Durch die photosynthetische Bindung der Sonnenstrahlen wird die freie Energie und damit die Temperatur des irdischen Gesamtsystems verringert. Dadurch erhöht sich die globale Ordnung. Die Photosynthese ist der Motor der Evolution des Lebens auf der Erde, und die biologischen Konsumenten können nur so viel Energie freisetzen, wie vorher von den Pflanzen gebunden wurde.

Vom Prinzip her ist die Entwicklung der Menschheit dem gleichen Naturgesetz unterworfen. Wenn die Menschheit nachhaltig existieren will, muß sie mehr freie Solarenergie binden, als sie in ihrem Lebensprozeß an gebundener Energie freisetzt. Die technischen Möglichkeiten für diese soziale Entwicklung existieren bereits. Die Aufgabe besteht darin, die Sonnenenergie einzufangen und in den Produkten des täglichen Lebens als »graue Energie« zu binden (einzufrieren). Der gesellschaftliche Reichtum und der nachhaltig erwirtschaftete Lebensstandard der Menschen ist um so größer, je mehr Solarenergie gebunden wird und je sparsamer die in den Konsumtionsmitteln gebundene Solarenergie freigesetzt wird. Im ersten Fall sind optimale Solartechnologien gefragt, und im zweiten Fall kommt es darauf an, die Nutzungsdauer und die Nutzungsqualität der Waren und Dienstleistungen zu erhöhen.

Erst dann, wenn die Bindung freier Energie mindestens genauso groß ist wie die Freisetzung gebundener Energie, ist die gesellschaftliche Entwicklung nachhaltig. Das ist die Botschaft des Zweiten Hauptsatzes der Thermodynamik.

Gesellschaft und Natur stehen *nicht* im prinzipiellen Widerspruch zueinander. Es ist nur die Industriegesellschaft, die auf Kosten des entropischen Reichtums lebt, den sie nicht produziert hat. Sie ist ein entropischer Schmarotzer. Die einseitige Interpretation des Entropiesatzes als Satz wachsender Unordnung ist im Grunde genommen nur das Echo der energetischen und stofflichen Fehlentwicklung der »modernen« Gesellschaft.

Wenn es richtig wäre, daß eine hohe Konzentration von gleichartigen Stoffen einen höheren Ordnungsgrad darstellt als eine weniger hohe Konzentration, dann müßten auch 70 Kilogramm Kohle einen höheren Ordnungsgrad besitzen als ein erwachsener Mensch. Die Konzentration der Kohlenstoffatome ist in der Kohle wesentlich höher als im Menschen. Genauso hätte ein Computer infolge der Vermischung der Stoffe einen kleineren Ordnungsgrad als ein gleich schwerer Klumpen aus Plastik oder Metall.

Der Denkfehler bei der Gleichsetzung von Entropie mit Unordnung beruht auf dem Trugschluß, daß ein geordnetes System nicht mehr darstellt als die Summe seiner Teile. Das ist aber offensichtlich falsch. Die organisierte Vielfalt der Wechselwirkungen zwischen den Systemelementen ist in lebenden Systemen weitaus höher entwickelt als in der Kohle.

> *Ein System ist die Gesamtheit der Wechselwirkungen seiner Teile.*

Das Entropiegesetz steht nicht im Widerspruch zum Leben auf der Erde. Das Leben entwickelte sich unter dem Selektionsdruck dieses Naturgesetzes auf der Grundlage von zwei ordnungsbildenden Prinzipien:
Das erste Prinzip besteht darin, soviel freie Energie wie möglich zu binden. Diese Evolutionslinie mündete in die Entstehung der Pflanzen. Indem die Photosynthese den Pflanzen ermöglicht, die Sonnenenergie zu binden, sind diese biologischen Produzenten der energetische Motor des Lebens. Pflanzen werden nach dem Prinzip der optimalen Bindung der Solarenergie in der Biosphäre selektiert. Ihre »thermodynamische Aufgabe« besteht darin, soviel Solarenergie wie möglich zu binden und sowenig wie möglich davon durch die eigene Lebenstätigkeit wieder freizusetzen.
Das zweite Prinzip besteht in der sparsamen Freisetzung der gebundenen Energie. Dieser Weg mündete in die Entwicklung biologischer Konsumenten, im wesentlichen also der Tierwelt. Deren thermodynamische Aufgabe besteht darin, die mit der Nahrung aufgenommene Lebensenergie so sparsam wie möglich freizusetzen. Der sparsame Umgang mit Lebensenergie ist hier das entscheidende Selektionsprinzip. Die Konsumenten geben die von den Pflanzen gebundene Solarenergie im Nahrungsnetz weiter. Je größer das Nahrungsnetz ist, desto länger wird die Freisetzung der gebundenen Solarenergie hinausgezögert.
Die maximale Bindung der freien Energie und die minimale Freisetzung der gebundenen Energie optimieren zusammen die Entropieproduktion der Biosphäre. Der negative solare Entropiestrom wird so kompensiert.

> *Im energetischen Sinn besteht der Naturzweck des Lebens in der optimalen Bindung negativer Entropie sowie in ihrer minimalen Freisetzung.*

Das Leben entstand nicht zufällig auf der Erde. Es ist das Kind der entropischen Evolution des Kosmos. Die Biosphäre verbessert durch ihre Lebensaktivität den energetischen Zustand des globalen Gesamtsystems. Sie reduziert die Konzentration der freien Energie durch die Photosynthese der Pflanzen. Sie speichert dann die gebundene Solarenergie möglichst lange im System des Nahrungsnetzes. Ohne diese Lebensaktivität hätte die Solarstrahlung die irdische Umwelt stärker aufgeheizt als mit ihr. Durch die thermodynamische Isolierung (Bindung) der Solarenergie in den Lebensformen wurde ein Teil der freien Solarenergie dem Wärmehaushalt des kosmischen Gesamtsystems entzogen. Der entropische Zustand des Gesamtsystems wird also durch die Aktivität von Lebewesen verbessert. Der entropische Gewinn des Lebens existiert in der Vielfalt der biologischen Arten und in der Masse fossiler Reichtümer.

Vernichtet die Industriegesellschaft diese Naturreichtümer, dann verringert sie nicht nur den entropischen Zustand des irdischen und kosmischen Gesamtsystems. Sie zerstört auch die ökologische und soziale Ordnung. Im energetischen Sinn verletzt die Industriegesellschaft seit dem Beginn des fossilistischen Zeitalters den Naturzweck ihres Daseins. Das zeigt sich in den wachsenden Umweltschäden und vor allem im Treibhauseffekt. Im energetischen Sinn ist der kosmische Zweck der menschlichen Existenz derselbe wie der aller anderen Lebensformen. Dieser Zweck besteht darin, soviel freie (solare) Energie wie möglich in den stofflichen Substanzen zu speichern und sowenig wie möglich davon im Lebensprozeß wieder freizusetzen.

Der fossilistische und kernenergetische Weg ist deshalb ein energetischer Irrweg der sozialen Evolution. Jeder Verbrennungsprozeß erhöht die Temperatur in der Umwelt. Der Temperaturanstieg verringert den entropischen Zustand des Gesamtsystems. Diese Tatsache wird rein rechnerisch durch den Anstieg der Temperatur im Nenner der Entropiegleichung ersichtlich. Der Temperaturanstieg des Gesamtsystems verkleinert den entropischen Zustand. Gleichzeitig werden die Ordnungsmuster der ökologischen und sozialen Systeme instabil.

Das Entropiegesetz ist die Triebkraft der Bewegung als Veränderung überhaupt, und es bestimmt die Bewegungsrichtung. Die Art und Weise der Bewegung wird durch Informationsprozesse geprägt. Die Information ist die Quelle der kosmischen und irdischen Ordnung. Sie realisiert den entropischen Gewinn. Information ist das Mittel zum Zweck der Entropieproduktion. Sie ist weder Stoff noch Energie. Sie bestimmt den Ordnungsgrad der stofflichen Strukturen.

Auf dem Weg zur solaren Informationsgesellschaft

Der Naturzweck jeder Information besteht darin, daß ihr Nutzen größer sein muß als ihr Aufwand. Das kann auf zwei Wegen erfolgen: Entweder bindet eine Information bei ihrer Anwendung mehr freie Energie, als bei ihrer Produktion an gebundener Energie »verbraucht« (freigesetzt) wurde – oder sie hilft, durch ihre Anwendung mehr gebundene Energie und Rohstoffe einzusparen, als sie selbst »verbraucht«. Unter dem Strich muß die energetische bzw. stoffliche Differenz des Nutzen-Aufwand-Verhältnisses positiv sein.

Die Information ist ein Springquell der natürlichen Ordnung. Die gesamte Biosphäre kann zum Beispiel nur dann nachhaltig existieren, wenn die Pflanzen durch ihre Photosynthese mindestens so viel freie Solarenergie einfangen, wie durch das Nahrungsnetz wieder freigesetzt wird. Die Pflanzen binden aber mehr Solarenergie, als alle Lebewesen freisetzen. Es existiert außerdem ein zeitlicher Verzögerungseffekt zwischen der Bindung und der Freisetzung der Solarenergie. Ein Teil der ehemaligen Solarenergie wurde bekanntlich im Lauf der Erdgeschichte in Form der fossilen Brennstoffe dem Wärmehaushalt des Kosmos entzogen. Durch das Informationspotential der Lebewesen im Zusammenspiel ihrer gegenseitigen Lebensaktivitäten führte die Reduktion der freien Energie zur Produktion von entropischen Gewinnen. Es hat den Anschein, daß die gesamte Erde ein einziges Lebewesen darstellt. Im energetischen Sinn besteht die kosmische Aufgabe dieses Organismus darin, freie Solarenergie zu binden und festzuhalten. Der zweite Hauptsatz der Thermodynamik ist das

Selektionskriterium der Informationspotentiale struktureller Organisationsformen materieller Systeme.
Informationsprozesse sind nicht auf genetisch-ökologische Informationen beschränkt. Es gibt eine ganze Hierarchie aufeinander aufbauender Informationsprozesse. Die soziale Evolution menschlicher Gemeinschaften, die höchste uns bekannte Entwicklungsform von Informationspotentialen, beruht sowohl auf genetisch-ökologischen als auch auf gesellschaftlichen Informationssystemen.
Unter der Bedingung einer stark arbeitsteiligen Produktion entstehen marktwirtschaftliche Strukturen. Die Produzenten und die Konsumenten einer Marktwirtschaft regeln ihr gegenseitiges Verhalten genauso auf der Grundlage systemrelevanter Informationen wie alle anderen Systeme auch. Die systemrelevante Information der Marktwirtschaft ist der Marktpreis der Güter. Dieser Preis darf im gesellschaftlichen Maßstab nicht auf Dauer unter die Reproduktionskosten der verbrauchten Produktionsfaktoren fallen. Ansonsten ruinieren sich nicht nur die Anbieter, sondern das ganze Marktsystem. Marktwirtschaftliche Verluste beruhen auf Informationsdefiziten.
Im kosmischen Gesamtzusammenhang ist die menschliche Zivilisation ein System von vielen anderen und hat wie diese die Aufgabe, entropische Gewinne zu produzieren. Wenn sie entropische Verluste produziert, dann läuft das System so lange heiß, bis es verbrennt.
Die Biosphäre hat auf dem Weg in die menschliche Gemeinschaft den Sprung zur Entropieproduktion auf neuer Ebene eingeleitet. Die Menschen sind zwar biologische Konsumenten, doch als soziale Produzenten können sie genauso wie die Pflanzen den negativen solaren Entropiestrom binden. Ihre landwirtschaftlichen und technischen Systeme können vom Prinzip her mehr Solarenergie binden, als der gesamte soziale Lebensprozeß freisetzt. Im energetischen Sinn besteht darin der Zweck der menschlichen Existenz.
Dieser Zweck wird von der Industriegesellschaft völlig auf den Kopf gestellt. Statt zu erforschen, wie man den Aufwand zur Bin-

dung der Solarenergie reduziert, wird die gesellschaftliche Kreativität seit zwei Jahrhunderten in Forschungsprojekte gesteckt, die danach trachten, immer mehr gebundene Energie freizusetzen. Damit verhält sich die Industriegesellschaft als entropischer Schmarotzer. Sie setzt negative Entropie frei. Das von ihr entwickelte Informationspotential ist destruktiv. Noch wenige Jahrzehnte weiter so und das menschliche Geschlecht wird als Mißgeburt der Evolution auf dem Abfallhaufen der Geschichte enden, denn:

> »So, wie sich jemand selbst weh tut, wenn er seine Hand im Feuer verbrennt, ohne daß Gott, der das Feuer erschuf, zu beschuldigen ist, genauso setzt sich der, der die Gesetze verletzt, die jeder Kreatur auferlegt sind, der Strafe aus, die dem Gesetz entspricht, das übertreten worden ist.«[8]

Noch können wir wählen. Die Sonne strahlt so viel freie Energie auf die Erde, daß auch zehn Milliarden Menschen ein Leben führen könnten, von dem der reiche Norden heute nicht einmal zu träumen wagt. Die wichtigste Voraussetzung für diese Entwicklung besteht darin, daß eine globale Energiepolitik die Weiche zur Solargesellschaft stellt. Die Menschen der Solargesellschaft werden dann die primitiven Destruktivtechnologien unserer Industriegesellschaft mit einem verwunderten Kopfschütteln in ihren Museen besichtigen.

Der wirtschaftliche Gewinn beruht letztlich auf einem ökosozialen, dieser wiederum auf einem informativen und folglich entropischen Gewinn. Die Natur ist genauso gewinnorientiert wie die Gesellschaft. Der gesellschaftliche Gewinn ist im Grunde genommen nur eine Erscheinungsform des Naturgewinns. Er ist aber nur dann echt, wenn mehr freie Energie im Produktionsprozeß gebunden wird, als im Lebensprozeß der Menschen freigesetzt wird. Der gleiche Effekt tritt auch ein, wenn es gelingt, weniger gebundene Energie bei gleicher Lebensqualität freizusetzen.

Informationsprozesse sind das Mittel zum Zweck der Entropieproduktion. Sie bestimmen den Grad der Evolution. Je höher die

Informationsprozesse entwickelt sind, desto mehr freie Energie wird gebunden und desto weniger gebundene Energie wird freigesetzt.
Information hat die Eigenschaft, beliebig oft vervielfältigt werden zu können, ohne im Original verlorenzugehen. Der energetische Aufwand zur Vervielfältigung einer Information ist wesentlich kleiner als der Aufwand zu ihrer Neuproduktion. Dieser Sachverhalt läßt sich auf allen Evolutionsstufen der Information nachweisen. Der Aufwand zur Produktion des ersten Mikrochips einer neuen Computergeneration ist zum Beispiel gewaltig. Wenn die Information aber erst einmal vorhanden ist, dann sind die Reproduktionskosten für alle weiteren Chips verschwindend gering.
Fehlinformationen erhöhen dagegen den energetischen Aufwand. Der Aufwand wächst an, und der Nutzen geht gegen Null. Das führt zu entropischen, ökologischen, sozialen oder wirtschaftlichen Verlusten. Fehlinformationen wirken systemzerstörend. Eine gravierende genetische Fehlinformation hat genauso tödliche Folgen für den Organismus wie ein fehlerhaft funktionierendes lebenswichtiges Sinnesorgan. Eine gravierende Fehlorientierung kann ein Unternehmen in den wirtschaftlichen Ruin führen. Wenn die gesamte Marktwirtschaft alle Produzenten und die Konsumenten über die tatsächlichen ökosozialen Kosten der Güter falsch informiert, dann orientiert sich die ganze Gesellschaft falsch. Die Wirtschaftssubjekte glauben, private Gewinne zu erwirtschaften, obwohl es sich um ökosoziale Verluste handelt. Eine solche Gesellschaft ist genausowenig lebensfähig wie ein degenerierter biologischer Organismus. Wenn dann außerdem noch die Politiker die falschen Signale setzen und die soziale Fehlentwicklung durch die Subvention des Naturverbrauchs verstärken, dann ist das Schicksal der Zivilisation schnell besiegelt.
Technisch ist die Nutzung der Solarenergie kein Problem mehr. Zur Umsetzung fehlen »nur« noch das ökonomische Interesse der Großindustrie, der politische Wille der Regierungsparteien und die Bereitschaft breiter Konsumentenschichten.
Die Vereinbarkeit von Globalisierung und Regionalisierung

kennzeichnet die solare Informationsgesellschaft. Sie ist weltweit kommunikativ vernetzt, der Handel mit Informationen und miniaturisierten Produkten kennt keine Grenzen; zugleich versorgen sich die Menschen mit allen Gütern, deren Transportkosten über weite Entfernungen zu hoch sind, auf regionaler Ebene. Diese Entwicklung erfordert neue Dimensionen der gesellschaftlichen Kreativität. Die perspektivische Aufgabe besteht darin, eine ökosoziale Weltgemeinschaft anzustreben, die mehr freie Solarenergie bindet, als sie in ihrem Lebensprozeß freisetzt. Dieses ökosoziale Weltsystem benötigt eine globale Vernetzung der Informationssysteme. Es werden nicht mehr nur Waren verkauft, sondern Dienstleistungen und Informationen. Die Haupteinnahmequelle der Nationen wird die Produktion und Reproduktion von Informationen sein. Die notwendigen Waren und materiellen Dienstleistungen zur Befriedigung der unmittelbaren Bedürfnisse der Menschen werden hauptsächlich lokal und regional produziert. Das schafft neue Arbeitsplätze und die Notwendigkeit, die eigene Wohnregion als Arbeits- und Erholungsraum zu erhalten.

Der Weltenergiepreis bestimmt die Dynamik dieser Entwicklung. Die Schallmauer zum Durchbruch in die Solargesellschaft liegt etwa bei 100 Dollar je Barrel Öl (159 Liter) oder bei 1 DM je kWh Strom. Diese Schallmauer kann innerhalb von 20 Jahren durch eine gestaffelte und planbare Anhebung der Weltenergiepreise für nichtregenerierbare Energieträger durchbrochen werden. Das ist der sanfte Weg, der heute noch möglich ist.

Je länger damit gewartet wird, um so kürzer und rigider wird die notwendige wirtschaftspolitische Schrittfolge sein müssen. Die jeweils eingetretenen Natur- und Sozialschäden werden dann die politischen Sprünge diktieren. Die Menschheit hat als vernunftbegabte Gattung heute noch die Freiheit, den Zeitraum der ökosozialen Wende selbst zu bestimmen. Wenn sie ihre Fähigkeiten nicht nutzt, dann wird ihr die Freiheit der Entscheidung von der Natur abgenommen.

Die Streichung der direkten und indirekten Subventionen für fossile Brennstoffe und für Kernenergie leitet die ökosoziale

Wende ein. Die Subventionen zur Verbilligung des Naturverbrauchs sind politische Blockaden einer solarenergetischen Marktentwicklung. Dazu mehr im dritten Kapitel dieses Buches.
Der gegenwärtige Energiepreis erlaubt sogar schon heute in vielen Regionen und Wirtschaftsbranchen die effiziente Nutzung der solarthermischen Energie und der Windenergie. Auch der Betrieb von kleinen und mittleren Laufwasserkraftanlagen und der Bioenergie, der Wellenenergie sowie der Geothermalenergie sind schon heute effizient. Genauso rechnet sich die Einsparung des Energieverbrauchs durch marktwirtschaftliche Innovationen. Die Reduzierung des Energieverbrauchs bei gleicher Leistung erzeugt den gleichen entropischen Effekt wie die Bindung der Solarenergie. Beide Strategien führen zum selben Ziel. Der Energiepreis ist der Schlüssel zur Einleitung der kopernikanischen Wende der Industriegesellschaft. Diese Wende ist längst überfällig.

Die kopernikanische Energiewende: im Zentrum die Sonne

Die Sonne ist die Quelle des Lebens. Aus dem Chaos der solaren Fusionsreaktion entsteht unter Wirkung des Entropiegesetzes die Ordnung der Natur. Die Solarenergie wird in Lebensenergie transformiert, deren Kraft abhängig ist von der Evolutionsstufe des lebenden Systems. Sowohl die maximale Bindung der Solarenergie wie auch die minimale Freisetzung der gebundenen Energie wird durch das Informationsniveau des jeweiligen Systems bestimmt. Mittels der Information werden die materiellen Strukturen geformt. Das ist die Botschaft aus dem Universum, die im Zweiten Hauptsatz der Thermodynamik verschlüsselt ist. Die praktische Umsetzung dieser Botschaft verlangt eine kopernikanische Energiewende der Industriegesellschaft. Kopernikus stürzte am Beginn der bürgerlichen Entwicklung die geozentrische Weltanschauung, indem er die Sonne in der kosmischen

Theorie dorthin setzte, wo sie in Wirklichkeit immer stand – nämlich im Zentrum des Sonnensystems. Die energetische Wende vollendet das kopernikanische Werk.

Wie wir freie Energie optimal binden können

Alle Sonnen sind kosmische Katastrophen. Sonnen entstehen durch die Instabilität der Strukturen ihrer Ruhemassen. Ruhemassen sind Einschlüsse von gewaltigen Energiekonzentrationen, die am Beginn der Expansionsphase des Universums dem kosmischen Wärmehaushalt entzogen wurden. Die Ruhemassen besitzen die Eigenschaft der Gravitation. Die gravitative Anziehungskraft ist direkt proportional zur Größe der sich anziehenden Massen.

Wenn ein kosmischer Körper durch die gravitative Anziehung von anderen Materieteilchen einen Durchmesser von etwa 500 km erreicht hat, dann werden die chemischen Verbindungen in seinem Zentrum instabil. Chemische Verbindungen beruhen bekanntlich auf elektromagnetischen Kräften. Die Gravitationskraft ist bei dieser Massenanhäufung stärker als die elektromagnetische Kraft. Das Innere dieser kosmischen Körper wird flüssig. Deshalb sind alle Planeten und Monde, deren Durchmesser größer als 500 km ist, rund.

Wenn die Größe eines Himmelskörpers durch die Anziehung von weiteren Ruhemassen etwa $^2/_3$ der Sonnenmasse erreicht, dann überwindet die gravitative Kraft im Inneren dieses Riesenplaneten die Abstoßungskraft der Protonen (p^+). Protonen sind Wasserstoffkerne. Die Struktur der Protonen wird instabil. Ihre materielle Hülle wird aufgebrochen. Dabei fließt ein Teil der eingeschlossenen Energie in die kältere Umwelt ab. Dieser Teil macht aber nur etwa 1 Prozent der inneren Energie der Protonen aus. Der Rest wird im Prozeß der Kernfusion wieder in dem entstehenden Heliumkern eingeschlossen. Die Freisetzung der inneren Energie der zu Helium verschmelzenden Protonen erfolgt nach dem Prinzip: Sowenig wie möglich und nur soviel wie nötig.

Die Energie, die bei der Fusionsreaktion freigesetzt wird, ist aber immer noch so gewaltig, daß sie seit sechs Milliarden Jahren den sonnennahen Raum aufheizt. Die Sonne wird auch noch weitere sechs Milliarden Jahre ihre Fusionsenergie in die Umwelt abstrahlen.

Das Leben auf der Erde hat also in energetischer Sicht für die nächsten sechs Milliarden Jahre die Aufgabe, den entropischen »Schaden«, der durch die Kernfusion in der Sonne entsteht, zu minimieren. Die Aufgabe der lebenden Systeme besteht darin, soviel freie Solarenergie wie möglich zu binden und dabei nur sowenig wie möglich davon wieder freizusetzen. Das ist ihr Naturzweck.

Bei dem Fusionsprozeß in der Sonne wird, wie gesagt, nur etwa 1 Prozent der Energie der fusionierenden Protonen freigesetzt. Das sind aber immerhin pro Jahr $10\,000\,000 \times 10^{12}$ Watt. Davon gelangen $178\,000 \times 10^{12}$ Watt pro Jahr in den irdischen Raum. Etwa 30 Prozent davon werden gleich an den äußeren Schichten der Erdatmosphäre in den Weltraum reflektiert. Ein weiterer Teil wird von der Atmosphäre absorbiert. Diese Funktion erfüllt unter anderem die Ozonschicht in der Stratosphäre. Die Ozonschicht filtert die hochenergetische UV-Strahlung und ermöglicht damit das höhere Leben auf der Landfläche und in den Oberflächengewässern. Die Energie, die die Landfläche der Erde erwärmt, übersteigt den Jahresenergiebedarf der Menschheit um das Dreitausendfache.

Die Pflanzen binden nur einen geringen Teil der Solarenergie. Dieser Teil übertrifft aber den gegenwärtigen Weltenergiebedarf der Menschheit um mehr als eine Zehnerpotenz. Es gibt hier allerdings einen gravierenden Unterschied zwischen der Biosphäre und der Gesellschaft. Die Biosphäre deckt ihren Energiebedarf ausschließlich durch Solarenergie.

Der menschliche Energiebedarf wird gegenwärtig fast ausschließlich durch die Verbrennung fossiler Energie oder durch die Freisetzung der Kernenergie gedeckt.

So, wie die Kernfusion in der Sonne eine kosmische Katastrophe ist, ist die energetische Aktivität der Industriegesellschaft eine

Katastrophe des Lebens. Genauso, wie die Biosphäre versucht, einen Teil der freigesetzten Solarenergie wieder einzufangen, ruft auch die entropische Fehlentwicklung der Industriegesellschaft eine Naturkraft hervor, die den entropischen Schaden der freigesetzten Energie so klein wie möglich zu halten versucht. Der entropische Gegenspieler der Industriegesellschaft ist der Treibhauseffekt und – mit ihm gekoppelt – die Ozonschichtzerstörung. Diese Effekte werden um so stärker, je mehr Treibhausgase, zu denen auch Fluorchlorkohlenwasserstoffe (FCKWs) gehören, emittiert werden. Der Treibhauseffekt verstärkt sich außerdem noch durch die anthropogenen Wärmemengen, die durch die Verbrennung von fossilen Brennstoffen und von Kernenergie freigesetzt werden. Die freigesetzte Energie wird durch die Naturprozesse so lange wie möglich auf der Erde zurückgehalten. Wenn die Industriegesellschaft ihrer entropischen Aufgabe also nicht gerecht wird, wird diese Aufgabe durch andere Systeme übernommen. Das funktionsunfähige Gesellschaftssystem wird dabei im gleichen Schrittmaß zerstört. Noch ist es aber nicht soweit.

Die Menschheit hat noch die Chance der Alternative. Sie kann wählen zwischen der solaren Wende auf der einen Seite und dem sozialen Chaos auf der anderen Seite. Noch sind die Menschen auf den Koralleninseln der Südsee nicht ertrunken. Noch steht Bangladesch nicht völlig unter Wasser. Noch sind die großen Flußdeltas der Erde in China und Indien bewohnbar.

Fast jedes Land der Erde könnte seinen Energiebedarf durch die Nutzung direkter oder indirekter Formen der Solarenergie decken. Auf jeden Quadratmeter Mitteleuropas fallen im Jahr 1000 kWh Solarenergie. Die Strahlungsintensität in den Entwicklungsländern, die sich größtenteils im Sonnengürtel der Erde befinden, ist sogar doppelt so groß. Allein die bereits existierenden Dachflächen in Deutschland würden ausreichen, den größten Teil des Energiebedarfs der Hausbewohner durch solarthermische Anlagen und durch Photovoltaikenergie zu decken.

Solar bauen, solar kochen

Im niederländischen Schiedam bei Rotterdam wurde ein ganzer solarer Stadtteil aufgebaut. Seit 1980 erhielt dort jeder Neubau eine solide wärmetechnische Isolierung und eine solarthermische Anlage zur Warmwasserbereitung. 16 000 Wohneinheiten sind seitdem entstanden. Der Energiebedarf der Häuser wurde um die Hälfte verringert. Die Zusatzkosten für die bessere Hausisolierung und für die solarthermischen Anlagen amortisieren sich in Form der eingesparten Kosten für die Nutzenergie im Lauf von zehn Jahren.

Das solare Bauen rechnet sich besonders für Bürogebäude, da hier der Tagesenergiebedarf mit der Solarstrahlung zusammenfällt. Das Architekturbüro Kaiser-Bautechnik in Duisburg entwickelte zum Beispiel ein Bürogebäude mit intelligenter Solarenergienutzung. Dazu gehören sowohl die natürliche Belüftung (das heißt ohne Klimaanlage) und eine optimierte Solarbeleuchtung. Die Kosten dieses Bürogebäudes sind infolge der Energieeinsparung geringer als konventionelle Konstruktionen. Die Firma erarbeitete zusammen mit dem Sonnen-Architekten Norman Forster den Entwurf einer Sonnenstadt der Zukunft, die sich »Solar-City« nennt.

Die Firma Solar Diamant aus Wettringen produziert seit 1976 Solarsysteme für Warmwasser und Heizung, für Schwimmbäder und zur Stromerzeugung. Das Unternehmen gehört nach dem EU-Bericht *Europe's 500* zu den 60 erfolgreichsten deutschen Unternehmen der letzten zehn Jahre und zu den 500 innovativsten in Europa. Es ist im ganzen Bundesgebiet durch Großhändler sowie über Installationsbetriebe und Vertriebsmitarbeiter vertreten.

Im Oktober 1990 bezog die Firma Solar Diamant ein neues Verwaltungs- und Produktionsgebäude in Wettringen. Das Gebäude wurde vom Architekturbüro Umme aus Vreden entworfen. Es vereint modernes Design mit Funktionalität, Nutzung regenerativer Energien und konsequenter Energieeinsparung. Die Baukosten beliefen sich auf unter 600 DM/m^2 für den Bau von 2400 m^2

Produktionsfläche und 400 m^2 Büro- und Ausstellungsfläche bei geringstmöglichem Wärmebedarf und viel Wärmegewinn. Die Betriebsräume werden über ein subtropisches Glashaus betreten. Die Räume werden mit Licht-, Wärme- und Stromenergie aus Sonne und Wind versorgt. Das spart bis zu 150 000 kWh Strom und Heizenergie im Jahr ein. Alle Büroräume, Lager und Produktionsgebäude werden über Lichtsheds von oben belichtet. Während des Tages braucht kein Arbeitsplatz mit elektrischem Licht beleuchtet zu werden. Jeden Monat werden so etwa 2000 DM an Stromkosten eingespart.
In den Südflächen der Lichtsheds sind 40 m^2 thermische Solaranlagen für die Warmwasserversorgung, Raumwärme und Beheizung der Trocken- und Lackierräume integriert. Außerdem sorgt eine 15 kW-Photovoltaikanlage für zusätzlichen Strom. Durch die Anordnung der Solaranlagen in die Lichtsheds konnten Ständer und Aufbaukonstruktionen eingespart und die Solaranlagen voll in den Baukörper integriert werden. Zu Versuchszwecken wurde eine kleine Photovoltaikanlage in Doppelglasausführung in die Südfassade des Foyers eingebaut. Die Stromversorgung des Betriebs wird zusätzlich durch eine Windkraftanlage von 50 kW Leistung unterstützt. Die Wind- und Solarstromanlagen produzierten zeitweise 40 Prozent mehr Strom als der Betrieb benötigt. Der umweltfreundlich erzeugte Strom versorgt über den Verkauf an das Elektrizitätswerk zehn angrenzende Einfamilienhäuser.
Im Jahresdurchschnitt versorgt sich die Firma Solar Diamant zu 60 Prozent mit regenerativer Sonnen- und Windenergie in allen Produktionsabschnitten selbst. Die Produktionshallen umfaßten im Jahre 1996 eine Fläche von 7000 m^2. Insgesamt waren zu diesem Zeitpunkt 140 kW thermische Anlagen, 14 kW Photovoltaikanlagen, 30-kW-Anlagen zur passiven Solarenergienutzung und 50-kW-Windkraftanlagen installiert.
Für die Entwicklung des Betriebsgebäudes erhielt Solar Diamant 1992 den Umweltpreis des Landes Nordrhein-Westfalen.
Die Firma produzierte 1996 mit 130 Mitarbeitern 30 000 m^2 Solarsysteme für Warmwasser und Heizung, 4000 m^2 passive Solar-

technik, 2000 m² photovoltaische Solartechnik, 2000 Stück wasserführende Kamin- und Kachelofenheizeinsätze. Solar Diamant zählt damit zu einem der führenden Solarsystem-Hersteller Europas.

Für die Entwicklung des »Null-Energiehauses« zur Serienreife erhielt Solar Diamant 1995 erneut den Umweltpreis des Landes Nordrhein-Westfalen. Das Null-Energiehaus-Projekt wird seit Anfang 1995 von der Sonnenhaus Vertriebs GmbH vermarktet.

Die Solar Diamant Sonnenhaus Vertriebs GmbH, ebenfalls in Wettringen, baut nach den Entwürfen des Architekten Jürgen Hornemann ein Null-Energiehaus als Doppel-, Einfamilien- oder Reihenhaus. Das Solarhaus lehnt sich an die Form eines Würfels an. Damit erreicht es ein optimales Verhältnis der Oberfläche zum Volumen, um so die Wärmeabstrahlung zu reduzieren. Es öffnet sich konsequent nach Süden und steht durchgehend auf einer Wärmedämmschicht. Auf diese Weise kann einerseits viel Sonnenwärme ins Haus strömen, und andererseits werden Wärmebrücken ausgeschlossen. Die Räume des aufgesetzten 45-Grad-Satteldachs dienen als energetischer Pufferraum und können auch als Wohnraum ausgebaut werden.

Die solare Wärmeenergie des Sommers wird im Keller des Hauses in einem 10–17 m³ großen Wassertank bis zu sechs Monate lang gespeichert. Das Haus wird vor Ort gebaut. Durch die Konstruktion kommt viel natürliches Licht und Wärme ins Haus. Der Übergang vom Haus zum Garten erfolgt im Prinzip nahtlos. In den Wintermonaten wird die benötigte Frischluft durch den Wärmeaustauscher der Lüftungsanlage vorgewärmt.

Die Null-Energiehaus-Serie erfreut sich einer wachsenden Nachfrage. Das zeigt sich auch in der folgenden Projektliste:

1992/93	als 1½-Familienhaus	in Münster/Westf.
1995/96	als Doppelhaus mit Halle und Büronutzung	in Berlin/Schöneiche
1995/96	als Einfamilienhaus Komfort mit Einliegerwohnung	in Wettringen/NRW
1996	als Einfamilienhaus	in Ahlen/Westf.

1996	als Bürogebäude	in Leipzig/Sachsen
1996/97	in Planung als Reihenhaus-siedlung (10 Wohneinheiten)	in Greven/NRW
1996/97	als Nahwärmekonzept (13–17 Wohneinheiten)	in Borghorst/NRW
1996/97	am Handwerkerbildungs-zentrum als 6-Familienhaus	in Münster/Westf.

Die Aktivitäten zur Nutzung der Solarenergie im Wohnungsbau nehmen zu. Im Berliner Bezirk Spandau errichtet die Gemeinnützige Siedlungs- und Wohnungsbaugesellschaft Berlin [GSW] ein Null-Heizenergie-Haus als Pilotprojekt. Der Heizwärmebedarf des Hauses soll vollständig durch ein 54 m² großes Solarkollektorenfeld gedeckt werden. Ein Langzeit-Wasserspeicher mit 20 m³ Fassungsvermögen sammelt die Sommerwärme zur Nutzung in der kalten Jahreszeit. Das Berliner Institut für Bau-, Umwelt- und Solarforschung [IBUS] mit Sitz in der Caspar-Theyss-Straße 14a, 14193 Berlin (Tel. 0 30 / 8 96 99 50) rechnet allerdings mit Mehraufwendungen von 130 000 DM.[9]
Die Nutzung der Solarenergie ist ein globales Gebot der Gegenwart. Im Bundesland Vorarlberg (Österreich) wurden zum Beispiel 24 000 solarthermische Anlagen in Selbstbaugemeinschaften errichtet. Der Selbstbau dieser Anlagen ist für handwerklich geübte Menschen kein größeres Problem. Das Herzstück sind Kupferrohrschlangen und ein Kupfer- oder Zinkblech. Das Kupferrohr wird über einer Biegevorrichtung entsprechend der Größe des vorgefertigten Rahmens geformt und dann auf das später schwarz gefärbte Blech gelötet. Der Kollektorrahmen wird zur Dachfläche und an den Seiten gut isoliert. Dann wird das Kollektorsystem in den Rahmen eingepaßt. Die beiden Rohrenden werden als Anschlußstücke nach außen geleitet. Das ganze System wird dann mit einer Glasscheibe fugenfest abgedeckt. Zur Glasabdeckung sollte Rillenglas verwendet werden, um die Reflexion des Sonnenlichts an der Glasoberfläche zu reduzieren. Die Wasserfüllung der Anlage muß mit einem Gefrierschutzmittel versetzt werden, damit sie auch bei starken Minusgraden im Winter

arbeitsfähig ist. Solarthermische Anlagen werden auch an kalten, aber sonnigen Wintertagen so stark aufgeheizt, daß sie dem Nutzer heißes Wasser liefern.
In Österreich sind auf diese Weise bereits mehr als eine Million m^2 Kollektorfläche entstanden, ein europäischer Spitzenwert, mehr als im sonnendurchfluteten Griechenland. Auch hier wird die solarthermische Energie großflächig genutzt. Die Solaranlagen erfreuen sich wachsender Beliebtheit in der Bevölkerung.
Die kreativen Möglichkeiten zur Bindung freier Energie lassen sich im Rahmen dieses Buchs nur andeuten. Die Möglichkeiten der gesellschaftlichen Informationsproduktion zur optimalen Bindung der freien Solarenergie und zur minimalen Freisetzung der gebundenen Energie sind so unerschöpflich wie das Leben selbst.
Die internationale Solarkocherbewegung, gegründet vor einigen Jahren, vertreibt zum Beispiel Bausätze von Solarkochern und propagiert deren Einsatz. Besonders im sonnigen Kalifornien wächst die Anhängerschaft der Solarkochergemeinde schnell an. Es wurde auch ein Kochbuch für diesen Zweck herausgegeben: *Cooking with Sunshine.*
Die Solarkocherbewegung wurde nicht nur deshalb begründet, um in den reichen Industriestaaten die energieverwöhnte Bevölkerung durch eine ausgefallene Idee von den Alltagssorgen abzulenken. Ihr Ziel ist es, den Entwicklungsländern zu helfen. Jeden Tag kochen etwa zwei Milliarden Menschen ihre Mahlzeiten mit Holz. Die Verbrennung von Holz ist nur dann nachhaltig, wenn nicht mehr verbrannt wird, als nachwächst. Das ist aber in den bevölkerungsstarken Entwicklungsländern schon lange nicht mehr der Fall. Dazu kommt noch der Raubbau an den Urwäldern der Erde durch die Industriestaaten.
Der explodierende Holzbedarf einer ständig wachsenden Zahl von Menschen zerstört die letzten Waldreserven. Auf der anderen Seite gibt es weltweit Solarenergie im Überfluß. Deshalb liegt es nahe, die Solarenergie durch einfach zu bedienende Geräte für die Zubereitung der täglichen warmen Mahlzeiten in den Ländern des Sonnengürtels der Erde zu nutzen.

Solarkocher

Es wurden bisher drei verschiedene Typen von Solarkochern entwickelt. Dazu gehören erstens die leicht herzustellenden **Kochkisten**. Kochkisten sind nach außen gut isolierte Behälter. Der Innenraum ist schwarz. Die Kiste wird durch eine Scheibe abgeschlossen, durch die die energiereiche kurzwellige Strahlung des Sonnenlichts hineingelangt und die langwellige Strahlung nicht mehr hinausgelassen wird. An ein oder zwei Seiten der Kochkiste sind aufklappbare verspiegelte Deckel angebracht, die die seitlich auftreffende Solarstrahlung zusätzlich in den Innenraum reflektieren. Der Wärmestau erzeugt Temperaturen von über 150 Grad Celsius. Kochkisten sind natürlich nur funktionsfähig, wenn die Sonne intensiv scheint. Beim Kochen der Speise muß allerdings der Glasdeckel geschlossen bleiben, da sonst zu viel Wärme entweicht. Nachwürzen und Abschmecken sind daher kaum möglich. Das Braten von Speisen ist unmöglich.
Diese Einschränkungen machen den großflächigen Einsatz der Kochkisten in Entwicklungsländern problematisch. Die Nutzung des Geräts läßt sich kaum mit den traditionellen Kochgewohnheiten der einheimischen Bevölkerung in Übereinstimmung bringen. Ein größeres Versuchsprojekt in Indien scheiterte deshalb in den achtziger Jahren. Bewährt hat sich aber die Nutzung der Kochkisten zur Abtötung von Krankheitskeimen im Trinkwasser für ganze Dorfgemeinschaften oder für Schulen, Missionseinrichtungen und für Hospitale. Die Beschickung mit Frischwasser erfolgt bei diesen solaren Abkochgeräten durch oben angebrachte Einfülltrichter. Die Entnahme des abgekochten Wassers erfolgt durch unten angebrachte Wasserhähne.
Der Reflektorkocher besitzt im Gegensatz zur Kochkiste eine größere Einsatzvariabilität. Das Gerät besteht aus einer parabolisch gekrümmten Spiegelschüssel. Das einfallende Sonnenlicht wird durch den Spiegel auf das jeweilige Koch- oder Bratgefäß konzentriert. Das Gefäß befindet sich in einer Halterung im Brennpunkt der Solarstrahlung.
Solarkocher können problemlos durch Handwerker der Entwicklungsländer vor Ort hergestellt und gewartet werden. Das schafft Arbeitsplätze. Je nach der Konstruktion der Geräte und der regionalen Strah-

lungsintensität der Sonne können relativ hohe Temperaturen erreicht werden.
Der große Nachteil der Solarkocher ist ihre eingeschränkte Funktionsfähigkeit. Sie funktionieren nur, wenn die Sonne scheint. Abends und nachts kann man nicht kochen. Die Hauptmahlzeiten der Menschen werden in den Regionen um den Äquator aber nicht in der Tagesmitte eingenommen, sondern am Abend. Zu dieser Zeit trifft sich die Großfamilie zum traditionellen gemeinsamen Mahl. Dabei werden Meinungen ausgetauscht und Probleme besprochen.
Die Umstellung der Lebensgewohnheiten bedeutet für die Menschen der Entwicklungsländer den Verlust der sozialen Lebensweise. Sie wägen deshalb gründlich ab, was sie gewinnen und was sie verlieren. Der Verlust ihrer sozialen Umwelt belastet diese Menschen oft stärker als der Verlust der Wälder und der natürlichen Umwelt. Das wurde zum Beispiel bei Solarkocher-Entwicklungsprojekten im Sudan, in Indien, Kenia, Zaire, Mali und Pakistan deutlich.
Die Entwicklungsprogramme waren oft »gebergesteuert«. Die Solarkocher wurden in der Regel verschenkt. Die potentiellen Anwender stuften sie deshalb als wertlos ein. Die Geräte wurden aus diesem Grund schlecht gewartet. Der erste technische Defekt war ein willkommener Anlaß, um zu den traditionellen Gewohnheiten zurückzukehren.
Das Paradoxe der Situation zeigt sich daran, daß dort, wo die traditionellen Lebensweisen durch soziale Konflikte oder Umweltkatastrophen bereits zerstört sind, der Einsatz von Solarkochern relativ problemlos angenommen wurde. Die größte Zerstörung der traditionellen Lebensweise findet man in den Flüchtlingscamps Afrikas und in den Slums der Großstädte. Hier ist das Elend extrem groß, das Holz äußerst knapp. Die traditionellen Bindungen sind in der Regel zerbrochen. Dagegen ist die organisatorische Flexibilität der Menschen im Kampf ums tägliche Überleben nach einer Eingewöhnungsphase im Camp relativ groß.
Das beweisen die Erfahrungen im Camp Kakuma in Kenia, wo 30 000 sudanesische Flüchtlinge leben. Nachdem die UN-Flüchtlingsorganisation hier ein Programm zur Nutzung von Solarkochern einführte und betreut hat, wurden wesentlich weniger Bäume eingeschlagen.
Das Problem der Ernährungsgewohnheiten der Menschen in den äquatorialen Gebieten kann durch eine besondere Konstruktion des Solar-

kochersystems gelöst werden. Das sind **Solarkocher mit Wärmespeicher**. Diese Geräte speichern die Solarwärme des Tages bis in die Nachtstunden. Der Wärmespeicher muß allerdings gut isoliert sein. Dadurch wird das Gerät aber sehr unhandlich und vor allem teuer. Solarkocher mit Wärmespeicher sind deshalb eher für den Einsatz in Missionen, Krankenstationen und Schulen geeignet.
Die Idee, mit der Sonne zu kochen, ist interessant. Sie kann zu einer spürbaren Entlastung der Umweltsituation führen, wenn sie den regionalen Gegebenheiten angepaßt wird. Entscheidend ist, daß die Menschen vor Ort erreicht werden.[10]

Die Entwicklungsländer nutzen zunehmend ihre solarenergetisch günstige geographische Lage. Die Nationale Ölgesellschaft von Simbabwe baut zum Beispiel Energiepflanzen an, um die Abhängigkeit des Landes von Ölimporten zu verringern. Andere Projekte versuchen, die Waldbestände zu schonen. In Kenia wurde mit Unterstützung der UNO ein Holzkohleofen entwickelt, dessen Wirkungsgrad im Verhältnis zum traditionellen Holzofen um 50 Prozent erhöht wurde. Bei der Konstruktion dieses Ofens wurden die Gewohnheiten der Menschen berücksichtigt und die künftigen Benutzer zu Rate gezogen. Produktion und der Verkauf des Produkts erfolgen im Lande. Diese praxisorientierte Entwicklungshilfe ist allerdings das Ergebnis eines langen Lernprozesses der Industriestaaten.
In den vergangenen Jahrzehnten gelang es den Industriestaaten nur relativ selten, bewährte Technologien durch Entwicklungshilfeprojekte in industriell unterentwickelte Länder zu übertragen. Die Entscheidungen der Entwicklungshilfe-Organisationen zum Technologietransfer entsprachen oft nicht den Bedürfnissen der Empfängerländer. In der Regel wurden die Entwicklungsgelder an die Auflage geknüpft, die Güter in dem Industrieland zu kaufen, aus dem das Geld floß. Es war deshalb mehr eine Entwicklungshilfe für die Industrie des Geldgeberlandes. Die Bedürfnisse des Empfängers spielten meist eine untergeordnete Rolle. In der Regel fehlte das notwendige Know-how im Emp-

fängerland, um die moderne Technologie bedienen und warten zu können.
Oft wurde das jeweilige Projekt von der Bevölkerung nicht angenommen. Es entsprach nicht dem kulturellen Erfahrungskreis und den Bedürfnissen der Menschen. In der Regel wurden Häfen und Kraftwerke, Staudämme und Bewässerungsanlagen gebaut oder modernste medizinische Geräte geliefert, um das Prestige der Politiker des Empfängerlandes zu heben. In den meisten Fällen lag das Schwergewicht der Entwicklungshilfe auf kapitalintensiven Anlagen zur Einsparung von Arbeitskräften. Diese Technologien wurden in den Industriestaaten entwickelt, in denen Sachkapital relativ billig ist und Arbeitskapital relativ teuer. In den Entwicklungsländern liegen die Prioritäten aber genau umgekehrt. Dort gibt es massenhaft billige Arbeitskräfte. Sachkapital ist dagegen knapp.
Der Export von kapitalintensiver Technologie aus den Industriestaaten in die Entwicklungsländer investiert an den realen Bedürfnissen dieser Länder vorbei. Es überrascht deshalb nicht, daß in den Entwicklungsländern große Mengen an landwirtschaftlichen Maschinen und medizinischen Geräten sowie modernen industriellen Anlagen nutzlos herumstehen. Es fehlen entweder die Ersatzteile oder der Treibstoff bzw. das ausgebildete Bedienungspersonal. Es fehlen die Rohstoffe am Beginn des Produktionsprozesses bzw. die Bedürfnisse zum Absatz der Produkte am Ende des Wirtschaftsprozesses.
Erst in den letzten Jahren hat die Weltbank gelernt, daß bei der Vergabe von Entwicklungsgeldern auch das kulturelle Umfeld im Empfängerland berücksichtigt werden muß. Eine nachhaltige wirtschaftliche Nutzung von tropischen Regenwäldern ist zum Beispiel ohne Einbeziehung der indigenen Völker nicht möglich. Die Effizienz des ökosozialen Gesamtsystems dieses Kulturkreises läßt sich aber kaum noch verbessern. Es ist bereits optimal. Deshalb schaden auch die meisten Formen der Entwicklungshilfe den Eingeborenen mehr, als sie nützen.
Entwicklungshilfeprojekte sollten nicht überdimensioniert sein. Großprojekte, wie zum Beispiel Giga-Staudämme, bringen mehr

Schaden als Nutzen. Das trifft insbesondere auf das Riesenstaudammprojekt in China zu. Am Rande des Hochlands von Sichuan soll am drittgrößten Fluß der Welt, dem Jangtse, ein 185 Meter hoher und zwei Kilometer langer Staudamm entstehen, der Drei-Schluchten-Damm. Seine Leistung ist auf das Eineinhalbfache des derzeit weltgrößten Staudamms ausgelegt, des Itaipu-Damms in Brasilien.[11] Große Stauseen schädigen nicht nur die Flußökosysteme, der ungeheure Druck ihrer Wassermassen kann auch Erdbeben auslösen.
Die Bundesrepublik Deutschland beteiligt sich an der Finanzierung des Drei-Schluchten-Damms mit Hermes-Bürgschaften, mit von Steuergeldern finanzierten Staatsbürgschaften. Der Staudammbau erfordert die Umsiedlung von 1,8 Millionen Chinesen. In einem Memorandum zu dem Projekt, das der Nationale Sicherheitsrat der USA erstellt hat, werden nicht nur die Umweltgefahren hervorgehoben und sozialpolitische Bedenken geäußert, sondern auch das veranschlagte Kostenvolumen von 30 Milliarden Dollar in Zweifel gezogen. Wahrscheinlich wird das Projekt mehr als 70 Milliarden Dollar verschlingen. Die USA drängen nun zusammen mit dem Environmental Defense Fund auf die Schaffung von einheitlichen Umweltkriterien der OECD-Länder bei der Vergabe von Kreditbürgschaften. Ohne ein solches Instrument gerät die Weltwirtschaft in den Teufelskreis eines Wettbewerbs um immer niedrigere Umweltkriterien. Es ist zu wünschen, daß die politischen Vertreter der Bundesrepublik bei internationalen Verhandlungen künftig einheitliche Sozial- und Umweltstandards auf hohem Niveau unterstützen.[12]
Entwicklungshilfeprojekte sollten nicht überdimensioniert sein, sondern bei kleinen und mittleren Unternehmen ansetzen. Die größte Hürde zur Entwicklung der Volkswirtschaft in den meisten Entwicklungsländern liegt im permanenten Kapitalmangel dieser Unternehmen. Gute Ideen und billige Arbeitskräfte gibt es dagegen genug.

Solarthermik

Die Nutzung der Solarenergie ist in jedem Land der Erde möglich. Kleindimensionierte solarthermische Anlagen können auf jedem sonnigen Dach installiert werden. Der Wirkungsgrad von Flachkollektoren beträgt etwa 30 Prozent. Die Kraft der Sonnenstrahlen reicht aus, um mit einer Kollektorfläche von nur 1,5 m^2 die Warmwasserversorgung einer Person von April bis Oktober zu sichern. Das warme Solarwasser kann auch als Übergangsheizung im Frühjahr und Herbst genutzt werden. Für ein Einfamilienhaus von 120 m^2 beheizter Fläche ist dazu eine etwa 20 m^2 große Solarkollektoranlage nötig. Das technische Problem besteht hier vor allem darin, die Solarwärme so lange wie möglich zu speichern. Heute werden bereits Langzeit-Wärmespeicher konstruiert und gebaut, die die solare Wärme des Sommers bis in die ersten Wintermonate verfügbar machen. So wurden im Neubaugebiet Wiggenhausen in Friedrichshafen am Bodensee die Dächer von vier Wohnblocks mit 280 Wohnungen in einem ersten Bauabschnitt mit 2800 Quadratmetern Solarkollektorenfläche ausgestattet. Die Kollektorfläche soll sich in einem zweiten Bauabschnitt noch verdoppeln. Die Solarwärme wird in einem zentralen Wasserspeicher von 12 000 m^3 Fassungsvermögen »zwischengelagert« und im Bedarfsfall als warmes Brauchwasser bzw. als Heizwasser abgegeben. Der jährliche Warmwasserbedarf der Siedlung kann so um die Hälfte gesenkt werden.
Die realen Mehrkosten, die der Bau von solarthermischen Anlagen verursacht, betragen aber selbst bei Mehrfamilienhäusern mit über 100 Quadratmeter Kollektorfläche am Gebäude weniger als 1,5 Prozent der Gesamtkosten. Lohnentwicklung sowie schwankende Zinsen stellen für die Bauherren in der Regel eine höhere Belastung dar.
Im September des Jahres 1995 beschloß das Abgeordnetenhaus von Berlin eine Durchführungsverordnung zum Energiespargesetz von 1990. Der Verordnung nach sollte der Warmwasserbedarf aller privaten und gewerblichen Neubauten, die eine zentrale Warmwasserversorgung besitzen, zu 60 Prozent von Sonnen-

kollektoren gedeckt werden. Die Durchführung des Beschlusses scheiterte allerdings an einem Federstrich des Finanzsenators der Stadt. Die Mehrkosten seien bei der gegenwärtigen Haushaltslage Berlins nicht zu rechtfertigen, so hieß es in der Begründung. Die Unternehmen können einen gewichtigen Beitrag zur Wirtschaftlichkeit solarthermischer Anlagen leisten. Das Wasch- und Duschwasser für die Arbeiter eines Unternehmens kann während eines Großteils des Jahres durch eine entsprechend dimensionierte solarthermische Anlage in Verbindung mit einem gut isolierten Wärmespeicherkessel problemlos bereitgestellt werden. Vakuumröhren-Kollektoren und Flachkollektoren mit Wabenstruktur-Abdeckung sind sogar in der Lage, industrielle Prozeßwärme zu liefern.
Die großtechnische Nutzung von solarthermischer Energie zur Stromgewinnung ist dagegen bei dem gegenwärtigen Energiepreis nur im Sonnengürtel der Erde rentabel. Die Strahlungsintensität der Sonne muß etwa 1700 kWh/Jahr betragen. Diese Solarstrahlung findet sich bereits in Spanien und Nordafrika. Solarthermische Kraftwerke arbeiten nach dem Prinzip von Rinnenkollektoren oder nach dem Turmprinzip.[13]

Solarthermische Kraftwerke

Das Spiegelsystem eines Rinnenkollektorenkraftwerks fokussiert die Sonnenstrahlung durch viele Parabolspiegel auf ein Rohr, das sich vor den Spiegeln befindet. Die Spiegel umgeben das Rohr halbkreisförmig. Sie können dem Sonnenstand teilweise nachgeführt werden. In dem Rohr befindet sich das Wärmetransportmedium. Dazu wird in der Regel Öl verwendet. Das Öl in dem langen Rohr, durch die konzentrierte Sonnenstrahlung der vielen Parabolspiegel auf etwa 400 Grad Celsius erhitzt, führt die Wärmeenergie einem Dampferzeuger zu. Der heiße Wasserdampf treibt danach genauso wie in jedem fossil betriebenen Kraftwerk einen Generator zur Stromerzeugung an.
Das Spiegelsystem eines Turmkraftwerks reflektiert die Solarstrah-

lung dagegen auf den Behälter an der Spitze eines Turmes. Durch diesen Behälter wird ständig flüssiges Natrium als Wärmeträgermedium gepumpt. Das Natrium erhitzt sich durch die Solarenergie auf etwa 570 Grad Celsius und gibt in einem Dampferzeuger seine Wärme wieder ab. Turmkraftwerke und Rinnenkollektorenkraftwerke arbeiten bereits heute in den USA mit Stromerzeugungspreisen von etwa 9 Cent/kWh.

Photovoltaik

Die Photovoltaik ist gegenwärtig noch die teuerste Form der Solarenergienutzung. Der Wirkungsgrad von marktgängigen Solarzellen beträgt aber bereits 17 Prozent. Sie liefern auch bei bedecktem Himmel Strom. Dennoch liegt der Stromerzeugungspreis von 1 kWh bezogen auf eine Lebensdauer der Anlage von 20 Jahren noch bei zwei Mark. Solarzellen werden weltweit nur in relativ kleinen Stückzahlen und geringem Automatisierungsgrad hergestellt.
Siemens-Solar ist zwar nach dem Kauf der amerikanischen Arco Solar im Jahre 1990 zum Weltmarktführer aufgestiegen, doch in Deutschland baut das Unternehmen seine Kapazitäten ab. Nachdem auch die Angewandte Solarenergie GmbH (ASE) die Solarzellenproduktion in Wedel bei Hamburg geschlossen hat, ist die Bundesrepublik Deutschland nur noch mit einem europäischen Anteil von 6 Prozent durch Nukem und die Siemens Solar GmbH in München vertreten. Dagegen sind die Unternehmen BP Solar International in Großbritannien mit fast 30 Prozent beteiligt, Eurosolare in Italien mit fast 14 Prozent, Naps und Photowatt produzieren in Frankreich zusammen fast 11 Prozent der in Europa hergestellten Photovoltaikzellen.
Die Preise der Solarmodule sind der Grund für die geringe Nachfrage – kein Wunder beim gegenwärtigen Stand der Organisation der Produktion von Solarmodulen. Die Aufgabe besteht zum Beispiel bei Siemens darin, die verschiedenen Geschäftsinteressen des Unternehmens miteinander in Einklang zu bringen. Auf der einen Seite produziert Siemens Photovoltaikmodule. Die Photo-

voltaik ist bekanntlich eine dezentralisierte Form der Energieproduktion. Auf der anderen Seite stellt das Unternehmen für 8,4 Milliarden Dollar Kraftwerksanlagen für die großtechnisch strukturierte Energiebranche her und versucht, die Supraleitung für Energieübertragungen marktfähig zu machen. Die Forschungs- und Entwicklungsabteilung der Siemens-Solar-Gruppe in München sowie die Modulfertigung erhielten nach schwierigen Zeiten der Kurzarbeit endlich im Januar 1997 einen rettenden Auftrag. Die größte Solarstrom-Dachanlage der Welt soll – mit einem Aufwand von 15 Millionen Mark für 7812 Solarstrommodule – auf sechs Ausstellungshallen der Neuen Messe München in Riem etwa eine Million Kilowattstunden jährlich erzeugen. Die Bayernwerke AG, die Siemens Solar GmbH und die Stadtwerke München werden das große Vorhaben finanzieren und ausführen.
Japanische und amerikanische Photovoltaikhersteller entwickeln derzeit automatisierte Produktionsverfahren zur Herstellung von Photovoltaikmodulen. Die Kosten der Solarmodule sollen dadurch auf ein Viertel des heutigen Preises fallen, der Absatz soll sich um etwa 79 Prozent erhöhen.
Wie die USA bemüht sich auch Japan, die solare Energiewende nicht zu verpassen. Großkonzerne wie zum Beispiel Sharp, Kyocera, Mitsubishi, Sanyo und sogar Toyota beteiligen sich am Wettlauf um neue Solarenergiesysteme. Toyota investiert nicht nur in die Solarindustrie. Es finanziert auch Studien beim Citizens' Nuclear Information Center. Dieses Center ist der führende Think-Tank der japanischen Anti-AKW-Bewegung. Die japanische Regierung unterstützt die solare Entwicklung des Landes durch großzügige Förderprogramme. So legte sie zum Beispiel ein 70 000-Dächer-Programm auf. Die Kapazität der japanischen Hersteller soll damit innerhalb von zehn Jahren auf mehr als 200 Megawatt pro Jahr ausgebaut werden.
Auch in Deutschland würde sich der Markt bei einer jährlichen Produktionskapazität von Photovoltaikzellen mit einer Gesamtleistung von etwa 20 Megawatt selber tragen. Dazu ist allerdings ein größeres staatliches Engagement nötig als 18 Millionen Mark für ein zweites 1000-Dächer-Solar-Programm.

Das zweite staatliche Solarprogramm lief im Januar 1996 in Deutschland an. Die Nachfrage war so groß, daß bereits im Februar des gleichen Jahres die Mittel für 1996 knapp wurden. Die Nachfrage wächst, obwohl auch mit der staatlichen Fördersumme von etwa 7000 Mark je kW-peak die Stromerzeugungskosten der privaten Anlagenbetreiber noch 60 Pfennig je kWh betragen.
Bei zwei Mark/kWh hört allerdings bei den meisten Bauwilligen der Spaß auf. Zur Produktion von größeren Stückzahlen fehlt deshalb die Nachfrage. Zum Marktdurchbruch ist folglich in Deutschland ein staatliches Engagement von etwa 100 Millionen Mark jährlich über einen Zeitraum von mindestens fünf Jahren nötig. Das ist sehr viel Geld. Doch wenn man bedenkt, daß der Kohlenbergbau Deutschlands allein 1996 mit mehreren tausend Millionen Mark von der Bundesregierung subventioniert wurde und daß die Kernenergie seit zwanzig Jahren massiv gefördert wird, dann muten die 100 Millionen Mark zur Markteinführung der Photovoltaikenergie eher bescheiden an.
Bei ausreichender Förderung würde die Nachfrage auf etwa fünfzehn Megawatt jährlich ansteigen. Für diesen Fall signalisierte die Angewandte Solarenergie (ASE) als Tochtergesellschaft der Rheinisch-Westfälischen Elektrizitätswerke (RWE) ihre Bereitschaft, wieder als Produzent von Solarzellen nach Wedel bei Hamburg zurückzukehren. Die ASE ist, wie gesagt, nach dem Auslaufen des ersten 1000-Dächer-Solarprogamms (1990 bis 1994) zu Beginn des Jahres 1996 in die USA übergesiedelt.
Die Stadtwerke von Freising, Hammelburg, Aachen und Bonn vergüten den privaten Anlagenbetreibern von Photovoltaikanlagen den eingespeisten Solarstrom bereits zum Erzeugerpreis von zwei Mark. Die Mehrkosten werden, wie in der Branche üblich, auf alle Stromkunden umgelegt. In Bonn gilt diese Regelung zwar erst seit 1996, doch die Bürger der Stadt bestellten bereits in den ersten Monaten des Jahres mehr Solaranlagen als die Berliner in den letzten zehn Jahren zusammengenommen. Die Bonner Solareuphorie hat auch die Bürger der Stadt erfaßt, die keine eigenen Dachflächen besitzen. Sie beteiligen sich an lokalen Betreibergesellschaften mit Renditen bis zu fünf Prozent.

Das sind einige Initiativen der Solar-Davids. Die Kernfossil-Goliaths versuchen dagegen mit der geballten Macht ihrer wirtschaftlichen Kraft die solare Entwicklung zu verhindern. Der Widerstand der großen Stromversorger erscheint bei einem oberflächlichen Blick auf die Vernetzung der großen Energieunternehmen mit der Solarindustrie zunächst unverständlich. Das Bayernwerk hält seit 1989 49 Prozent des Photovoltaikherstellers Siemens Solar. Das Rheinisch-Westfälische Elektrizitätswerk beteiligte sich 1994 über seine Tochtergesellschaft NUKEM mit 50 Prozent an der Solarzellenproduktion der Deutschen Aerospace (DASA). Die Übernahme der anderen 50 Prozent steht bevor.

Die großen Energieversorgungsunternehmen (EVU) kaufen sich gegenwärtig in alle lukrativen Branchen ein. Dazu gehören zum Beispiel die Telekommunikation, das Verkehrswesen, die Abfallentsorgung, das Bauwesen und die Abwasserentsorgung. Die notwendigen Finanzmittel dafür haben ihnen die Stromkunden »treuhänderisch« zur Verfügung gestellt. Die Stromverbraucher bezahlen nämlich seit Jahren einen erhöhten Strompreis. Damit bilden die EVU einen Sonderfond, mit dessen Hilfe der künftige Rückbau der ausgedienten Kernkraftwerke bezahlt werden soll. 30 Milliarden Mark an Rückstellungsgeldern wurden bisher für den künftigen Abriß der Atomkraftwerke angespart. Besteht die Gefahr, daß die mittelständische Solarindustrie mit diesen Geldern aufgekauft wird, um sie dann als lästigen Konkurrenten auf Sparflamme zu halten?

Die weltweiten Energiestatistiken vermitteln ein sehr düsteres Bild. Ungeachtet der Warnungen auf den Umwelt- und Klimakonferenzen wächst der Verbrauch von nichtregenerativen Energieträgern ständig an. Obwohl es auch einen absoluten Zuwachs von regenerativen Energieformen gibt, sinkt ihr Anteil im Verhältnis zu den fossilen und kernenergetischen Energieformen in den Keller. Die Fortschritte zur Erhöhung der Energieproduktivität sind im Verhältnis zu den ökologischen Erfordernissen viel zu gering.

In den USA sind die Produktionsbedingungen und die Nachfrage

etwas besser als in Europa. Siemens Solar produziert inzwischen Photovoltaikanlagen im kalifornischen Camarillo mit einer Leistung von 12,5 Megawatt jährlich. Die gesamte Weltproduktion von Photovoltaikanlagen betrug 1996 nur 60 Megawatt (MW).
Eine Studie von Ludwig Bölkow Systemtechnik aus dem Jahre 1988 wies darauf hin, daß die Kosten bei einer Massenproduktion von Photovoltaikanlagen in einer Größenordnung von 35 MW an einem Standort bei gleichzeitiger technologischer Verbesserung der Stromgestehungskosten unter die Schallmauer von 30 Pfennig/kWh sinken werden. Bei einer Verzehnfachung der Kapazität ist mit einer Kostensenkung um jeweils 25 Prozent zu rechnen. Außerdem bekäme die Forschung gewichtige Impulse zur Erhöhung des Wirkungsgrads der Anlagen bei geringerem Reinheitsgrad der Siliziumkristalle. Das senkt nochmals die Kosten. Wegweisende Entdeckungen wurden bereits an verschiedenen Universitäten und Forschungseinrichtungen gemacht. So gelang es zum Beispiel durch eine Laserfrästechnik die p-n-Übergangsschichten im Inneren der Kristalle je Flächeneinheit zu vervielfachen. Dadurch läßt sich der Wirkungsgrad auch bei einem geringeren Reinheitsgrad des Siliziums erheblich vergrößern.
Solarzellen können sowohl im Dachbereich als auch in den Fassaden der Häuserwände untergebracht werden. Die Aachener Stadtwerke nutzten zum Beispiel eines ihrer Gebäude als Demonstrationsobjekt. Die Solarzellen wurden in die großflächige Isolierverglasung der Außenwände integriert. Seitdem versorgen sie das Gebäude mit Strom.
Die Initiativen der kleinen und mittelständischen Unternehmen sind im Solarbereich sehr vielfältig. Die UT Engineering & Consulting Gesellschaft für Energie- und Umwelttechnik mbH aus Lörrach arbeitet im Bereich der thermischen und elektrischen Solarenergie, der Bioenergie und der elektrischen Energietechnik. Lörrach liegt im Dreiländereck Deutschland/Frankreich/Schweiz. Entsprechend grenzüberschreitend ist auch die Zusammenarbeit des Unternehmens mit den Nachbarländern. So wurden im Distrikt des Trois Frontières vollständig kompostierbare Plastikbeutel aus Maisstärke zum Einsammeln von organischen

Abfällen eingeführt. Die UT Engineering & Consulting entwikkelte gemeinsam mit einem Schweizer Partner Vergärungsanlagen, in denen Biogas in Erdgasqualität produziert wird, das sowohl für Heizzwecke als auch für den Betrieb von Kraftfahrzeugen genutzt werden kann.

Gemeinsam mit der Firma Solare Energiesysteme GmbH in Freiburg projektierte die Firma UT Engineering & Consulting für die Kirchengemeinde am Hochrhein in Murg eine große Photovoltaikanlage. Der Pfarrer der Gemeinde stellte dafür das Kirchendach zur Verfügung. Die Gemeinde gab zur Finanzierung der Anlage Optionsscheine aus. Die Optionsscheine konnten durch Privatpersonen und Firmen als Anteilscheine der Anlage erworben werden. Es dauerte nur vier Wochen und die ersten Optionsscheine im Wert von 100 000 DM waren im Juli 1996 verkauft. Wenn sich diese Summe verdoppelt, kann die Anlage gebaut werden.

Die solarenergetische Wende verlangt Kreativität. Kreativität setzt ein soziales Bedürfnis voraus – und das wird weltweit durch die sinkenden Energiepreise blockiert.

Die niedrigen Preise der fossilen Energieträger nivellieren die ökosozialen Unterschiede der einzelnen Regionen und auch die räumlichen Entfernungen. Die Entfernungen zwischen den Kontinenten sind bedeutungslos geworden. Alle Waren können fast überall hergestellt und überall hintransportiert werden. Der Preis dieser Güter wird infolge der niedrigen Energiekosten durch den weiten Transport kaum beeinflußt.

Gegenwärtig gelingt es zudem einer wachsenden Anzahl von Ländern in Asien, Süd- und Mittelamerika sowie Südafrika, sich der Weltwirtschaft anzupassen. Sie sind zu ernsthaften Konkurrenten der Industriestaaten geworden. Einige von ihnen verfügen sowohl über das nötige Kapital als auch über das Know-how sowie über einen fast unerschöpflichen Reichtum an billigen Arbeitskräften. Angesichts der wirtschaftlichen Wachstumsraten einiger »Schwellenländer« kommt den Industriestaaten das Gruseln. Während früher die Entwicklungsländer teilweise versuchten, ihre Verschuldung durch Importzölle in Grenzen zu halten,

sind es gegenwärtig die nationalen Interessen finanzkräftiger Industriestaaten, die die Billigprodukte aus Südostasien an ihren Ländergrenzen zu stoppen versuchen.
Die Leistungen der Solarforschung und die langsam steigenden Produktionszahlen lassen den gegenwärtigen Preis für Solarstrom zwar sinken, doch der Preisverfall für fossile Energieträger galoppiert dem sinkenden Solarpreis davon – ein ungleiches Wettrennen. Nicht nur in der Politik fehlt die notwendige Weichenstellung. Die großen Unternehmen in der Solarenergiebranche selbst tanzen auf zwei Hochzeiten. So ist zum Beispiel Siemens Solar als Weltmarktführer für Photovoltaikanlagen ein Gemeinschaftsunternehmen des Elektrotechnikgiganten Siemens und des Bayernwerks. SOLAREX ist mit 13 Prozent Marktanteil die weltweite Nummer zwei auf dem Solarmarkt. Sie gehört der American Midwest Oil Company. Die Angewandte Solarenergie (ASE) gehört zur einen Hälfte dem Rheinisch-Westfälischen Elektrizitätswerk (RWE). Die zweite Hälfte hält die Daimler-Benz Aerospace. Die BP Solar ist ein Ableger der amerikanischen Mineralölindustrie. Die Mineralölunternehmen Dutch Shell und Total sind Vater und Mutter der französischen Photowatt ... und so weiter.
Der internationale Markt von Siliziumwaferkristallen, aus denen die Solarzellen hergestellt werden, wird ebenfalls von zwei Großunternehmen dominiert, deren Engagement für einen großtechnischen Solareinsatz durch die anderen Marktziele der Konzerne behindert wird. Das eine Unternehmen ist die Sumitomo Sitix in Japan, und der andere Hersteller von Siliziumwafern für Solarzellen ist Bayersolar im sächsischen Freiberg. Bayersolar ist ein Tochterunternehmen des Leverkusener Chemieriesen Bayer. Der Widerspruch besteht darin, daß die Chemieindustrie, wie alle anderen Großverbraucher von billiger Energie auch, nicht an einer Verteuerung der fossilen Energieträger interessiert sein kann. Die Bezahlung der Reproduktionskosten des Naturverbrauchs fossiler und kernenergetischer Brennstoffe ist aber eine entscheidende Voraussetzung für den Markterfolg der Solarenergie. Warum soll sich ein großer Mineralölkonzern oder ein

Chemieriese für den Durchbruch der Solarenergie einsetzen, wenn er sich dadurch selbst das Wasser für den größten Teil seiner bisherigen Profite abgräbt?
Der Marktdurchbruch für Solarenergie in den Industriestaaten scheint mit dieser ökonomischen Weichenstellung nicht sehr wahrscheinlich. Möglicherweise findet er in der mittelständischen Industrie oder in den industriell unterentwickelten Ländern statt. So entschloß sich die indonesische Regierung dazu, eine Million Wohnhäuser, die bisher ohne Stromanschluß waren, mit jeweils 50-Watt-Solarmodulen von Photovoltaikzellen auszustatten. Tatsächlich ist die Stromversorgung von einzelstehenden Bauernhäusern und abgelegenen Dörfern durch Photovoltaik billiger als durch den Anschluß an weit entfernte Stromversorgungssysteme. Es brauchen keine teuren Überlandleitungen und Transformatorhäuschen gebaut zu werden.
Die Solarenergie ist eine dezentrale Energieform. Viele Millionen Menschen der Entwicklungsländer sind nicht an das nationale Stromnetz angeschlossen. Sie wohnen zu weit von den Stromleitungen entfernt, und sie sind in der Regel nicht zahlungskräftig. Es lohnt sich für die Stromversorger nicht, Anschlußleitungen zu bauen. Wenn dann noch die traditionellen Sozialverbände, in denen diese Menschen bisher lebten, zerbrechen, ziehen sie in die Slums der Städte – ein doppelter Schaden, sozial und ökologisch. Solaranlagen könnten dieser Entwicklung entgegensteuern und regionale Infrastrukturen entstehen lassen. Hier eröffnen sich große Wirtschaftsperspektiven für die Solarbranche der Industriestaaten.
Der Bundesverband Solarenergie veröffentlichte 1996 auch eine diesbezügliche Denkschrift. Darin wird zwar die Chance zum Großeinsatz der Solartechnologie in den Entwicklungsländern hervorgehoben, doch die wirtschaftliche Nutzung der Solarenergie in Deutschland in Frage gestellt. Die Großunternehmen Siemens, RWE und das Bayernwerk, die im Bundesverband Solarenergie das Sagen haben, orientieren sich folglich auf die Länder des Südens. Acht führende Energieversorger beschlossen bei einem Spitzengespräch in Köln, 4,3 Millionen Dollar in Solarpro-

jekte von Entwicklungsländern zu investieren. Das solare Engagement im Ausland wollen sich die Stromerzeuger im Inland als Guthaben auf ihrem Schadstoffkonto anrechnen lassen. Bekanntlich hat sich ein großer Teil der bundesdeutschen Wirtschaft verpflichtet, bis zum Jahre 2005 die Kohlendioxydemission absolut um 25 Prozent gegenüber dem Jahr 1990 zu senken. Offenbar hoffen die betreffenden Unternehmen in Deutschland, sich durch diesen Kuhhandel von ihrer Verpflichtung loskaufen zu können.

In den dünn besiedelten ländlichen Gebieten industriell unterentwickelter Länder ist die Stromversorgung durch die Photovoltaik schon heute billiger zu erstellen als durch den Bau großer Kraftwerke mit langen Überlandleitungen. Derzeit leben etwa zwei Milliarden Menschen weltweit ohne Stromanschluß. Die Regierungen der meisten Entwicklungsländer stehen vor dem Problem, die Lebenssituation in diesen ländlichen Regionen verbessern zu müssen, um die Abwanderung der Bevölkerung in die explosionsartig wachsenden Städte zu stoppen. Deshalb orientieren immer mehr Regierungen auf soziale Förderprogramme zum Bau von Photovoltaikanlagen. Dadurch werden nicht nur Arbeitsplätze geschaffen, auch die soziale Attraktivität der ländlichen Lebensräume wird erhöht. Diese Entwicklungsmöglichkeit sollte durch die Industrieländer und internationale Organisationen tatkräftig unterstützt werden.

Im Nordwesten Argentiniens leben zum Beispiel in dem kleinen Dorf Balde de Leyes 65 Menschen. Das Dorf ist 120 Kilometer von der nächsten stromversorgten Siedlung entfernt. Das örtliche Photovoltaik-Solarprogramm wurde von der argentinischen Regierung als Gemeinschaftsprojekt der argentinischen Universität von San Juan und des Freiburger Fraunhofer-Instituts für solare Energiesysteme ins Leben gerufen. Die Bewohner des Dorfes wurden behutsam an die neue Technik herangeführt. Die erste Solaranlage wurde zunächst auf der Kirche des Dorfes installiert. Die Dorfbewohner konnten sich von der Gefahrlosigkeit und vom Nutzen der Anlage selbst überzeugen. Sie konnten dem Techniker vor Ort Fragen stellen, und sie wurden durch eine Psy-

chologin betreut, die mit den Sitten und Gewohnheiten der Menschen vertraut war.
Nach einer Phase gegenseitigen einfühlsamen Kennenlernens waren alle Dorfbewohner bereit, solch eine Anlage gegen Kredit zu erwerben.
Jede Familie bezahlte zunächst nur 40 Dollar für die Installation der 2000 Dollar teuren Anlage, zu der auch ein Speichersystem gehört. Außerdem wurden den Anlagenbesitzern zehn Dollar monatlich für die Wartung und für die Abzahlung des Kredits abverlangt. Dieser Preis wurde akzeptiert, denn er lag unter den monatlichen Kosten für die Batterien zur Betreibung der Radioapparate und für das Kerzen- bzw. Petroleumlicht. Die monatlichen Zahlungen wurden halbjährlich eingesammelt, weil die Dorfbewohner nur zweimal im Jahr Geldeinkünfte durch Viehverkäufe erzielen konnten. Die Wartung der Geräte übernahmen zwei Dorfbewohner, deren Ansehen durch das soziale Prestige ihrer neuen Tätigkeit enorm stieg.
Die Armut in den Entwicklungsländern ist allerdings heute bereits so groß, daß sich nur etwa 5 Prozent der dort lebenden Menschen eine Photovoltaikanlage auf Kredit leisten können. Doch diese 5 Prozent von zwei Milliarden Menschen könnten durch ihr Engagement eine Sogwirkung erzielen. Die Europäische Union legte deshalb 1995 ein Entwicklungsprogramm »Power for the World« auf. Es bietet potentiellen Käufern von »Solar home systems« Kredite an. Damit soll nicht nur ein Beitrag zur kostengünstigen Elektrifizierung der industriell unterentwickelten Länder geleistet werden. Die Kredite dienen auch dazu, die Produktion der Photovoltaiktechnologie in Europa anzuschieben.
Der massenhafte Einsatz der Photovoltaik erfordert das entschlossene Engagement das Staates, der Wirtschaft und der Wissenschaft. In Deutschland scheint es allerdings am politischen Willen zu fehlen. Deshalb warb Greenpeace 1995 und 1996 zum Kauf von Anteilscheinen für Solaranlagen. Im März 1996 hatten sich bereits 3000 Interessenten bereit erklärt, eine 2-Kilowatt-Anlage (Cyrus-Anlage) zum Stückpreis von 25 000 DM zu kaufen. Gleichzeitig schrieb Greenpeace den Bau einer Solarfabrik

aus, um auch die potentiellen Produzenten zu interessieren. Die Anlage müßte allerdings jährlich mindestens 10 000 Photovoltaik-Anlagen zu je zwei kW-peak produzieren, um rentabel zu arbeiten. Das sind etwa 20 Megawatt im Jahr. Um diese Größenordnung zu erreichen, ist eine staatliche Fördersumme in den ersten fünf Jahren von 2500 DM je Kilowatt nötig. Diese Summe könnte anteilmäßig von den Bundesländern erbracht werden. Die Bundesländer Schleswig-Holstein und das Saarland haben zu diesem Konzept bereits im Frühjahr 1996 ihre Zustimmung gegeben.

Die Kraft der Naturgewalten und die Energie der Biostoffe

Die Windkraft ist eine der effizientesten Formen der indirekten Nutzung von Solarenergie. Wie die Wasserkraft ist sie bereits eine konzentrierte Form der Solarenergie. Der Wind entsteht durch die unterschiedliche Erwärmung von Luftmassen. Dadurch entstehen Hochdruck- und Tiefdruckgebiete. Die aufgestauten Differenzen freier Energie gleichen sich durch die Windbewegungen wieder aus. Wenn der Mensch einen Teil dieser freien Energie durch Windräder einfängt und dann in seinen Wirtschaftsgütern als graue Energie »einfriert«, spart er fossile Brennstoffe und erhöht sowohl die Entropie des irdischen Gesamtsystems als auch seinen Lebensstandard.
Beim heutigen Stand der Technik arbeiten Windenergieanlagen schon bei Windgeschwindigkeiten ab 5 m/s wirtschaftlich. Die Stromerstellungskosten betragen etwa 8 Cent/kWh. Der energetische Wirkungsgrad von Windkraftanlagen überschreitet mit 40 Prozent bereits den von Wärmekraftanlagen. Gegenwärtig produzieren die etwa 30 000 Windkraftanlagen der Welt fast 3 Gigawatt Strom/Jahr. Das entspricht der Kapazität von drei großen Kernkraftwerken oder von sechs großen Wärmekraftwerken. In windreichen Gebieten lohnt sich der Bau von Windenergieanlagen auch für größere Stromproduzenten.

Die Insel Pellworm an der Nordseeküste bei Sylt ist seit einigen Jahren dabei, sich durch einen Energiemix aus Windenergie und Photovoltaik von der Stromversorgung vom Festland unabhängig zu machen. Die Kombination beider Formen der Solarenergie führt zu einer Verstetigung der Stromproduktion. Wenn auf der Insel unter dem Einfluß eines starken Hochdruckgebiets die Windgeschwindigkeit unter die Wirtschaftlichkeitsgrenze der Windkraftanlagen von 5 m/s fällt, dann arbeiten die Photovoltaikanlagen meist auf Hochtouren.
Die SCHLESWAG Aktiengesellschaft und die Telefunken Systemtechnik AG betreiben seit August 1992 das Solar-/Windkraftwerk auf Pellworm, zu dieser Zeit die größte Hybridanlage Europas. Ausgelegt auf eine Leistung von 1000 Kilowatt, produziert sie etwa 1,5 Millionen Kilowattstunden pro Jahr [kWh/a] und versorgt damit die 560 Haushalte der Insel ganzjährig mit Strom. An dieser Gesamtleistung ist die Photovoltaikanlage mit 500 000 kWh/a beteiligt, die Windkraftanlage liefert die restlichen 1 Million kWh/a.
Ein weiterer großer Windpark befindet sich nahe dem Eifelort Neuerburg. Hier drehen sich zwölf Windräder. Jede Windkraftanlage hat eine Leistung von 500 Kilowatt. Die Gesamtkosten beliefen sich auf 13,5 Millionen DM. Der Windpark deckt einen Teil des Strombedarfs der 94 000 Einwohner des Kreises von Neuerburg.
Das Engagement der einzelnen Bundesländer für den Einsatz der Solartechnologie ist so stark wie ihre jeweiligen Politiker. Eine Vorbildwirkung hat in dieser Beziehung das Bundesland Brandenburg. Hier wurde im Dezember 1991 die erste Windkraftanlage eingeweiht. Drei Jahre später ging bereits die Meldung durch die Presse, daß in der Brandenburger Prignitz der größte Windpark Europas entsteht. Im Jahre 1996 lieferten in der Prignitz über 50 Windkraftanlagen Strom mit einer Gesamtleistung von 12 000 kW. Außerdem installierte man dort zwei kleine Wasserkraftanlagen mit einer Leistung von 52 kW sowie eine Biogasanlage, die 85 kW ins Netz speist. Die Biogasanlage liefert gleichzeitig heißes Wasser mit einer thermischen Leistung von 270 kW.

Die Heißwasserversorgung der Prignitzer wird außerdem durch 60 solarthermische Anlagen gewährleistet. Auf einer Fläche von 1100 m^2 wird die Solarenergie durch Solarkollektoranlagen eingefangen. Die Prignitzer betreiben zudem eine Holzhackschnitzelheizung mit einer thermischen Leistung von 500 kW. Die Kombination dieser Anlagen deckt den Stromverbrauch der Haushalte im Landkreis Prignitz zu 30 Prozent.[14]

Die Zahl der privaten Antragsteller von Windkraftanlagen nimmt infolge der kostendeckenden Vergütung von etwa 17 Pfennig ständig zu. Dagegen laufen die großen Stromversorger Sturm. Schließlich steht erstens ihr in die zentralen Energieversorgungssysteme investiertes Kapital auf dem Spiel, und zweitens übersteigen die Einspeisevergütungen von etwa 17 Pfennig die eigenen naturblinden Stromerstellungskosten.[15] Entsprechend zurückhaltend und abweisend reagieren viele Behörden. Den Antragstellern von Windkraftanlagen wurden teilweise prohibitive Vorschriften gemacht bzw. die Anträge werden auffallend zögerlich bearbeitet. So genehmigten die Behörden in der Region Leer/Ostfriesland nach mehrjähriger Antragsfrist erst 20 von 328 Anträgen. Es wurden außerdem schikanöse Auflagen erteilt und Strafen für den ungenehmigten Bau von Windkraftanlagen verhängt.

Seit Juli 1996 gelten Windkraftanlagen wieder als privilegierte Bauvorhaben. Das beschloß der Bundesrat. Mit diesem Beschluß knüpfte der Bundesrat an eine Praxis an, die bis 1994 die Regel war. Damals stoppte das Bundesverwaltungsgericht den Aufschwung der Windenergienutzung durch eine gegenteilige Entscheidung. Zwei Jahre lang wurde so der Aufschwung der Windenergiebranche zum Nachteil der Wirtschaft des Landes behindert. Dagegen sind die dänischen Hersteller von Windkraftanlagen auf den internationalen Märkten weiter auf dem Vormarsch. Sie exportieren 80 Prozent ihrer Windenergieanlagen und planen bereits küstenvorgelagerte (off-shore) Anlagen. Der Außenmarkt deutscher Hersteller umfaßt dagegen nur 10 Prozent der Produktion. Die großen Marktchancen von Windkraftanlagen liegen bereits heute in Indien, China und Lateinameri-

ka. Die modernen Anlagen der Gegenwart übertreffen ihre Vorgänger von vor fünf Jahren in der Leistungsfähigkeit um ein Vielfaches. In der Forschung sind noch keine Leistungsgrenzen in Sicht.
Ein Mix verschiedener Solartechnologien könnte bei gleichzeitiger Energieeinsparung der Verbraucher den Strombedarf fast in ganz Deutschland decken.
Die Wasserkraft bietet sich hier geradezu an. Die Kapazitäten für den Bau großer Wasserkraftwerke sind in Deutschland weitgehend ausgereizt. Die natürlichen Ressourcen zum Bau von kleinen Laufwasserkraftwerken sind aber noch weitgehend ungenutzt. Der Gesamtwirkungsgrad einer kleinen Laufwasserkraftanlage beträgt etwa 65 Prozent. In der Regel kann eine solche Anlage an allen größeren Bächen und an kleinen Flußläufen gebaut werden. Das Prinzip ist uralt. Ein Wehr staut an geeigneten Stellen das Fließwasser an. Der kanalisierte Abfluß des Wassers wird über ein Wasserrad geleitet.
Das ökologische System des Flußlaufs kann durch Umgehungsgräben erhalten werden. In der Regel wird der ökologische Reichtum des betreffenden Gebiets durch die kleinen Anstauungen sogar gefördert. Der Wiederaufbau und die Modernisierung von Altanlagen, die oftmals noch aus Vorkriegszeiten stammen, helfen Kosten zu sparen. Stromerstellungskosten von 12 Pfennig je kWh sind hier die Regel. Laufwasserkraftanlagen lohnen sich bereits für Dörfer, kleinere Städte und Gemeinden.
Wellenkraftwerke sind ebenfalls ökologisch relativ unbedenklich. Sie bestehen aus Bojen, die miteinander verbunden sind und einige Kilometer vor den Küsten die Auf- und Abwärtsbewegung der Wellen durch Pumpensysteme in Strom umsetzen. Diese Kraftwerke brauchen nur eine zentrale Verankerung auf dem Meeresgrund, um nicht abzutreiben. Die Wellenenergie vor den Küsten der Meere und Ozeane ist beträchtlich. Das Energiepotential der Wellenenergie vor Großbritannien wird zum Beispiel auf 120 Gigawatt geschätzt.
Die Erdwärme ist eine weitere Form der freien Energie. Sie sollte dort genutzt werden, wo sie von selbst in Gestalt von heißen

Quellen oder von Magma an die Erdoberfläche tritt. Es gibt gegenwärtig 180 Erdwärmekraftwerke mit einer Gesamtleistung von 6 Gigawatt. Sie befinden sich größtenteils auf den Azoren, in Island, auf den Philippinen, in Mexiko, in Kalifornien, in Indonesien und in Japan.

Bioenergie, Energie biologischer Abfälle, kann man in allen Regionen der Welt nutzen. Bioenergie ist photosynthetisch gebundene Solarenergie. Die Biosphäre produziert in jedem Jahr eine Biomasse mit dem Energiegehalt von mehr als 200 Milliarden Tonnen Steinkohleeinheiten. Das ist fünfzehnmal mehr als der jährliche Weltenergieverbrauch. Ein Teil dieser enormen Energiequelle wandert heute noch über Küchenabfälle auf die Mülldeponie. Das ist weggeworfene Solarenergie.

In Deutschland fallen jedes Jahr mehr als 200 Millionen Tonnen Bioabfälle an. Diese Abfälle könnten in Biogasanlagen einen erdgasähnlichen Brennstoff erzeugen, der geruchlos verbrennt. Bei der Herstellung von Biogas wird als Nebenprodukt auch noch hochwertiger Biokompost produziert. Die täglichen Exkremente einer Kuh erzeugen in einer Biogasanlage 1,5 m^3 Gas. Biogas besitzt eine Heizkraft, die zu 60 Prozent dem Brennwert von Erdgas entspricht. In Biogasanlagen können Pflanzen- oder Holzrückstände der Land- und Forstwirtschaft bzw. die nicht mehr verwertbaren Bestandteile der fleischverarbeitenden Industrie oder der Brauereien verwendet werden. Schweden sichert zum Beispiel heute schon mit der Biomasse der land- und forstwirtschaftlichen Betriebe etwa 13 Prozent seiner Energieversorgung.

Holz ist ein idealer Energiespeicher. Holzmöbel und Holzbauteile in der Wirtschaft sowie in Haushalten helfen, gebundene Solarenergie zu konservieren. Sie fördern außerdem das emotionale Wohlbefinden der Menschen durch die natürliche Formbarkeit und die Maserung des Holzes. Allerdings sollten die Produkte nicht mehr mit giftigen Chemikalien behandelt werden. Unter der Bedingung, daß Holzeinschlag und Aufforstung das Gleichgewicht halten, ist auch nichts gegen die Nutzung von Feuerholz einzuwenden.

Jeder Bürger in Deutschland setzt durch seine Lebenstätigkeit in jedem Jahr eine riesige Menge Kohlendioxyd frei. Ein Hektar Wald wäre jährlich nötig, um die so freigesetzte Menge wieder zu binden. Die Bürger der Industriestaaten sollten deshalb über den Energiepreis die Reproduktionskosten des von ihnen freigesetzten Kohlendioxyds zur Aufforstung der Wälder bezahlen. Der Preis liegt in den Industriestaaten bei etwa 20 000 DM je Hektar (ha). Dieses Vorhaben ist jedoch unter anderem auch deshalb irreal, weil die dreifache Fläche der Bundesrepublik Deutschland aufgeforstet werden müßte. Als Übergangslösung wäre dieses Projekt nur für die entwaldeten Regionen der industriell unterentwickelten Länder sinnvoll.
Die Waldanpflanzung ist aber nur ein vorübergehender Kohlendioxydspeicher. Wenn der Wald genauso wie die fossilen Lagerstätten als eine CO_2-Senke fungieren soll, dann müßte man ihn nach hundert Jahren abholzen und unter Luftabschluß dorthin bringen, wo vorher die Kohle und das Erdöl lagen. Zu solchen unsinnig erscheinenden Aktionen werden aber künftige Generationen gezwungen sein, wenn sie den Kohlendioxydgehalt der Erdatmosphäre reduzieren wollen.
Die Nutzung der Wälder ist weit entfernt von dem, was man unter Nachhaltigkeit versteht. Es wird weltweit zehnmal mehr Wald eingeschlagen als aufgeforstet.[16] Der Welthandel mit Holzprodukten nimmt Platz drei unter den gehandelten Warenklassen ein. Die Nachfrage steigt ständig an. Der Holzverbrauch betrug 1990 fast 3,5 Milliarden Kubikmeter. Diese Holzmenge würde ausreichen, um eine chinesische Mauer um die gesamte Erde zu bauen. Diese Holzmauer wäre zehn Meter breit und neun Meter hoch.
Die Nachfrage nach Holz steigt seit mehr als zwei Jahrzehnten jährlich um 1 Prozent an. Der chilenische Regenwald fällt zum Beispiel dem Papierbedarf Japans und anderer Industriestaaten zum Opfer. Die kanadischen und die sibirischen Naturwälder erleiden das gleiche Schicksal.
Die Zerstörung der Naturwälder veranlaßte viele Entwicklungsländer, Plantagenwälder anzulegen. So werden zum Beispiel in

Chile Eukalyptuswälder dort nachgepflanzt, wo vorher Regenwälder standen. Obwohl die Wachstumsraten von Plantagenwäldern 20- bis 30mal höher sind als die der Naturwälder, ist die Vielfalt der biologischen Arten in den Plantagenwäldern um das Tausendfache geringer. Gegenwärtig bedecken die aufgeforsteten Plantagenwälder in Form von Nadel- oder Eukalyptusbäumen 4 Prozent der Waldfläche der Erde. Ihr Anteil zur Deckung des weltweiten Holzbedarfs an Industrieholz beträgt etwa 20 Prozent.[17]

Es wäre weltfremd zu glauben, daß der ständig wachsende Weltenergiebedarf allein durch die indirekten und direkten Formen der Solarenergie gedeckt werden könnte. Jede Form quantitativen Wachstums stößt über kurz oder lang an eine Grenze. Das Wachstum der Erdbevölkerung hat genauso ein Maß wie das Wachstum des weltweiten Warenbedarfs. Auch der Energiehunger des sozialen Lebens kann nicht ungehemmt wachsen.

Die Strategie der optimalen Bindung der Solarenergie muß deshalb ergänzt werden durch die Strategie der minimalen Freisetzung gebundener Energie. Die thermodynamische Effizienz des gesellschaftlichen Lebens ist erst dann optimal, wenn mehr Solarenergie gebunden wird, als gebundene Energie freigesetzt wird.

Wie wir gebundene Energie sparen können

Zur Herstellung von marktfähigen Gebrauchsgütern werden heute fossile Brennstoffe und Kernenergie benötigt. Dazu müssen Naturressourcen erschlossen, transportiert und bearbeitet werden. Die Wirtschaftsgüter werden anschließend verkauft, verbraucht und entsorgt. Dieser lineare Prozeß des Naturverbrauchs am Beginn und am Ende des gesellschaftlichen Lebensprozesses schaukelte sich mit jeder Dekade auf. Die Stoff- und Energieströme der Weltwirtschaft sind den Stoff- und Energieströmen der Natur vergleichbar geworden.

Mit weniger Energie produzieren

Die Energieintensität ist das Verhältnis zwischen dem Gesamtenergieeinsatz in Tonnen Öl-Äquivalenten [TOE] und dem Bruttosozialprodukt, bezogen auf 1000 US-Dollar. Der Begriff »Öl-Äquivalent« beinhaltet die Umrechnung der Energiegehalte der jeweils verwendeten Energieträger auf den Energiegehalt von Erdöl.

Im 19. Jahrhundert nahm in allen Industriestaaten die Energieintensität schnell zu. Das heißt, es wurden immer größere Energiemengen freigesetzt, um den gleichen Güterwert zu produzieren. Die ständige Vergrößerung der Energieintensität erhöhte die Abhängigkeit der Industriestaaten von den Naturressourcen.

Die Dauer dieser Phase hing davon ab, zu welchem Zeitpunkt das jeweilige Land den Weg der Industrialisierung einschlug. Die Industrialisierung setzte zum Beispiel in Großbritannien bereits am Beginn des 19. Jahrhunderts ein. In den USA, in Deutschland und in Frankreich läßt sich diese Entwicklung erst ab Mitte des 19. Jahrhunderts nachweisen. Japan folgte im letzten Jahrzehnt des 19. Jahrhunderts. Je früher die industrielle Entwicklung in einem Land begann, desto höher war der Energieverbrauch je 1000 Dollar Bruttosozialprodukt und desto schneller war der weitere Anstieg der Energieintensität. So kletterte der Energieverbrauch in Großbritannien bis zum Jahre 1880 auf über eine Tonne Öl-Äquivalent [TOE] zur Produktion von 1000 Dollar Bruttosozialprodukt. Der Höchstwert der Energieintensität lag dagegen in Deutschland um 1920 nur noch bei 0,8 Tonnen TOE und 1960 in Japan bei 0,5 TOE. Je schneller der Energieverbrauch anstieg, desto früher wurde aber auch der Wendepunkt erreicht. Nach diesem Punkt verringerte sich die Energieintensität wieder. Die Energieproduktivität nahm zu.

Die Verringerung der Energieintensität war ein Nebenprodukt der wissenschaftlich-technischen Revolution. Im Zuge der freien Konkurrenz zwischen den Faktoren Kapital und Arbeit wurde der eine Faktor durch den anderen ersetzt: Maschinen ersetzten die Muskelarbeit. Der Einsatz von Maschinen hatte aber noch einen anderen Effekt. Die Leistungsfähigkeit der Maschinerie und die sprichwörtliche Unermüdlichkeit der maschinellen Massenproduktion führten zur einer enormen Verbilligung der Produkte und ermöglichten so erst den ganzen Warenkorb des heutigen Lebens.

Der Unterschied zwischen den beiden Produktionsfaktoren Kapital und Arbeit ist aber in bezug auf ihren Naturverbrauch gravierend. Während der Naturverbrauch der Maschinerie bis weit in die zweite Hälfte des 20. Jahrhunderts völlig kostenlos war, mußten die Arbeitskräfte ständig die Reproduktionskosten ihres individuellen Naturverbrauchs in Form der Nahrungsmittel bezahlen. Seitdem die Menschen ihre Nahrungsmittel nicht mehr vorrangig durch Jagen und Sammeln erwerben, müssen sie auch einen Teil der Reproduktionskosten dieser Lebensmittel aufbringen. Das verteuert aber den Faktor Arbeit im Konkurrenzkampf mit der Maschine. Billige Maschinen setzen deshalb seit der Überwindung des Manufakturzeitalters teure Arbeitskräfte frei. Die Wirtschaftskrisen der Industriegesellschaft führten in der Folge zu sozialen Problemen, die schon mehrmals den Grundbestand des Systems erschütterten.

Der wissenschaftlich-technische Fortschritt der Maschinenproduktion erzeugte letztlich den Effekt, daß der soziale Wert der produzierten Güter schneller wuchs als der Energieverbrauch. Die Leistungsfähigkeit der Gesellschaft erreichte durch diesen Prozeß immer neue Dimensionen. Das wachsende Informationspotential der Maschinerie ermöglichte im Lauf des 20. Jahrhunderts gewaltige Einspareffekte an Stoff und Energie je Wirtschaftseinheit. Die Kreativität wurde in Kriegs- und Embargozeiten, das heißt in sozialen Krisensituationen noch beschleunigt. Dieser Sachverhalt wird nicht nur durch Einzelerfindungen bestätigt, wie zum Beispiel durch die deutsche Entwicklung des Haber-Bosch-Verfahrens zur Stickstoffbindung aus der Luft, das zur Sprengstoffherstellung im Ersten Weltkrieg diente. Auch die weltweiten Folgen der beiden Erdölkrisen von 1972/73 und von 1978 zeigen die innovative Kraft, zu der die Weltwirtschaft in Krisensituationen fähig ist.

Der Weltmarktpreis des Erdöls vervielfachte sich in den Jahren von 1972 bis 1978. Zeitweise wurden fast 50 US-Dollar für ein Barrel Öl [159 Liter] gezahlt. Die ökonomische Folge davon war der Rückgang des Erdölverbrauchs bei fast unverminderter Leistung der Wirtschaft. Noch heute erscheint dieser Innovationsschub als ein Wunder. Das Wachstum des Bruttosozialprodukts koppelte sich sprunghaft vom Energieverbrauch ab. Die Energieintensität der Industriestaaten liegt heute zwischen 0,15 TOE/1000 Dollar in Japan und 0,38 TOE/1000 Dollar in den USA. Diese Unterschiede sind indirekt proportional zu den Energiepreisen dieser Staaten: Die Energiepreise liegen in den USA wesentlich niedriger als in Japan.

Der Naturverbrauch je 1000 Dollar Bruttosozialprodukt [BSP] ging in der zweiten Hälfte des 20. Jahrhunderts pro Jahr etwa um 1 Prozent zurück. In der gleichen Zeit stieg aber das Bruttosozialprodukt der Industriestaaten weltweit um 3 Prozent an. Die relative Einsparung des Ressourcenverbrauchs je Werteinheit wurde somit durch das quantitative Wachstum der Werteinheiten überkompensiert.

Es ist der gleiche Effekt wie bei der Bevölkerungsexplosion. Obwohl seit 1980 ein Rückgang der Wachstumsrate der Weltbevölkerung von 2,1 Prozent auf 1,7 Prozent beobachtet wurde, wächst die absolute Zahl der Menschen auf der Erde dennoch weiter an. Diese Entwicklung kehrt sich erst dann um, wenn die Wachstumsrate negativ wird, das heißt, wenn mehr Menschen pro Jahr sterben als geboren werden. Selbst dann, wenn die Bevölkerungsexplosion gestoppt würde, wäre dieses globale Problem noch nicht gelöst.

Die Verschwendung der Naturreichtümer ist in den Industriestaaten je Kopf der Bevölkerung etwa 20mal so groß wie im Durchschnitt der Entwicklungsländer. Die USA sind hier absoluter Spitzenreiter. Die Zahl der US-Bürger wuchs in der Zeit zwischen 1960 und 1992 nur um 74 Millionen an. In der gleichen Zeit nahm zum Beispiel die Bevölkerung Indiens um 438 Millionen Menschen zu. Der Umweltverbrauch der 74 Millionen US-Bürger entsprach aber einer Bevölkerungsexplosion Indiens von

1,48 Milliarden Menschen. Die 74 Millionen zusätzlichen US-Bürger verbrauchten so viele Naturgüter, daß davon sogar mehr als vier Milliarden Nigerianer leben könnten. Dieser Vergleich soll zeigen, daß die Bevölkerungsexplosion zwar ein großes soziales Problem darstellt; zu einem Umweltproblem wird das gegenwärtige Wachstum der Erdbevölkerung aber vor allem deshalb, weil alle Menschen mehr oder weniger den Lebensstandard der Industriestaaten erreichen wollen.

Der Lebensstandard der Industriestaaten wäre auch dann nicht nachhaltig, wenn nur noch die Bürger der gegenwärtigen Industriestaaten auf der Erde leben würden. Die Reproduktionskraft der globalen Stoff- und Energiekreisläufe wird durch die Industriestaaten hoffnungslos überlastet. Die globalen Umweltprobleme haben ihre Wurzel in der Lebensweise der Industriestaaten.

In bezug auf die Energiefrage heißt das, daß die internationale Erhöhung der Ressourcenproduktivität wesentlich größer sein muß als das weltweite Wachstum des Bruttosozialprodukts. Nur dann sinkt der absolute Naturverbrauch.

Die Möglichkeit einer weltweiten Abnahme des Naturverbrauchs ist real. Diese Möglichkeit folgt erstens aus der Tatsache, daß das Bruttosozialprodukt der Industriestaaten seit mehr als einem Jahrzehnt immer langsamer anwächst. Und zweitens ergibt sich diese Chance aus der immer geringer werdenden Kapitalproduktivität in der extraktiven Industrie. Der Produktivitätsverlust ist nicht nur eine Folge immer kostspieligerer Förderbedingungen infolge erschöpfter Naturressourcen, sondern auch eine Folge der Produktivitätsgewinne durch informationsintensive, das heißt immaterielle Kapitalanlagen.

Kapitalanlagen konkurrieren bekanntlich untereinander. Das Kapital wird dort investiert, wo die höchsten Renditen zu erwarten sind. Die Renditen von Investitionen in die Erhöhung der Ressourcenproduktivität werden immer verlockender. Während die extraktive und energieintensive Industrie hohe Investitionen und lange Amortisationszeiten benötigt, läßt sich die Erhöhung der Ressourcenproduktivität schon mit relativ kleinen Investitionen und in relativ kurzen Zeitspannen erreichen.

Das Kernstück der Ressourcenproduktivität ist die Energieproduktivität. Sie ist der genaue Kehrwert der Energieintensität. Die Energieproduktivität errechnet sich als Quotient aus dem Bruttosozialprodukt [1000 US-Dollar] und dem Gesamtenergieeinsatz [Tonnen Öl-Äquivalente (TOE)]. Ohne die ständigen Finanzspritzen des Staates in Form der Subventionierung des Ressourcenverbrauchs hätte auch in Deutschland die ökologische Wende schon längst begonnen. Was der Staat durch die Umweltpolitik mühselig aufbaut, reißt er durch die künstliche Stützung billiger Energie und Rohstoffe großflächig wieder ein.
Die billigste Energiequelle ist gegenwärtig die Einsparung bei der Freisetzung gebundener Energie. Es ist bei der heutigen Grundversorgung fast in allen Wirtschaftsbranchen billiger, Energie einzusparen, als zusätzliche Energie auf dem Energiemarkt bereitzustellen oder zu kaufen.
Im Durchschnitt aller Industrieländer finden sich nur etwa 10 Prozent der freigesetzten Primärenergie in den verkauften Gütern als sogenannte graue Nutzenergie wieder. Ein großer Teil der restlichen 90 Prozent geht gleich bei der Energiewandlung und beim Energietransport verloren. Die Energieumwandlung in den Maschinen und die zunehmenden Transportentfernungen der Güter bis zu den Kunden fordern außerdem ihren energetischen Tribut.
Bei Wegwerfprodukten nutzen die Konsumenten den verbleibenden Rest nur ein einziges Mal. Etwa 70 bis 80 Prozent der Güter werden nach einmaligem Gebrauch weggeworfen, oder sie waren nicht verkaufsfähig. Nur etwa 3 Prozent der Primärenergie werden in langlebigen Konsumgütern »geparkt«. Doch auch diese Güter sind in der Regel nicht so langlebig, wie sie nach dem Stand der Technik sein könnten. Denn der Produktverkauf blockiert das Interesse der Produzenten und Vertreiber an der Langlebigkeit der Güter. Sie verdienen am Verkauf möglichst großer Stückzahlen. Die Optimierung der Langlebigkeit der Güter, die die Garantiezeit übersteigt, ist geschäftsschädigend. Dieses umweltfeindliche Marktinteresse wird noch eingehend in Kapitel 3 untersucht.

Energieproduktiv bauen und wohnen

Die technischen Möglichkeiten zur Verringerung des Energieeinsatzes bei gleicher Leistung existieren schon lange. Dieser Sachverhalt wird besonders im Baugewerbe offensichtlich. Der Einbau von Wärmeschutzfenstern und die zusätzliche Isolierung der Außenwände und des Dachbereichs schaffen nicht nur ein angenehmes und behagliches Wohnklima im Haus. Es lohnt sich vor allem auch finanziell für die Bewohner. Die Wärmeisolierung erspart in einem Einfamilienhaus von 120 m^2 Wohnfläche jährliche Heizkosten von mindestens 1000 DM. Die zusätzlichen Baukosten amortisieren sich bei einem anteiligen Selbstbau bereits nach acht bis zehn Jahren. Das scheint eine lange Zeit zu sein, doch diese Kapitalanlage ist eine kleine Lebensversicherung. Auch im Rentenalter gibt man monatlich 100 DM weniger für Heizkosten aus.

Die eingesparten Haushaltsausgaben stehen jeden Monat für andere Zwecke zur Verfügung. Der Staat kann außerdem diese »Ersparnis« nicht besteuern. Sie unterliegt auch nicht der allgemeinen Geldentwertung. Bei erhöhtem Wohnkomfort wird also erstens weniger gebundene Energie freigesetzt und zweitens noch Geld gespart.

Wenn der vorsorgende Eigenheimbesitzer oder eine Mietergemeinschaft außerdem noch Wassergeld einsparen will, dann läßt sich auch hier bei ungeschmälertem Wohnkomfort auf lange Sicht mit geringen Kosten ein großer finanzieller Gewinn erzielen. Den Garten und die Grünanlagen kann man zum Beispiel sehr gut mit Regenwasser gießen, das in einer Regentonnenkaskade direkt unter dem Dachrinnenabwasserrohr aufgefangen wird. Das Regenwasser kann auch in einem kleinen Gartenteich »geparkt« werden. Von dort kann es mit Hilfe einer Tauchpumpe über einen kleinen Vorratsbehälter innerhalb des Hauses die Toilettenspülung bedienen. Die Kosten für die Zusatzenergie und die Tauchpumpe sind auf die Lebenszeit der Anlage gerechnet wesentlich kleiner als die eingesparten Kosten für das Trinkwasser, das heißt der Nutzen der Anlage.

Die Zweifachnutzung des Leitungswassers führt zu einer 30prozentigen Reduzierung des Frischwasserbedarfs eines Haushalts. Das Bade- oder Duschwasser sowie das Spülwasser der Waschmaschine kann man auch zur Toilettenspülung nutzen. Durch die Gleitfähigkeit der Seifenlauge wird zudem Verstopfungen vorgebeugt.
Der durchschnittliche Wasserbedarf eines Erwachsenen liegt in Deutschland ungefähr bei 150 Liter pro Tag. Der Bedarf an Frischwasser steigt ständig an. Das führt bereits heute in einigen Bundesländern und Gemeinden zu wachsenden Problemen der Wasserversorgung der Bevölkerung.
Die Möglichkeiten der sparsamen Freisetzung gebundener Energie sind vielfältig. Die Reduzierung des Stromverbrauchs zur Beleuchtung der Häuser, Geschäfte, Arbeitsräume und auch ganzer Straßenzüge muß nicht unbedingt zu einer geringeren Ausleuchtung führen. Man braucht nicht in einem düsteren Wohnzimmer zu sitzen, um umweltbewußt zu leben. Helle Räume am Tag und wenn nötig auch bei Nacht sind die Vorbedingung für das Wohlbefinden von Menschen. Wenn das Tageslicht durch große Fenster und das Abendlicht durch energieeffiziente Lampen erzeugt wird, dann kann das den Bewohnern nicht nur recht sein, sondern auch billig.
Eine moderne Energiesparlampe funktioniert garantiert zehnmal länger als die bisher üblichen Glühlampen. Ihre Lichtleistung ist außerdem fünfmal größer. Man kann zum Beispiel statt der zwei üblichen 75 Watt Lampen im Wohnzimmer zwei 15 Watt Energiesparlampen einschrauben. Wenn die Bewohner durchschnittlich übers Jahr drei Stunden das Licht eingeschaltet haben, im Sommer weniger und im Winter mehr, dann amortisiert sich die Neuanschaffung bereits im ersten Jahr allein über die geringere Stromrechnung. Das läßt sich leicht nachvollziehen. Drei Stunden bei 2 × 75 Watt ergeben 450 Watt pro Tag für die beiden 75-Watt-Lampen. Der Stromverbrauch der Lampen beträgt zusammen 164 kWh im Jahr. Bei einem Strompreis von durchschnittlich 23 Pfennig/kWh sind das etwa 38 Mark. Die beiden Energiesparlampen verbrauchen in der gleichen Zeit nur 43 kWh

bzw. 13 Mark. Die jährliche Einsparung beträgt also 25 Mark. Der Einzelhandelspreis einer Energiesparlampe liegt heute schon unter zehn Mark. Selbst kurzfristig rechnende Haushalte können also eine Aufbesserung der Haushaltskasse durch die Einsparung von Energiekosten erzielen.

Energieproduktiv wirtschaften: Faktor 4 und Faktor 10

Die Einsparung von Energie lohnt sich bei den heutigen Energiepreisen vor allem für die langfristig kalkulierende Wirtschaft. Es ist geradezu verblüffend, wie manche Unternehmen krampfhaft bemüht sind, Arbeitskräfte zu entlassen, um die Betriebskosten zu senken, und gleichzeitig das Betriebskapital durch Energieverschwendung zum Fenster hinauswerfen. Nicht nur durch die Installierung einer energiesparenden Beleuchtung könnten hier Betriebskosten in beträchtlichem Umfang eingespart werden. Mit energiesparenden Dampfkesselanlagen und effizienteren Kühl- und Maschinensystemen lassen sich große Einsparmöglichkeiten erschließen. Außerdem kann der Betriebsgewinn durch die Rationalisierung des Transportaufwands und die Erhöhung der Materialintensität bei verringertem Abfallvolumen und Wasserverbrauch aufgebessert werden. Die Möglichkeiten und der Erfindungsreichtum sind hier noch weitgehend unausgeschöpft.
Das Buch von Ernst Ulrich von Weizsäcker, Amory B. Lovins und L. Hunter Lovins, *Faktor 4* beleuchtet dieses enorme Potential zur kostengünstigen Einsparung des Naturverbrauchs. Die Autoren schreiben:

> »Beim *Faktor vier* geht es um die Vervierfachung der Ressourcenproduktivität. Aus einem Faß Öl oder aus einer Tonne Erdreich wollen wir viermal soviel Wohlstand herausholen. Dann können wir den Wohlstand verdoppeln und gleichzeitig den Naturverbrauch halbieren.«[18]

Diese Forderung ist nicht aus der Luft gegriffen. Ihre Machbarkeit wird an Hand von zwanzig praktischen Beispielen vervierfachter Energieproduktivität sowie von zwanzig Beispielen vervierfachter Stoffproduktivität und an Hand von zehn Fällen vervierfachter Transportproduktivität nachgewiesen. Letztlich geht es um die Erhaltung der Bewohnbarkeit unseres Planeten. Die Lebensfähigkeit der Menschen und eines großen Teils der Biosphäre stehen auf dem Spiel, wenn der Weltenergiebedarf, der Ressourcenverbrauch und die Abfallmengen weiter so wie bisher wachsen. Der Naturverbrauch wird sich bis zur Mitte des 21. Jahrhunderts verdoppeln, wenn nichts geschieht.
Die Entwicklungsländer haben aber nur dann die Chance, ihr Lebensniveau zu erhöhen, wenn die Ressourcenproduktivität in den Industriestaaten mindestens um den Faktor 10 vergrößert wird.
Das kühne Konzept von Faktor 10 geht auf den stellvertretenden Direktor des Wuppertal-Instituts zurück. Friedrich Schmidt-Bleek ist Leiter der Abteilung »Stoffströme und Strukturwandel« dieses Instituts. Er entwickelte das Konzept der »Materialintensität pro Service« [MIPS]. Mit Hilfe dieses Konzepts werden die Materialströme analysiert, die der Mensch (anthropogen) verursacht. Der Metallverbrauch von Kupfer, Zink, Mangan, Chrom, Nickel, Magnesium, Zinn, Molybdän und so weiter wächst seit zwei Jahrhunderten in exponentiellen Dimensionen an. Er übersteigt am Ende des 20. Jahrhunderts bereits die natürlichen Stoffströme. Die anthropogene Freisetzung von Kupfer ist zum Beispiel fünfmal größer als die Menge, die die Naturprozesse umsetzen. In bezug auf Blei übertrifft der Mensch den Naturhaushalt bereits um das Zwölffache. Bei Nickel übertrifft der anthropogene Anteil den Naturprozeß sogar um das 21fache.[19]

»Diese Metallmengen sind nur die Spitze des Eisberges. Jede Tonne Metall trägt einen ›ökologischen Rucksack‹ von vielen Tonnen, die als Erz abgebaut, als Prozeßwasser verunreinigt und verbraucht werden sowie als Stoffumsätze der Transportkette ins Gewicht fallen. Abraumhalden rund um die Minen verunzieren als giftige Hügel die Landschaft und belasten die Gewässer mit Schwermetallen oder Chemikalien, die man bei der Erz- oder Metallgewinnung eingesetzt hat. Abraum zu rekultivieren ist keine leichte Sache und kann die ursprünglichen Lebensräume und Landschaften in der Regel nicht wiederherstellen.«[20]

Jedes Gut, das irgendwo verkauft wird, trägt folglich einen »ökologischen Rucksack«. Ein Goldring wiegt zum Beispiel 3,5 Tonnen. Diese Stoffmenge muß allein im Goldbergwerk bewegt werden, um das Edelmetall für den etwa zehn Gramm leichten Goldring zu gewinnen.[21] Seine Materialintensität pro Serviceleistung (MIPS-Zahl) beträgt also 350 000.

Die MIPS-Zahl gibt an, wie viele Stoffmengen für eine bestimmte Dienstleistung weltweit bewegt und verarbeitet werden müssen. Je schlechter die Ressourcenproduktivität eines Gutes von der Wiege bis zur Bahre ist, desto größer ist die MIPS-Zahl.

Friedrich Schmidt-Bleek untersuchte eine Vielzahl von technologischen Prozessen und Produktlebenszyklen.[22] Er kommt zu dem Schluß, daß in den Industriestaaten die Zeit für eine Dematerialisierung der Wertschöpfung um den Faktor 10 längst reif ist. Faktor 10 bedeutet die Erhöhung der Ressourcenproduktivität um das Zehnfache je Werteinheit.

Der Dreiwege-Katalysator hat zum Beispiel nur eine Eigenmasse von 8,4 kg. Er besteht aus einem katalytisch beschichteten Keramikmonolithen, einem elastischen Drahtgeflecht, einer Sauerstoffsonde und einem Edelstahlgehäuse. Die Gewinnung, der Transport und die Verarbeitung der benötigten Werkstoffe erfordern einschließlich der Energierohstoffe insgesamt fast drei Tonnen Stoffbewegungen.[23] Seine MIPS-Zahl beträgt 357.

Die drückende Last dieser stofflichen Massen wirft die Frage auf, ob der Umweltschaden, den ein Katalysator verursacht, nicht größer ist als sein Nutzen. Er reduziert zwar die Luftschadstoffe auf der Straße, doch die Belastungen der Umwelt bei seiner Herstellung und Entsorgung übersteigen vielleicht seinen Nutzen. Die politische Entscheidung für den Katalysator könnte sich unter dem MIPS-Strich als eine Form der Hochschornsteinpolitik herausstellen. Der Gestank und die Schadstoffe befinden sich jetzt nicht in der Stadtluft bzw. vor der eigenen Haustür, sondern auf den Abraumhalden und Sondermülldeponien.

Der Staat orientiert seit einem Vierteljahrhundert die Produzenten und die Konsumenten auf den entsorgenden Umweltschutz. Dadurch wird der Schutz der Umwelt unnötig teuer. Traditioneller Umweltschutz findet am Ende des Produktions- und Konsumtionsprozesses und erst dann statt, wenn der Schaden bereits solche Ausmaße erreicht hat, daß gehandelt werden muß. Es ist ein Wettlauf zwischen dem »Verordnungs«-Hasen und den vielen Schadstoffigeln. Wo der Hase auch hinrennt, es sitzen bereits mehrere Igel dort. Das Rennen kann so nicht gewonnen werden – und es kostet viel Geld. Die Wirtschaft stöhnt zu Recht über jede weitere Umweltauflage. Produzenten und Konsumenten werden zu Umweltausgaben gezwungen, die die Produkte verteuern und das Problem nicht lösen. Die stofflichen Mehraufwendungen zur Entsorgung oder zweckentfremdeten Verwertung der Abfälle, die der entsorgende Umweltschutz provoziert, vergrößern noch den Umweltschaden. Die Produzenten und die Konsumenten werden genötigt, viel Geld dafür auszugeben, daß der Umweltschaden nicht vor der eigenen Haustür, sondern woanders entsteht. Das verteuert die Güter, und es untergräbt die Konkurrenzfähigkeit der nationalen Wirtschaft, da es eine nationale und keine internationale Umweltpolitik ist.

Der Grüne Punkt verlangt zum Beispiel von den Bürgern eine Gratisarbeit zur sortenreinen Erfassung der Verpackungsabfälle. Zusätzlich bezahlen die Bürger eine Verwertungsgebühr je Verpackungseinheit, die im Kaufpreis des jeweiligen Produkts enthalten ist. Gleichzeitig steigen die Abgaben zur Hausmüllentsorgung, weil sich das staatliche Entsorgungssystem bei dem geringeren Müllaufkommen der Bürger sonst nicht mehr rechnet. Dieses System rennt den vielen Schadstoffigeln dauernd hinterher.

Wenn dagegen die Entsorgungs- bzw. die Verwertungskosten nicht mehr am Ende, sondern am Anfang des Produktions- und

Konsumtionsprozesses sichtbar gemacht werden, dann gewinnt der Hase das Rennen. Das Konzept der Materialintensität pro Serviceleistung kann eine Entscheidungshilfe sowohl für die vorsorgende Umweltpolitik als auch für den umweltbewußten Unternehmer sein. Der Verzicht auf Rohstoffe, Verpackungen und Transportleistungen ist nicht nur die umweltfreundlichste Wirtschaftsweise – er stimuliert vor allem die Kreativität der Unternehmen. Wenn die Rohstoffpreise die ökologische Wahrheit sagen, wächst die Kreativität der Wirtschaft zur Einsparung des Umweltverbrauchs durch die Entwicklung der ökonomischen Effizienz. Die planerische, organisatorische und wissenschaftlich-technische Intelligenz erhält einen Entwicklungsimpuls. Die volkswirtschaftliche Stabilität erhöht sich, und der Wirtschaftsstandort wird verbessert. Die gegenwärtige Wirtschaftspolitik schwächt dagegen den Zukunftsstandort Deutschland. Das zeigt sich besonders im Energiesektor.

Die fossilen oder kernenergetischen Energieträger schleppen einen gewaltigen ökologischen Rucksack mit sich herum, trotzdem wird ihr Verbrauch durch Subventionen in Milliardenhöhe staatlich gefördert. Jede Tonne der drei Milliarden Tonnen Steinkohle, die in Deutschland pro Jahr gefördert werden, benötigt eine Materialbewegung von fünf Tonnen zur Beseitigung des Abraums und zur Wasserentsorgung. Die MIPS-Zahl von Steinkohle ist also 5. Die MIPS-Zahl von Braunkohle ist sogar doppelt so groß. Zur Gewinnung von einer Tonne Braunkohle müssen zehn Tonnen Abraum und Wasser bewegt werden.[24] Die Subventionierung des Kohleverbrauchs vergrößert nicht nur den Umweltschaden, sie verhindert auch den längst überfälligen Technologiesprung in die Energieeinsparung und in die Solarindustrie.

Die MIPS-Zahl kann vor allem bei alternativen Kaufentscheidungen der Konsumenten hilfreich sein. Um einen einzigen Liter Orangensaft aus Südamerika in Deutschland zu trinken, werden zum Beispiel mehr als 100 kg Stoff bewegt. Ein Liter Apfel- oder Birnensaft, bei dem einheimisches Obst verarbeitet wurde, hat eine wesentlich kleinere MIPS-Zahl. Als zusätzliche Konsumenten-

information könnte die MIPS-Zahl zumindest bei umweltbewußten Nachfragern die Kaufentscheidung beeinflussen. Veränderte Kaufentscheidungen einer kritischen Masse von umweltbewußten Konsumenten beeinflussen wiederum die Einkaufsstrategie der Versorgungseinrichtungen.
Der »Erfinder« der MIPS-Meßlatte schrieb deshalb:

> »MIPS könnte ein Hilfsmittel sein, dafür zu sorgen, daß die Preise nach und nach die ökologischen Auswirkungen wirtschaftlichen Tuns einigermaßen widerspiegeln, daß sie ›die ökologische Wahrheit sagen‹ und damit den Unternehmen und Ingenieuren einen Anreiz und eine verläßliche Basis zur Suche nach neuen Wegen geben.«[25]

Der Mensch ist auf der Erde zu einer Naturkraft geworden. Das wirtschaftliche System, das diese Kraft steuert, ist aber naturblind. Die Gebirge, die jedes Jahr von der Wirtschaft auf der Suche nach Rohstoffquellen abgetragen werden, finden sich noch im selben Jahr als Abfallberge in der Nähe der Großstädte wieder. Die weltweiten Stoffströme werden gegenwärtig noch durch die rasante Entwicklung des Welthandels beschleunigt. Von 1950 bis 1990 wuchs das Weltsozialprodukt jährlich um etwa 4 Prozent an. Der weltweite Warenhandel wuchs dagegen um 6 Prozent. Seit 1994 wächst der Welthandel sogar jährlich um fast 10 Prozent an. Das ist zweieinhalbmal soviel wie das Weltsozialprodukt.
Die unmittelbare Aufgabe der Wirtschaftspolitik besteht darin, die Freisetzung der gebundenen Energieformen und der systemimmanenten Stoffe zu reduzieren. Man kann zum Beispiel die Energiequellen verteuern, die die Stoffströme in Bewegung setzen. Dadurch verteuert sich automatisch auch das jeweilige Material. Je mehr Erd- und Wassermassen zur Produktion und zum Transport der Güter bewegt werden müssen, desto teurer werden sie. Der Energiepreis ist folglich der Schlüssel, der die Tür zu einer ökosozialen Marktwirtschaft öffnet.
Der politische Widerstand gegen eine ökosoziale Entwicklung der Wirtschaft ist heute noch sehr groß. Deshalb ist es sinnvoll,

kleine Entscheidungshilfen für umweltbewußte Produzenten und Konsumenten zu geben.

Die Idee einer Dematerialisierung der Wirtschaft um den Faktor 10 fand auch international relativ schnell Anklang. Im Jahre 1994 wurde deshalb der »Faktor-10-Club« gegründet. Das humanistische Ziel dieser Bewegung besteht nicht nur darin, den industriell unterentwickelten Ländern im nächsten Jahrhundert die Chance zur Verbesserung ihrer Lebenssituation trotz steigender Bevölkerungszahlen zu geben. Das Ziel besteht auch darin, die Produktions- und Konsumtionsmuster der Industriestaaten so zu verändern, daß auch die hier lebenden Menschen eine Verbesserung ihres Lebensstandards erfahren. Dazu sind intelligente Lösungen nötig. Intelligente Lösungen erfordern Innovationen. Die Verlängerung der Produktdauer langlebiger Konsumgüter ist ein Schritt in diese Richtung [vgl. S. 226–240].

Die Produktion und Vervielfältigung von Informationen sind die entscheidende Quelle des natur-gesellschaftlichen Reichtums. Die Erhöhung der Wertschöpfung um den Faktor 10 durch Dematerialisierung des Wirtschaftsprozesses liegt im Bereich des Machbaren. Es ist eine Wertschöpfung, die sich an der Erhöhung der Nutzungseigenschaften der Güter orientiert.

Das MIPS-System ist ein Mittel zum Zweck der Reduzierung des Naturverbrauchs. Der Konsument trägt dabei allerdings die ganze Verantwortung. Auf ihm lastet die Qual der Wahl, während viele Politiker immer noch eine Vogel-Strauß-Haltung einnehmen. Sie versuchen die Zeiten von einer Wahlperiode bis zur nächsten zu überdauern. Falls sie irgendwann einmal den Kopf aus dem Sand zu nehmen gezwungen sind, wird MIPS eine politische Entscheidungshilfe zur direkten Einbindung der Naturverbrauchskosten in den Preis der auf dem Markt gehandelten Güter sein. Bis dahin werden aber die Rohstofflagerstätten weiter ausgeräumt und die Abfälle zu Bergen aufgetürmt. Der höchste Berg an der amerikanischen Ostküste südlich des Staates Maine ist heute der in New Jersey gelegene Abfallberg der Stadt New York. Seine Spitze überragt den Meeresspiegel um mehrere hundert Meter.

Eine besonders gefährliche Form des Abfalls sind die Emissionen in die Luft, das Wasser und den Boden. Besonders das FCKW und die Treibhausgase stehen gegenwärtig im Zentrum des wissenschaftlichen und öffentlichen Interesses.

FCKW

Zu den dringenden Aufgaben der Gegenwart gehören der sofortige und weltweite Stopp der FCKW-Produktion (Fluor-Chlor-Kohlen-Wasserstoffe) sowie die umweltschonende Vernichtung der bisher im Umlauf befindlichen FCKW-Mengen. Allein in der Bundesrepublik Deutschland warten in Isolierschäumen und alten Kühlschränken sowie in den industriellen Kühlanlagen mehr als 140 000 Tonnen FCKW auf ihre Freisetzung. Die Verbrennung von einer Tonne FCKW kostet 5360 DM. Nach dem Verbot von FCKW-Feuerlöschern im Jahre 1994 erreichten nur 1000 Tonnen die Verbrennungsanlagen. Mehr als 6000 Tonnen FCKW-Treibmittel sollten insgesamt entsorgt werden. Der »kleine« Rest von 5000 Tonnen wird zwölf Jahre später in der Stratosphäre die schützende Ozonschicht für die nächsten hundert Jahre zu vernichten beginnen. Denselben Weg gehen wahrscheinlich auch die riesigen FCKW-Mengen aus den alten Kälteanlagen der Haushalte und der Industrie. Und das weltweit.
Die großen Erwartungen, die in die Wiener Ozon-Konferenz gesetzt wurden, haben sich leider nicht erfüllt. Der erzielte Kompromiß über den Abbau der halogenierten Kohlenwasserstoffe (H-FCKW) sieht vor, daß die Industriestaaten die Produktion dieser Ozonkiller erst ab dem Jahre 2020 einstellen. Ein weltweites Verbot soll nach den Beschlüssen der Wiener Konferenz im Jahre 2040 durchgesetzt werden. Es wurde außerdem beschlossen, die Herstellung des hochgiftigen Pestizids Methylbromid in den Industriestaaten ab dem Jahre 2002 einzufrieren. Die Produktion soll dann erst im Jahre 2010 verboten werden. Das Brom im Methylbromid zerstört in der Stratosphäre noch vierzigmal mehr Ozon als das Chlor aus den Fluorchlorkohlenwasserstoffen.
In den Entwicklungsländern soll zum Beispiel die Herstellung des Pesti-

zids Methylbromid ab dem Jahre 2002 auf einem Niveau eingefroren werden, das aus der Durchschnittsproduktion der Jahre 1995 bis 1998 ermittelt wird. Der weltweite Ausstieg aus der Produktion dieser gefährlichen Chemikalie wird erst auf der Folgekonferenz im Jahre 1997 beschlossen. Die Entstehung eines weltweiten Ozonlochs scheint den internationalen Entscheidungsträgern ein kalkulierbares Risiko zu sein. Im Oktober 1996 hatte das Ozonloch über der Antarktis solche Ausmaße, daß die doppelte Fläche von ganz Europa hineingepaßt hätte. In den nächsten zehn Jahren wird es immer größer werden und dann mindestens fünfzig Jahre lang ständig wiederkehren. Die Ozonschicht über dem Rest der Welt wird nach jedem Durchlauf immer dünner, denn das Ozonloch des Südens füllt sich ständig mit dem Ozon des Nordens auf. Das Ozonloch des Südens wirkt als eine globale Ozonzerstörungsmaschine. Das sofortige weltweite Verbot der Produktion aller Ozonkiller und die Zerstörung der im Umlauf befindlichen Substanzen ist deshalb längst überfällig.

Die Halbierung der absoluten Kohlendioxydemissionen bis zur Mitte des nächsten Jahrhunderts im Verhältnis zum Basisjahr von 1990 ist genauso dringend. In dieser Zeit wird sich aller Wahrscheinlichkeit nach die Weltbevölkerung verdoppelt haben. Die Halbierung der Emissionen an Kohlendioxyd [CO_2] verlangt bei gleichbleibendem Lebensstandard und doppelter Erdbevölkerung bereits die vierfache Reduzierung der CO_2-Emissionen je 1000 Dollar Bruttosozialprodukt. Und das weltweit. Technisch ist das Problem lösbar. Der detaillierte Nachweis wurde durch die Autoren von *Faktor 4* erbracht.
Wenn die politischen Weichen richtig gestellt sind, dann ist es überall auf der Welt wesentlich billiger, in die sparsame Freisetzung gebundener Energie zu investieren, als zusätzliche Kraftwerke zu bauen. Die Leistungsfähigkeit des Kapitals erhält dadurch einen enormen Beschleunigungsimpuls. Leistung ist Arbeit pro Zeiteinheit. Während sich die Investitionen in ein Großkraftwerk in zwanzig bis dreißig Jahren amortisiert haben, ist die Amortisationszeit von in die Energieproduktivität investiertem

Kapital wesentlich kürzer. Dadurch steigt die Kapitalproduktivität. Das Kapital kann sich in der gleichen Zeit durch die erneute Investition vervielfachen.
Ohne eine weltweite Erhöhung der Ressourcenproduktivität wird sich der Energieverbrauch bis zur Mitte des nächsten Jahrhunderts verdoppeln, der Rohstoffverbrauch verzehnfachen, und die Abfallberge wachsen in den Himmel. Vor allem wird der Treibhauseffekt in einer Weise beschleunigt, daß alle heutigen Szenarien hinter der Wirklichkeit verblassen.
Wenn sich die Wirtschaftspolitik jedoch am ökosozialen Fortschritt orientiert, dann bilden Umweltschutz, soziale Stabilität und Wirtschaftskraft eine untrennbare Einheit. In diesem Fall kann nicht nur ein Faktor 4 erreicht werden. Der Faktor 4 bezieht sich nur auf das zu erreichende Minimum einer technologischen und wirtschaftspolitischen Entwicklung. Er reflektiert lediglich die unabdingbare Notwendigkeit einer vervierfachten Ressourcenschonung, wenn sich die Weltbevölkerung in den nächsten dreißig Jahren verdoppelt und der Naturverbrauch halbiert werden muß. Der Faktor 4 ist also bloß das äußerste Mindestmaß, das es weltweit bis zur Mitte des nächsten Jahrhunderts zu erreichen gilt. Dieses Konzept erlaubt den Entwicklungsländern aber noch keine Verbesserung ihres erbärmlichen Lebensstandards. In den Entwicklungsländern werden Mitte des nächsten Jahrhunderts vier Fünftel der Weltbevölkerung leben. Sie werden alle die Lebensansprüche anmelden, die die Industriestaaten ihnen vorleben. Die Industriestaaten verbrauchen gegenwärtig fast $^4/_5$ aller Rohstoffe der Welt. Für sie würde der Faktor vier relativ problemlos zu erreichen sein. Das würde aber die Lebenssituation der Entwicklungsländer noch nicht verbessern. Der Faktor 10 ist deshalb ein Gebot der Zeit.

Der Energiekampf: Sonnen-David gegen Kernfossil-Goliath

Zwischen Theorie und Praxis klafft im Umweltschutz eine riesige Lücke. Die Wissenschaftler sind sich weitgehend darüber einig, daß die Menschheit noch eine Galgenfrist von etwa 40 Jahren hat. Dann quellen die Senken über, in die die Industriegesellschaft ihren Abfall entsorgt, und die Quellen, aus denen sie die stofflichen und energetischen Ressourcen entnimmt, sind leer. In dieser Zeit muß es gelingen, den Verbrauch von Naturgütern so weit zu verringern, daß sich die Natur wieder selbst reproduzieren kann.
Die ökologische Schwindsucht aller Lebensräume wird durch die globale Bevölkerungsexplosion noch beschleunigt. Die letzten Reste der verbliebenen Naturgüter werden in den naturblinden Wirtschaftsprozeß eingesogen und als Abfall ausgespuckt. Umweltflüchtlinge werden die Völkerwanderungen der Zukunft auslösen. Die gegenwärtige Tendenz zur weltweiten Urbanisierung in den Entwicklungsländern bei gleichzeitiger Zersiedlung der Lebensräume in den Industriestaaten ist nur das Vorspiel zu einem globalen Drama.
Die Weltwirtschaft scheint von all dem unberührt zu sein. Das quantitative Wachstum der Produktion und der Massenkonsum haben bereits die großen Entwicklungsländer erfaßt. Die kleinen Tiger Asiens und die großen Länder wie China und Indien beschreiten gegenwärtig denselben Weg, den die Industriestaaten durchlaufen haben. Während sich die wirtschaftliche Leistung der Industriestaaten 1995 nur um etwa 2,5 Prozent vergrößerte, stieg sie in China um 11,5 Prozent, in Malaysia um 8,7 Prozent und in Thailand um 8,5 Prozent. Südostasien erhöhte seinen Anteil am Weltexport in den letzten zwanzig Jahren von 4 Prozent auf 12 Prozent. Die Globalisierung der Wirtschaft bedeutet, daß immer mehr Menschen in die weltweite Arbeitsteilung bei unentgeltlichem Naturverbrauch einbezogen werden. Die globale Arbeitsteilung der Warenproduktion führt auf dem Weltmarkt zu steigenden Warentransporten und damit zu wachsenden Ener-

gie- und Stoffströmen. Daran verdienen die großen Transportunternehmen zu Lande, zu Wasser und in der Luft. Der Verbrauch von fossilen Brennstoffen und von Kernenergie wächst seit Jahrzehnten explosionsartig an.
Das Top-Management der energieintensiven Wirtschaftsbranchen kann sich von den alten Denkmustern des quantitativen Wirtschaftswachstums nicht trennen. Das Umdenken dauert hier infolge der Größe dieser Unternehmen und der monopolistischen Struktur des Marktes besonders lange. Die fehlende Anpassung an die veränderten Umweltbedingungen führt diese wirtschaftlichen Dinosaurier mit der gleichen Notwendigkeit zur Selbstzerstörung, wie auch ihre biologischen Brüder das ökologische Spielfeld der Erde vor 65 Millionen Jahren verlassen mußten. Doch es gibt auch Ausnahmen. Einige kleinwüchsige Dinosaurierarten überlebten. Sie erwiesen sich als anpassungsfähig.
Die flexible Anpassungsfähigkeit von mittleren Unternehmen kann man gegenwärtig auch in der Energiebranche beobachten. Die Stadtwerke sind zum Beispiel in vielen Industriestaaten die Motoren des Fortschritts auf dem Energiemarkt.
Ein glänzendes Beispiel der innovativen Kraft mittlerer Stromerzeuger lieferte das Stadtwerk von Sacramento in Kalifornien. Der Meiler des stadteigenen Atomkraftwerks »Rancho Seco« hatte ständig Funktionsstörungen. Die teuren Reparaturen ließen die Strompreise in die Höhe klettern. Die Kunden wollten nicht länger über den steigenden Strompreis für ein unsicheres Kraftwerk zur Kasse gebeten werden. Das Atomkraftwerk wurde deshalb 1989 kurzerhand stillgelegt. Damit fehlten 900 Megawatt Strom in den Spitzenbelastungszeiten. Das war immerhin die Hälfte der Spitzennachfrage. Die Stadtwerke des Sacramento Municipal Utility District (Smud) mußten sich etwas einfallen lassen. Man baute vier kleinere gasgefeuerte Anlagen mit Kraft-Wärme-Kopplung. Während der Wirkungsgrad des Atomkraftwerks unter 30 Prozent lag, erreichen Kraft-Wärme-Anlagen einen Wirkungsgrad von 70 Prozent. Die Freisetzung gebundener Energie wurde auf diese Weise stark reduziert. Außerdem wurden 170 Windenergieanlagen installiert.

Der sparsame Verbrauch von gebundener Energie wurde noch durch eine mit Geldern der Stadtwerke durchgeführte Baumpflanzaktion gefördert. Im heißen Kalifornien halten in fast allen Häusern Klimaanlagen die Temperaturen im Rahmen des Erträglichen. Die Westseite der Häuser ist besonders der Solarstrahlung ausgesetzt. Deshalb begann man, an dieser Seite Bäume zu pflanzen. Ein großer Baum reduziert den Stromverbrauch der Klimaanlage des Hauses durch seine Beschattung und durch die Verdunstungskälte seiner Blätter um ein Drittel. Bäume spenden aber nicht nur Schatten. Sie wirken sich auch durch ihre ökologische Gesamtleistung positiv auf das Wohlbefinden der Menschen aus.
Der Bau eines Einsparkraftwerks war eine weitere Maßnahme des »Smud«, das heißt, es wurde in die Einsparung des Stromverbrauchs bei den Kunden investiert. Diese Investitionen brachten für die Stadtwerke höhere Gewinne als der Zubau eines neuen Kraftwerks. Die Kosten der Einsparinvestitionen amortisieren sich über die Stromrechnung der Kunden. Die Kunden bezahlten zwar nicht mehr als vorher, sie verbrauchten aber weniger. Aus der Differenz wurden die Amortisationskosten der Einsparinvestitionen bezahlt. Sowohl die Stromversorger als auch die Stromkunden und vor allem die Umwelt waren die Gewinner. Es gab keine Verlierer.
Bis zum Jahre 2000 wollen die Stadtwerke auf diese Weise fast 500 Megawatt Strom einsparen. Das entspricht der erwarteten Zunahme der Spitzennachfrage. Die Stadtwerke stellten dafür zinsgünstige Kredite zur Finanzierung von Sparinvestitionen bei den Kunden zur Verfügung. Die Rückzahlung der Kredite erfolgt dann über die Verrechnung mit dem eingesparten Stromverbrauch. Die Kunden haben keine zusätzlichen Kosten, und die Stadtwerke machen Gewinne. Das Energiesparprogamm kostete das Unternehmen im Jahre 1994 etwa 50 Millionen Dollar. Der Ertrag war wesentlich höher.
Der Stromversorger förderte zum Beispiel den Kauf jeder Energiesparlampe mit zehn Dollar. Der Käufer eines energiesparenden Kühlschranks erhielt 45 Dollar. Außerdem wurden die Bau-

herren von Eigenheimen und Mietshäusern durch finanzielle Anreize dazu bewogen, energiebewußt zu planen und Solarkollektoren auf den Dächern zu installieren.
Die Kosten der eingesparten Kilowattstunde lagen bei weniger als einem Cent. Allerdings kostete die vertragliche Fixierung des Rückzahlungsmodus zwischen Kunden und Stromversorger etwa zwei Cent pro Kilowattstunde. Diese hohen Verwaltungskosten könnten das Energiesparprogramm auf einem freien Strommarkt zu Fall bringen, denn dort ist der Naturverbrauch weiterhin kostenlos zu haben. Während die Kosten für die Reduktion des Naturverbrauchs in die Kosten der Einsparinvestition eingehen, ist der Verbrauch von Naturgütern noch weitgehend kostenlos. Deshalb sind Einsparinvestitionen auf dem naturblinden Strommarkt noch nicht in jedem Fall rentabel.
Trotzdem beginnt das Energiesparprogramm auch in Deutschland Fuß zu fassen. So starteten die Stadtwerke Hannover 1995 ihr eigenes Energiesparprogramm.
Der große Essener Stromriese RWE versuchte ebenfalls mit 175 Millionen Mark drei Millionen Haushalte und kommunale Kunden durch einen Energie-Spar-Service [Kess] und ein Solarprogramm für die rationelle Energieanwendung und die Solarenergienutzung zu gewinnen. 50 Millionen Mark standen bereit, um die Stromkunden zum Einsatz von Energiespartechniken in öffentlichen Gebäuden zu bewegen. Private Haushalte wurden beim Kauf sparsamer Haushaltsgroßgeräte mit jeweils 100 DM belohnt. Dafür stellte das RWE insgesamt 20 Millionen Mark zur Verfügung. Weitere 20 Millionen Mark wurden anteilmäßig ausgezahlt, wenn sich die Stromkunden eine eigene Photovoltaikanlage auf das Dach ihres Eigenheims installieren ließen und den überschüssigen Strom ins öffentliche Netz einspeisten. Die letztgenannte Maßnahme wird seit 1996 auch von der BEWAG in Berlin mit 2000 DM je kW/peak vergütet.
In Essen läuft seit einiger Zeit noch ein weiteres Pilotprojekt zur Förderung alternativer Energieformen. Ein großer Teil der Essener Haushalte hatte in einer Meinungsumfrage erklärt, freiwillig einen höheren Strompreis zu bezahlen, wenn dafür mehr

regenerativ erzeugter Strom ins Netz eingespeist wird. Die Kunden bezahlen freiwillig für eine selbstgewählte Strommenge den doppelten Strompreis. Das RWE verdoppelt das eingenommene Geld aus eigenen Mitteln und baut Photovoltaik- sowie kleine Wind- und Laufwasserkraftanlagen. Dafür wurden im Vorfeld der Aktion 20 Millionen Mark bereitgestellt. Die beteiligten Haushalte erhalten dann in Form eines jährlichen Berichts der RWE Informationen über den Umfang der von ihnen mitfinanzierten Solaraktivitäten. Viele solcher Beispiele progressiver Aktivitäten gibt es bei den deutschen Kernfossil-Goliaths allerdings leider nicht.

Das Interesse der Kernfossil-Goliaths

Die Wirtschaftsgiganten nutzen in der Regel ihr wirtschaftspolitisches Machtpotential, um den Lauf der Zeit aufzuhalten. Nicht nur die Giganten der Stromversorger, sondern auch die energieintensiven Branchen wie die Chemie-, die Aluminium- und die Stahlindustrie, aber auch Steine und Erden, Zement- sowie die Glasindustrie kämpfen gegen die Öffnung des naturblinden Auges der Marktwirtschaft. Sie sind schließlich auf Kosten des Naturverbrauchs groß geworden.
Der Verband der Industriellen Energie- und Kraftwirtschaft [VIK] tritt nicht nur vehement gegen eine umweltorientierte Verteuerung der Energiepreise für industrielle Großabnehmer auf. Er fordert von den Energieversorgern sogar, die Strompreise im Durchschnitt um 3,3 Pfennige zu senken. Um das zu erreichen, hält der Verband ein Aufbrechen der Gebiets- und Versorgungsmonopole der Strom- und Gaswirtschaft für unverzichtbar, denn mehr Wettbewerb bei Strom und Gas führt für die Großabnehmer zur Senkung der Energiepreise.
Der VIK setzte sich deshalb auch jahrelang für die Umstellung der Subventionierung der Steinkohleverstromung auf Haushaltsmittel ein, um so den Strompreis zu senken. Durch den Wegfall des Kohlepfennigs und das Auslaufen der Abschreibungen auf

Entstickungs- und Entschwefelungsanlagen verspricht sich der Verband eine Stromverbilligung, die zu Kosteneinsparungen bei energieintensiven Branchen in Höhe von 5,5 Milliarden Mark führt. Die Mitgliedsunternehmen des VIK verbrauchen immerhin 80 Prozent der Energie in der Industrie. Auf sie entfallen 90 Prozent der Strom-Eigenerzeugung.

Es ist schon merkwürdig, wenn rückwärts- und vorwärtsorientierte Branchen die gleiche politische Forderung stellen, nämlich die Brechung des Monopols der Stromversorger. Die ewig Gestrigen erheben diese Forderung mit dem Blick auf die Senkung der Strompreise für die großen Stromabnehmer. Für die zukunftsorientierten Branchen ist die Brechung des Strommonopols der Gebietsversorger die Voraussetzung dafür, daß sich in Deutschland endlich der Wettbewerb für energetische Zukunftstechnologien durchsetzen kann. Dazu sind allerdings nicht niedrigere, sondern höhere Energiepreise notwendig. Deshalb muß die Öffnung des Energiemarkts durch die schrittweise Einbindung der Reproduktionskosten der verbrauchten Naturgüter ergänzt werden – zum Beispiel durch eine ökologische Steuerreform.

Die umweltpolitische Haltung der Gewerkschaften großer Energieverbraucher spiegelt in der Regel das Interesse ihrer Arbeitgeber wider. So lehnt die IG Bergbau und Energie eine ökologische Steuerreform rundweg ab. Die IG Chemie-Papier-Keramik warnt in dem Buch *Alles öko, alles teuer oder was?* vor den Mehrausgaben, die mit einer Energiesteuer auf die Unternehmen der Eisen- und Stahlerzeugung sowie der Chemie zukämen. Die Autoren unterstellen sogar den Befürwortern einer pauschalen Energiesteuer, energieintensive Branchen aus Deutschland verbannen zu wollen und eine Entindustrialisierung anzustreben.

Dagegen sind die Gewerkschaften Öffentliche Dienste, Transport und Verkehr und die IG Metall durchaus dem ökologischen Reformprojekt positiv geneigt. Seit dem 15. DGB-Bundeskongreß im Juni 1994 wurde der Gedankenaustausch über Möglichkeiten und Grenzen einer ökologischen Steuerreform gezielt vorangetrieben. In drei Arbeitsgruppen, die sich aus Vertretern des DGB und der Mitgliedsgewerkschaften zusammensetzten, wurden Themen wie Steuerreform, Energiebesteuerung und die Möglichkeit einer Verpackungssteuer oder Abwasserabgabe diskutiert. Als Knackpunkte erwiesen sich immer wieder die Fragen der Aufkommensneutralität und der Sicherung der Arbeitsplätze. Einigkeit herrschte zwischen den Einzelgewerkschaften nur darin, daß der wegfallende Kohlepfennig durch eine neue Energieabgabe ersetzt werden sollte und daß das bisherige Steuersystem von ökologisch unsinnigen Regelungen, wie zum Beispiel der Kilometerpauschale für Auto-Pendler, befreit werden muß. Doch über die letztgenannte Initiative herrschte bereits 1991 nach einem DGB-Vorstandsbeschluß weitgehend Einigkeit.

Das umweltbewußte Management

Bereits 1994 hatten einige Vertreter des umweltbewußten Managements der deutschen Wirtschaft die Initiative des Bund für Umwelt und Naturschutz Deutschland [BUND] zum Anlaß genommen, für ein ökologisches Umsteuern in der Krise einzutreten. Sechzehn führende Unternehmen forderten von den Politikern aller Parteien, sich national und europaweit für eine ökologische Steuerreform einzusetzen. »Im Rahmen einer aufkommensneutralen Umgestaltung des Steuersystems sind Leistungsbesteuerung (Einkommen-, Lohn-, Körperschaftsteuer usw.) zugunsten einer Besteuerung der Umweltnutzung zu reduzieren.«[26] Das Programm trägt die Unterschrift folgender Unternehmen:

> AEG, Ökobank, Sulá, AURO Naturfarben, OTTO, Tupperware, Berkel Pfälzische Spritfabrik, Posthorn Qualität, WILHELMI AKUSTIK DECKEN + WÄNDE, The BODY SHOP Skin & Hair Care Preparations, MAX SCHÖN, Wilkhahn, Frosch, Sedus, KLINGELE, steilmann.

Seitdem meldeten sich immer mehr Firmen zu Wort. Sie vereinen 1997 ihre Stimme in dem Manifest **Umsteuern**.

Umsteuern

Für eine ökosoziale Marktwirtschaft
Das Programm der umweltbewußten Unternehmer

Die Unterzeichner setzen sich für eine ökosoziale Marktwirtschaft ein. Die Wirtschaft ist bekanntlich das Bindeglied zwischen den sozialen und ökologischen Systemen der Erde. Die Marktwirtschaft reguliert das Wirtschaftsleben in der modernen Gesellschaft. Der Preisbildungsprozeß funktioniert in der Marktwirtschaft aber nur bei privaten Gütern. Die Natur ist kein privates Gut. Die Preise der Waren und Dienstleistungen enthalten daher keine Information über ihren Naturverbrauch. Der Markt ist »naturblind«. Echte volkswirtschaftliche Gewinne lassen sich aber genausowenig auf Kosten der ökologischen Substanz erzielen, wie sich schwarze Zahlen auf Kosten der Betriebssubstanz schreiben lassen. Hier ist die Politik gefordert.

Das naturblinde Auge des Marktes muß zur Stabilisierung unseres Wirtschaftssystems geöffnet werden. Die politische Aufgabe besteht darin, die Reproduktionskosten der verbrauchten Naturgüter mit minimalem Aufwand in den Preis der Waren und Dienstleistungen einzubinden. Die geringsten sozialen Kosten zur Öffnung des naturblinden Auges der Marktwirtschaft entstehen am Beginn des Wirtschaftsprozesses. Die Energie ist der Motor, der das wirtschaftliche System in Gang hält. Der Energiepreis ist der Schlüssel, der die Tür zu einer ökologisch und sozial verträglichen Marktwirtschaft öffnet. Die Preise für nicht regenerierbare Energieträger müssen durch den Staat in wirtschaftlich berechenbaren Schritten so lange angehoben werden, bis die regenerativen Energiequellen konkurrenzfähig sind. Die wirtschaftliche Belastung der Gesellschaft sollte durch die ersatzlose Streichung der Lohnnebenkosten sowie durch die Reorganisation des Sozialsystems in Form einer aufkommensneutralen Rückverteilung der Steuereinnahmen ausgeglichen werden. Die Arbeit wird dadurch billiger, und die soziale Seuche der Arbeitslosigkeit, die als Schwindsucht der Kaufkraft erscheint, wird geheilt. Das politische System der kleinen Schritte zur Preiserhöhung des Energieverbrauchs führt zu kostengeführten Anpassungsreaktionen der

Unternehmen. Der Kostendruck zur Energieeinsparung wird zu einer Reduktion des Stoffdurchsatzes der Industriegesellschaft infolge von Innovationsprozessen führen. Die Möglichkeiten dazu sind vielfältig. So kann die Nutzungsdauer langlebiger Wirtschaftsgüter durch Leasingsysteme verlängert werden. Auch die Wiederverwertung und Weiterverwendung intakter Produktteile verschlissener Güter sowie das Recyclieren der Produktausgangsstoffe verringern den Naturverbrauch.
Als Unterzeichner des ökosozialen Programms umweltbewußter Unternehmer setzen wir uns für eine aufkommensneutrale Neuregulierung des Abgaben- und Steuersystems ein. Die politische Weiche auf diesem Weg wird national gestellt. Die globalen Probleme unserer Zeit werden aber erst im Maßstab einer ökosozialen Weltwirtschaft gelöst werden können. Das Programm der sozialen und ökologischen Umsteuerung zur Erhaltung der Schöpfung kennt deshalb keine nationalen Grenzen.

Die Unterzeichner des Programms

Gruppe Bremerhaven, 27624 Bederkesa
Gruppe Hamburg, 22769 Hamburg
Gruppe Bremen, 28844 Weyhe
Gruppe Ostfriesland, 26817 Rhauderfehn

AEG Hausgeräte GmbH,
90327 Nürnberg

ALTEC Mittig u. Manger GmbH,
07907 Schleiz

ARES Energiesysteme GmbH
Advanced Renewable Energy Systems

ARES Energiesysteme GmbH,
68789 St. Leon-Rot

ATLANTIS gGmbH,
10969 Berlin

AURO Pflanzenchemie GmbH,
38122 Braunschweig

Bau-Fritz GmbH & Co.,
87746 Erkheim/Allgäu

Baumann GmbH,
89073 Ulm/Donau

e5 »e to the power of five«,
NL-6881 BN Velp

ENBIL Ingenieurgesellschaft mbH,
22607 Hamburg

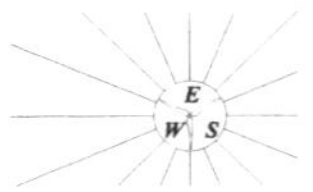

EWS,
24983 Handewitt

Energie- und Umweltladen,
84028 Landshut

UT Engineering & Consulting GmbH,
79539 Lörrach

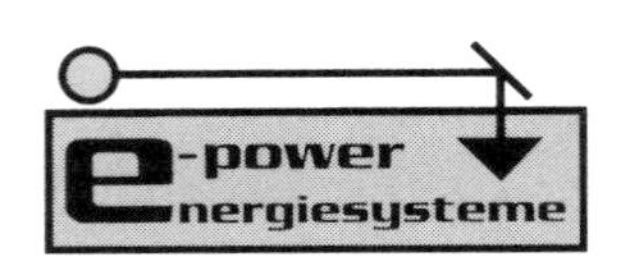

e-power GmbH,
34302 Guxhagen

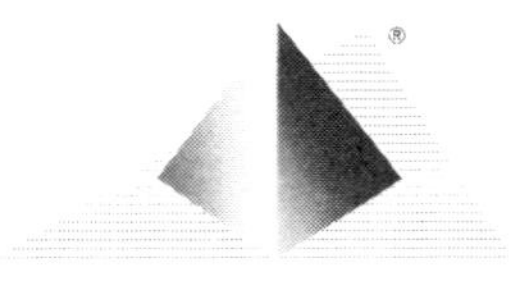

hetterich & partner gmbh,
90009 Nürnberg

Hipp Werk,
85276 Pfaffenhofen/Ilm

 IBC Solartechnik, 96225 Staffelstein	 ICEC AG, International Clean Energy Consortium, CH-8055 Zürich
 **Detlev Jungjohann** **Ingenieur GmbH** Detlev Jungjohann GmbH, 30916 Isernhagen	 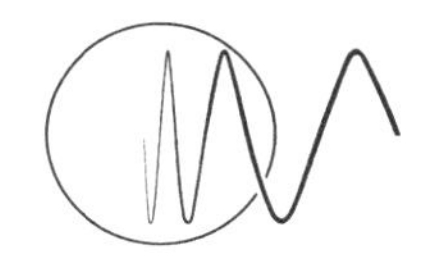 Kallweit Solartechnik, 01187 Dresden
 KORONA Solarsysteme GmbH, 51465 Bergisch Gladbach	 KUNERT AG, 87509 Immenstadt
 messwert GmbH, 37077 Göttingen	 Neue Arbeit Zollern-Achalm e.V., 72072 Tübingen

Neumarkter Lammsbräu,
Gebr. Ehrnsperger, 92318 Neumarkt/Opf.

Nord Solar,
22549 Hamburg

NOVATECH GmbH,
74541 Vellberg-Talheim

Ormecon Chemie GmbH & Co. KG,
ein Unternehmen der
Zipperling Kessler & Co. (GmbH & Co.),
22926 Ahrensburg

Institut für angewandte Kybernetik
und interdisziplinäre Systemforschung

Peter Pastors,
47799 Krefeld

Thomas Schuricht,
12559 Berlin

SOLAK
SOLAR & AKKUTECHNIK
PETER FABRITZ

SOLAK,
94560 Offenberg

Solar Diamant GmbH,
48493 Wettringen

Solar Energie-Technik

Solar Energie-Technik GmbH,
68801 Altlußheim

Solar Strom Straaß,
86949 Windach

Norbert Eisenberger
SOLAR · UND
WÄRMETECHNIK

Solar- und Wärmetechnik,
72622 Nürtingen

Solarwerkstatt
Bremen

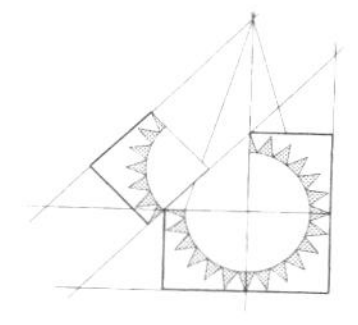

Solarwerkstatt Bremen GmbH,
28211 Bremen

soltec Solartechnik GmbH,
22607 Hamburg

SOLUX GmbH
Umweltschonende Produkte
und Energietechnologien

SOLUX GmbH,
87437 Kempten

Gesellschaft für
Solare Energiesysteme mbH

GSE Gesellschaft für Solare
Energiesysteme mbH, 86356 Neusäß

Stemberg
Elektro- und Solartechnik

Stemberg Elektro- und Solartechnik,
32791 Lage

 SUNSET Energietechnik GmbH, 91325 Adelsdorf	 Taubert Wärmetechnik/Umwelttechnik, 07985 Elsterberg
 Thermoplan EST GmbH, 74564 Crailsheim	Weinberg SOLAR GmbH Weinberg SOLAR GmbH, 52066 Aachen

Anmerkung der Autoren: Die Unterzeichner des Programms der umweltbewußten Unternehmen tragen mit ihren Firmenlogos nur dieses Programm. Sie zeichnen nicht verantwortlich für das vorliegende Buch.

Die Kooperation der Davids ist eine große Chance für die progressiv orientierte Wirtschaft. Deshalb schlossen sich 1984 umweltbewußte Unternehmen zum »Bundesdeutschen Arbeitskreis für umweltbewußte Materialwirtschaft« zusammen. Dieser Wirtschaftskreis erweiterte sein Aufgabengebiet auf das gesamte Management. Es entstand der »Bundesdeutsche Arbeitskreis für umweltbewußtes Management e.V.«, der weltweit erste Unternehmenszusammenschluß seiner Art.

Der Bundesdeutsche Arbeitskreis für umweltbewußtes Management

Der Bundesdeutsche Arbeitskreis für umweltbewußtes Management [B.A.U.M.] zählt heute rund 500 Fördermitglieder. Der Arbeitskreis ist unabhängig von speziellen Branchen- oder Parteiinteressen und wahrt die Gemeinnützigkeit.
Die grundlegenden Ziele von B.A.U.M. sind die Stärkung der Umweltverantwortung und die praktische Einführung von Methoden und Maßnahmen umweltbewußten Managements in den Unternehmen. Außerdem wird die Weiterentwicklung des Knowhow zur Minimierung der Umweltbelastung sowie die Schaffung von wirtschaftlichen Rahmenbedingungen gefördert, die der umweltorientierten Unternehmensführung Vorschub leisten.
Der Arbeitskreis kooperiert mit Industrieverbänden, Handelskammern, Gewerkschaften, Umweltverbänden, Behörden, Universitäten und Hochschulen. Er führt Kongresse, Tagungen und Seminare zu allen betriebsökologischen Themen durch. B.A.U.M. betreibt auch eine praxisnahe Forschung zur umweltorientierten Unternehmensführung mit dem Ziel der verbandsweiten Umsetzung solcher Forschungsergebnisse. Eine intensive Öffentlichkeits- und Ausschußarbeit sorgt für die notwendige Publizität (siehe auch S. 333).
Georg Winter, Maximilian Gege und Peter Conrad Mohr vom B.A.U.M.-Vorstand zeigen in dem Buch *Das umweltbewußte Unternehmen* anhand von 28 Checklisten, daß sich die Reduzierung

des Umweltverbrauchs in den Unternehmen bereits heute rechnet. Es wird außerdem der Beweis erbracht, daß ein Unternehmen ohne umweltbewußtes Management nicht nur Umweltgüter verschwendet, sondern bares Geld verschenkt, vor allem auch im Energiebereich.
Winter setzt sich in dem Buch für den schnellstmöglichen Übergang zur weltweiten Nutzung von regenerierbaren Energieformen ein. Die Nutzung fossiler Brennstoffe und der Kernenergie kann nur eine energiegeschichtliche Übergangslösung auf dem Weg zur Solarenergienutzung sein:

> »Wie Feuer und Rad sich im jüngsten Jahrhundert zur Dampfmaschine vereinigten und eine fossile Durchlaufwirtschaft mit Ressourcenverschwendung und Umweltvergiftung heraufbeschworen, so müssen umgekehrt das neue (solare) Feuer und das neue (Recycling-)Rad zu einer solaren Kreislaufwirtschaft mit Ressourcenschonung und Emissionsminimierung verschmelzen.«[27]

B.A.U.M. führt gemeinsam mit A.U.G.E. (Aktionsgemeinschaft Umwelt, Gesundheit und Ernährung e.V.) unter Förderung durch die Deutsche Bundesstiftung Umwelt eine bundesweite Kampagne zur ökologischen Selbstanalyse und Optimierung der privaten Haushalte durch, die jeden dritten der 36 Millionen Haushalte erreichen und über einen Wettbewerb den umweltfreundlichsten Haushalt auszeichnen soll. Ziel ist unter anderem, den Haushalten bei der Ermittlung konkreter Energieeinsparungsmöglichkeiten zu helfen und dadurch den Energieverbrauch bundesweit entscheidend zu verringern.
Das Bundesministerium für Bildung, Wissenschaft, Forschung und Technologie (BMBF) hat B.A.U.M. beauftragt, ein Forschungsprojekt zum Thema »Zukunftsorientiertes Umweltmanagement in kleineren und mittleren Unternehmen (KMU)« durchzuführen. Es gilt als Faustregel, daß kleine und mittlere Unternehmen durch gezielte Maßnahmen ihre Energiekosten um 30 Prozent reduzieren können.

The International Network for Environmental Management

Das International Network for Environmental Management e.V. (INEM) wurde 1991 als Weltföderation nationaler Unternehmensverbände für umweltbewußtes Management gegründet; bereits seit 1989 arbeiteten mehrere dieser Unternehmensverbände informell zusammen. Heute gehören dem Netzwerk 34 Mitgliedsverbände und Partnerorganisationen mit über 5000 Unternehmen in über 30 Ländern in allen fünf Kontinenten an. INEM widmet sich besonders auch kleinen und mittleren Unternehmen.
1992 organisierte INEM die »International Industry Conference for Sustainable Development (IICSD)« in Rio de Janeiro. Nach Tokyo, Victoria Falls und Lübeck ist die nächste Konferenz für Danzig, Oktober 1997, geplant (Eco-Baltic 2).
Im November 1995 berief INEM mit Unterstützung der Deutschen Bundesstiftung Umwelt das Expertentreffen »Weltreligionen und umweltorientierte Unernehmensführung« ein. Es meldeten sich Vertreter des Buddhismus, des Hinduismus, des Shinto, des Judentums, des Islam und des Christentums (Protestanten, Katholiken und Orthodoxe) zu Wort. »Ein Bekenntnis aller Kulturkreise zur gemeinsamen Verantwortung für die Schöpfung könnte sich im nächsten Jahrhundert zur tragfähigsten Basis für den Weltfrieden entwickeln«, erklärte der Chairman von INEM, Georg Winter.
80 Prozent der Aktivitäten von INEM zielen auf die praktische Arbeit in der betrieblichen Ebene. INEM verfolgt mit seinen zahlreichen Projekten fünf Hauptziele. INEM will

1. eine große Anzahl, eine kritische Masse umweltbewußter Unternehmen schaffen, deren Beispiel in einer Kettenreaktion auf allen Kontinenten in allen Branchen Schule macht,
2. Pionierunternehmen, vor allem auch mittleren und kleineren Unternehmen, zu einem Quantensprung in der Qualität umweltbewußten Managements verhelfen,
3. den Erfolg mit umweltbewußtem Unternehmensmanagement

auf andere Systeme übertragen, zum Beispiel auf Krankenhäuser, auf ganze Kommunen, ja auf den Staat in seiner Gesamtheit,
4. gemeinsam mit den Regierungen das Wirtschaftssystem so fortentwickeln, daß es zunehmend die provisorische Energie, sprich fossile und Kernenergie, ersetzt, nahe an Nullemissionen und Totalrecycling herankommt und dauerhaft lebensfähig wird,
5. die Managementschulen und Universitäten ermutigen, eine Ethik der Fairneß zu vermitteln, die alle Formen des Lebens und auch zukünftiges Leben mit einschließt.

Umweltbewußte Unternehmen Europas haben im Februar 1996 ihre Kräfte gebündelt, um hinsichtlich Energieeffizienz, Kraft-Wärme-Kopplung und der verstärkten Nutzung erneuerbarer Energieformen eine zukunftsfähige Energie- und Klimapolitik zu sichern. Sie gründeten in Brüssel den »European Business Council for a Sustainable Energy Future« [e^5 »e to the power of five«].

e^5 »e to the power of five«

Das zentrale wirtschaftspolitische Dokument des Unternehmerrats für eine nachhaltige Energiewirtschaft ist die *Sustainable Energy Charter*. Dieses Basispapier wurde im März 1995 anläßlich des UN-Klimagipfels in Berlin verabschiedet. Die *Sustainable Energy Charter* knüpft an die Erfahrungen des »US-Business Council for a Sustainable Energy Future« an, der sich schon 1992 konsolidiert hat. Das Basispapier weist darauf hin, daß die Technologien, Produkte und Dienstleistungen bereits existieren, mit denen die Energieeffizienz entscheidend verbessert und der Marktanteil der erneuerbaren Energieträger wesentlich gesteigert werden kann. Die wirtschaftliche Koordination der bisherigen Teillösungen wird zu einer bedeutenden Erhöhung der Ressourcenproduktivität führen. Große wirtschaftliche Zukunftschancen sehen die Mitglieder der e^5-Gruppe vor allem in der Entwicklung von energieoptimierten Haussystemen. Die Planer,

Produzenten und Vertreiber dieser Systeme erzielen ihre Gewinne vorwiegend durch die Einsparung des Naturverbrauchs. Das rechnet sich auf Dauer aber nur dann, wenn die kontraproduktiven Energiesubventionen bei den fossilen Brennstoffen und der Kernenergie ersatzlos gestrichen werden.
Die e^5-Gruppe setzt sich auch für den ökologischen Umbau des Steuersystems ein. Die Preise für nichtregenerative Energieträger müssen endlich die ökosoziale Wahrheit sagen. Das ist dann der Fall, wenn die Kosten der sozialen Folgeschäden des Naturverbrauchs den privaten Verursachern angelastet werden. Im Gegenzug sollen die Lohnnebenkosten gesenkt werden. Neue Energie- und Verkehrstechnologien können die Abhängigkeit von den nichtregenerativen Energieformen mindern und die Kohlendioxydemissionen zu akzeptablen Kosten verringern.
Das Basispapier wurde mit dem US-Business Council for a Sustainable Energy Future und dem Worldwatch-Institute abgestimmt. Das vorläufige Gründungssekretariat, c/o GERMANWATCH, befindet sich in der Adenauerallee 37, D-53113 Bonn.

Der schwierige Weg zur Energiewende

Der European Business Council for a Sustainable Energy Future arbeitet mit dem Weltkreis des Konsens [CMDC – World Circle of the Consensus] und der Weltkoalition der nachhaltigen Energien [WSEC – World Sustainable Energy Coalition] zusammen. Das Zentralsekretariat des WSEC und des CMDC [CH-8055 Zürich, Kellerweg 38] war maßgeblich an der Abfassung der »Global Energy Charter« (Welt-Energie-Charta) beteiligt.
Ein weltweites Netz zur praktischen Umsetzung nachhaltiger Energiesysteme [Worldwide Implementation Network (WIN)] entstand mit der Gründung des Internationalen Konsortiums für saubere Energie [ICEC – International Clean Energy Consortium]. Das ICEC entwickelt, produziert und vertreibt erneuerbare und saubere Energiewandelsysteme. Dazu gehören unter anderem Systeme erneuerbarer Energien, Transportsysteme mit ge-

ringen Emissionen, effiziente Beleuchtungssysteme und effiziente Energiespeichersysteme. Kooperative Beziehungen bestehen sowohl zu den entspechenden UNO-Organisationen als auch zu den Nicht-Regierungs-Organisationen [Non Governmental Organizations (NGOs)].

Internationale Umweltkonferenzen

Auf der ENERGEX '96 in Beijing (China) stellte der Vorsitzende des WSEC, Prof. Bradbrook, weitreichende Ideen zur Umsetzung der Ziele der Global Energy Charter in den Entwicklungsstaaten vor. Die ENERGEX '96 war eine der bedeutendsten internationalen Energiekonferenzen. Prof. Bradbrook wies anhand vieler Beispiele und Pilotprojekte auf der Weltenergiemesse in Beijing nach, daß der Energiehunger der Entwicklungsländer befriedigt werden kann, ohne die Naturgrundlagen des gesellschaftlichen Lebens und der Biosphäre zu zerstören.
Das Hauptthema der ENERGEX '96 waren Energiestrategien in den Entwicklungsländern für das 21. Jahrhundert. In diesem Zusammenhang wurden unter anderem die rationelle Energienutzung, neue Umweltkontrollsysteme und das Abfallrecycling sowie neue und erneuerbare Energieformen und die künftige Energiepolitik diskutiert. Die Ausstellung präsentierte neue solarthermische Energiekonzepte und demonstrierte kompakte fluoreszierende Energiesparlampen, die den Energieverbrauch bei gleicher Lichtleistung um mehr als 80 Prozent reduzieren und dabei zehnmal länger halten. Es wurden Solarzellen mit einer hohen Leistung bei reduzierten Kosten vorgestellt und die Entwürfe neuer Solarzellenfabriken speziell für Entwicklungsländer gezeigt. Außerdem präsentierte die ENERGEX '96 verbesserte elektrochemische und kinetische Energiespeicheranlagen sowie geothermische Projekte, Biogasanlagen und Mikro-Wasserkraftwerke mit einer Leistung bis zu 8 kW. Die Konferenzteilnehmer tauschten Erfahrungen über neue Wege zur Reduzierung der Kohlendioxydemissionen von fossilen Kraftwerken aus.

Auf der Konferenz wurde auch eine interessante politische Neuerung aus Neuseeland vorgestellt. Die neuseeländischen Behörden verpflichteten die Betreiber eines 400 MW Gaskraftwerks, die beim Betrieb der Anlage freigesetzte Menge an Kohlendioxyd durch die Anpflanzung von Wald wieder zu binden.
Das WSEC-CMDC arbeitet zur Umsetzung seiner Ziele in allen relevanten Kommissionen, Komitees und Arbeitsgruppen mit.
Auf der zweiten UNO-Klimakonferenz in Genf (1990) wurde der eindeutige Nachweis erbracht, daß sich das Weltklima durch die Verbrennungsprozesse fossiler Energieträger ständig erwärmt. Ungeachtet der Tatsache, daß viele Regierungschefs anwesend waren, wurden keine Reduktionsziele gesetzt und keine Entscheidungen gefällt. Nach wie vor erweist sich der bisherige Weg zur praktischen Umsetzung der längst überfälligen weltweiten Energiewende als ziemlich steinig.
Genau ein Jahr später fand, ebenfalls in Genf, die Weltkonferenz für saubere Energie in Anwesenheit der Umwelt- und Energieminister vieler Länder statt. Auf dieser Konferenz wurde die Welt-Energie-Charta durch die gerade gegründete Weltkoalition der nachhaltigen Energien erstmals offiziell vorgestellt.
In Rio de Janeiro fand 1992 die größte Konferenz aller Zeiten statt. Es war die UNO-Konferenz für Umwelt und Entwicklung. Abgesehen von den Unterschriften vieler Regierungschefs unter die Klimakonvention wurden keine Entscheidungen zur Eindämmung der allgemeinen Klimaerwärmung getroffen. Die Energiefrage wurde trotz der unermüdlichen Bemühungen der Kommission für nachhaltige Entwicklung (CSD – Commission on Sustainable Development) nicht in die Tagesordnung aufgenommen. Die Lobbyarbeit der Energiegiganten hatte Erfolg. Sie konnte sich der Unterstützung des damaligen US-Präsidenten und Petroleum-Millionärs George Bush sicher sein.
Auf der Konferenz der Nicht-Regierungs-Organisationen, die parallel zur Rio-Konferenz stattfand, wurde die Energiefrage dagegen heftig diskutiert. Viele Energieexperten forderten die schnelle und weltweite Nutzung von erneuerbaren Energiesystemen. Hier wurde auch die Global Energy Charter proklamiert.

Die Berliner Klimakonferenz fand im März 1995 statt. Nur wenige Staatsoberhäupter waren anwesend. Auf der Berlin-Konferenz wurde auch kein Aktionsplan zur Bekämpfung der drohenden Klimakatastrophe angenommen, obwohl die Pazifischen Inselstaaten einen ausgearbeiteten Antrag eingebracht hatten. Die Energiefrage wurde auf die nächsten drei Jahre vertagt.
Gleich nach der Berliner Klimakonferenz verdoppelte die Energielobby ihre Anstrengungen, um die lokal gewachsenen solaren Pflänzchen zu zertreten. Sie brachte einen Gesetzesantrag in den Deutschen Bundestag ein, um die Einspeisevergütungen als Kompensationstarife für Solarenergie zu Fall zu bringen. Außerdem leiteten die Stromkonzerne eine Verfassungsklage gegen die Einspeisungsvergütung von Windenergie ein. In der Begründung heißt es, daß die Vergütungsvorschrift bei der Einspeisung von Strom aus Windenergie nach dem Stromeinspeisungsgesetz von 1990 eine unzulässige Subvention der Windkraftbetreiber darstellt.
In diesem Zusammenhang muß noch einmal darauf hingewiesen werden, daß die Energieriesen selbst seit Jahren Milliardenbeträge aus Steuergeldern zur Subvention von Kohle und Kernenergie erhalten. Diese Subventionen verbilligen die Energie aus nicht regenerierbaren Brennstoffen. Der Staat fördert mit den Steuergeldern der Bürger die weitere Energieverschwendung und den Treibhauseffekt. Ohne diese staatlichen Subventionsmittel wäre der Weg für die wirtschaftliche Nutzung der Solarenergie weit weniger steinig.

Business Council for Sustainable Development

Einflußreiche Geschäftsleute bemühen sich seit Jahren um eine teilweise ökosoziale Gesundung des Welthandels. Der Schweizer Industrielle Stephan Schmidheiny gründete mit diesem Ziel zusammen mit 50 internationalen Unternehmensführern den »Business Council for Sustainable Development« [BCSD]. Stephan Schmidheiny ist Großaktionär des Elektromultis ABB, des

Uhrenkonzerns SMH und der Optikfirma Leica. Er ist außerdem Anteilseigner vieler weiterer Unternehmen.
In seinem Buch *Kurswechsel* von 1992 setzte sich Schmidheiny dafür ein, daß der Naturverbrauch der Welthandelsgüter in ihren Preisen zum Ausdruck kommt. Er schrieb:

> »Die Märkte müssen jedoch richtige Steuerungssignale geben: Preise von Gütern und Dienstleistungen müssen in zunehmendem Maße die umweltbezogenen Kosten der Produktion, des Gebrauchs, der Wiederverwendung und Entsorgung erfassen und einschließen.«[29]

Zu den marktkonformen Instrumenten werden zum Beispiel aufkommensneutrale Umweltsteuern und -abgaben gezählt, aber auch handelbare Umweltzertifikate, das Pfandsystem, Kredite für die Einsparung von Ressourcen sowie die Beseitigung aller Subventionen, die den Naturverbrauch fördern. Ziel der umweltpolitischen Markteingriffe ist die Verhaltensänderung der Umweltverbraucher. Es wurde festgestellt:

> »Damit ein marktkonformes Instrument funktioniert, muß es zu einer Verhaltensänderung führen. Die Kosten sollen daher so weit erhöht werden, daß sich Umweltverschmutzer und Verbraucher anders entscheiden und sich umweltverträglicheren Produktionsprozessen und Produkten zuwenden.«[30]

Bemerkenswert ist der Einsatz des BCSD für die uneingeschränkte Einbeziehung der Entwicklungsländer in die Weltgemeinschaft. Die ersatzlose Streichung der Schuldenlast der Entwicklungsländer ist dafür eine unabdingbare Voraussetzung. Stephan Schmidheiny setzt sich für die Dezentralisierung der Wirtschaft in den Industriestaaten ein. Er vertraut auf die Kraft der vielen Davids in Form der kleinen und mittleren Betriebe in den Entwicklungsländern.[31] Dabei verweist er auf die Einheit von sozialem Fortschritt und ökologischer Nachhaltigkeit.

Die Verhaltensänderung der Produzenten und Konsumenten soll vor allem durch eine politische Neuorientierung der Energiemärkte erreicht werden. Schmidheiny stellt dazu fest:

> »In der Vergangenheit hat die Energiepolitik eher an den Symptomen als an den wirklichen Ursachen angesetzt. Die Gesellschaft will nicht Energie, sondern bequeme Dienstleistungen, sie verlangt Komfort, nicht Heizungen und Klimaanlagen.«[32]

Die wirtschaftlichen Aktivitäten des Business Council for Sustainable Development wurden 1995 auf Initiative der Internationalen Handelskammer durch den Zusammenschluß des 90 Unternehmen umfassenden World-Industry-Council for the Environment mit dem BCSD wesentlich erweitert [siehe auch S. 335]. Der World Business Council for Sustainable Development (WBCSD) verfolgt das Ziel, die Weichen zur Einbeziehung der ökosozialen Kosten der auf dem Weltmarkt gehandelten Güter zu stellen und die finanziellen Institutionen in die Lösungsansätze einer tragfähigen Weltwirtschaftsentwicklung einzubeziehen. [Der Sitz des World Business Council for Sustainable Development ist 160, Route de Florissant, in Genf.]
Der WBCSD fordert nationale Reformen der Energiepreispolitik in den Industriestaaten und in den unterentwickelten Ländern sowie eine langfristige Ressourcenpolitik zur Erhöhung der stofflichen und energetischen Effizienz von Produkten und Dienstleistungen.
Die Klimakonferenz in Rom im Dezember 1995 bestätigte die alarmierenden Aussagen der UNO-Kommission »Intergovernmental Panel on Climate Change« [IPCC] zur Klimaveränderung. Obwohl auch hier keine international bindenden Zielsetzungen zur weltweiten Reduzierung der Kohlendioxydemissionen getroffen wurden, erfolgte dennoch ein wissenschaftlicher Durchbruch. Die vorgelegten internationalen Beobachtungen, Meßdaten und Statistiken zwangen die Teilnehmer zu der Einsicht, daß der Einfluß des Menschen auf den Treibhauseffekt der

Erde nicht mehr in Zweifel gezogen werden kann. Die von Menschenhand verursachten klimatischen Veränderungen sind bereits in vollem Gange. Damit wurde gleichzeitig die Position der OPEC-Staaten und der Kernfossil-Goliaths, die seit Jahren die Klimaveränderungen als reine Hypothese abtun, ins wissenschaftliche Abseits gestellt.
Ein Jahr nach der Berliner Konferenz konnten sich auf der zweiten UN-Klimaschutz-Konferenz in Genf im Jahre 1996 immerhin 136 Nationen zu der Feststellung durchringen, daß die Industriestaaten ihre Emissionen von Treibhausgasen verringern müssen. Das ist schon ein Fortschritt im Gegensatz zu Rio und Berlin. Die Quantifizierung verbindlicher Ziele für signifikante CO_2-Reduktionen soll schließlich auf der Folgekonferenz in Kyoto vorgenommen werden.

Versicherungen werden nervös

Die alarmierenden wissenschaftlichen Daten und die zunehmende Zahl von Umweltkatastrophen führten in den letzten Jahren bei den internationalen Versicherungsunternehmen und den großen Banken zu einem Umdenkungsprozeß. Die Energiegiganten haben ihr umweltschädliches Geschäftsinteresse nicht mehr nur gegen die kleinen und mittelständischen Davids zu verteidigen. Das Geschäftsinteresse der Kernfossil-Goliaths schädigt zunehmend die internationale Versicherungsindustrie. Die Branche registriert sehr aufmerksam die weltweite Zunahme von extremen Klimaerscheinungen wie orkanartige Stürme mit verheerenden Überschwemmungen, sengende Hitzewellen, sintflutartige Regengüsse und unerwartete Kälteeinbrüche.
Mehr als 30 führende Versicherungsunternehmen aus Europa und Asien orientierten sich in einer Selbstverpflichtung darauf, einen aktiven Beitrag zur Verminderung der Umweltrisiken und vor allem der Klimaveränderungen zu leisten. Dazu gehören solche großen Versicherungsunternehmen wie die General Accident and Life Insurance in Großbritannien, die Schweizer Re, die

Yasuda Fire & Marine in Japan, die Skandia in Schweden und die Uni Store Brand in Norwegen. Nur die amerikanische Versicherungsindustrie braucht noch weitere Beweise für den Treibhauseffekt. Die wachsende Zahl der Sturmkatastrophen reicht ihr noch nicht aus. Der Hurrikan »Andrew«, der in Florida Kapitalwerte von mehr als 17 Milliarden Dollar vernichtete, war wohl noch nicht stark genug. Die Schweizer Re mußte den Versicherungsgesellschaften in Florida im Zuge von allgemein üblichen Rückversicherungsgeschäften die stolze Summe von 400 Millionen Schweizer Franken bezahlen.

Das Geschäftsinteresse der Kernfossil-Goliaths und der großen industriellen Energieverbraucher schädigt auch das Geschäftsinteresse der Großbanken. Die Kredite zum Bau von industriellen Großanlagen haben immerhin eine Laufzeit von 20 bis 40 Jahren. Wenn innerhalb dieser Zeit Umweltkatastrophen die Amortisation der industriellen Großanlagen in Frage stellen, dann sind die Banken direkt betroffen. Deshalb hob der stellvertretende Direktor der British Bankers' Association auf der Jahrestagung der Vereinigung im September 1995 hervor, daß die Klimaveränderungen einen dramatischen Einfluß auf die Branche haben werden. Es sei deshalb überlegenswert, ob man weiter in klimasensible Branchen investieren sollte. Er stellte außerdem fest, daß es enorme Investitionsmöglichkeiten in neue Umwelttechnologien und alternative Energieformen gibt.

Klimaveränderungen und der Finanzsektor heißt ein vom »Gerling-Konzern Globale« herausgegebenes Buch, das die mannigfaltigen Einschätzungen und Aktivitäten der führenden Banken und Versicherungsunternehmen der Welt mit dem Ziel zusammenfaßt, die Kapitalströme nicht mehr vorrangig in die Nutzung von fossilen Brennstoffen zu lenken, sondern in die verstärkte Nutzung der Solarenergie. Die weltweite Versicherungsindustrie kassiert jedes Jahr mehr als 1400 Milliarden DM Versicherungsprämien. Ein Teil dieser Summe wird reinvestiert. Ein großer Teil ging bisher in die Erweiterung der fossilen Brennstoffbasis, und so gut wie nichts wurde in die alternativen Energieformen investiert. Das soll sich ändern.

Die gemeinsame Umweltfront des Bankgewerbes und der Versicherungsbranche wird zusammen mit den vielen kleinen und mittelständischen Sonnen-Davids die Front der Kernfossil-Goliaths durchbrechen. Es ist nur eine Frage der Zeit. Aber im Kampf gegen die Ursachen des Treibhauseffekts wird die Zeit immer knapper.

Wahrscheinlich ist es ein Gesetz der Zeit, daß vor dem Mannesalter das Kindheitsstadium auch von der Marktwirtschaft durchlaufen werden muß. Die Marktwirtschaft muß endlich erwachsen werden. Sie kann nicht die ganze Welt mit ihren naturzerstörenden Warenströmen überfluten. Entweder schafft die Industriegesellschaft den Sprung in die solare Informationsgesellschaft oder sie wird als Mißgeburt der sozialen Evolution durch ihre eigene Hand ausgelöscht.

Kapitel 2

Die Geburtsfehler der Marktwirtschaft

Die gesellschaftliche Arbeitsteilung ist die Mutter der Marktwirtschaft. Der Sinn dieser Arbeitsteilung besteht in der Verringerung der Kosten zur Produktion von Gütern bzw. in der Erhöhung des Nutzens durch die Verteilung dieser Güter. Der Grad der Arbeitsteilung ist sowohl abhängig vom Entwicklungsstand der Produktionsmittel, mit denen produziert wird, als auch von den Fähigkeiten und Fertigkeiten der arbeitenden Menschen.
Die raum-zeitliche und soziale Trennung der Produktion der Güter auf der einen Seite und des Konsums auf der anderen Seite macht ihren Austausch erforderlich. Der Markt übernimmt diese Aufgabe. Indem er Produzenten und Konsumenten zusammenführt, integriert er, was die Arbeitsteilung getrennt hat.
Die Marktwirtschaft ist keine Erfindung der Ökonomen, wie es manchmal den Anschein hat. Sie kann weder willkürlich eingeführt noch willkürlich abgeschafft werden. Der historische Versuch, die Marktgesetze mit Hilfe der Planwirtschaft außer Kraft zu setzen, ist gescheitert. Die niedrigen Preise und die hohe Qualität der marktwirtschaftlich produzierten Güter zerrissen den Eisernen Vorhang, der die Länder des realexistierenden Sozialismus umgab. Die marktwirtschaftlich organisierte Teilung der Arbeit hatte am Ende des 20. Jahrhunderts ihre historische Überlegenheit unter Beweis gestellt.

Wie die Marktwirtschaft funktioniert

Die Marktwirtschaft funktioniert ohne Gesamtplan. Dennoch orientiert sie die privaten Aktivitäten der Produzenten und Konsumenten am Nutzen der Allgemeinheit. Die individuellen Interessen der Produzenten und der Konsumenten werden durch den Marktpreis in eine gemeinnützige Richtung gelenkt. Wenn die Marktwirtschaft keine Geburtsfehler hätte, wäre sie ein ideales System zur Optimierung der gesellschaftlichen Wohlfahrt.
Das Prinzip von Angebot und Nachfrage privater Güter reguliert die Prozeßvielfalt des Marktes. Private Güter sind knapp, und sie stehen untereinander in freier Konkurrenz. Sie haben vor allem die Eigenschaft, daß die potentiellen Konsumenten vom Verbrauch dieser Güter ausgeschlossen werden können, wenn diese den Marktpreis nicht bezahlen können oder wollen.
Bei der Herstellung und der Verteilung von Gütern werden ständig drei Faktoren der Produktion verbraucht. Das sind Kapital, Arbeit und Naturgüter. Von diesen drei Produktionsfaktoren sind aber nur das Kapital und die Arbeit private Güter.

Der Anbieter

Der private Aufwand, der dem Anbieter bei der Herstellung und Verteilung eines Gutes entsteht, spiegelt sich im Kostpreis wider. Der Kostpreis enthält aber nur die Reproduktionskosten der privaten Güter. Die Reproduktionskosten der Naturgüter werden nicht bezahlt. Die Natur ist kein privates Gut.
Die Kosten zur Reproduktion der privaten Produktionsfaktoren wachsen nicht linear zur Gutsmenge an. Bei wachsender Gutsmenge nehmen diese Kosten zunächst immer langsamer zu. Im Bereich der optimalen Gutsmenge wachsen die Betriebskosten fast gar nicht mehr an. Dadurch ergeben sich sinkende Stückkosten. Dieser Effekt kommt dadurch zustande, daß bis zur optimalen Auslastung der betrieblichen Produktionsanlagen keine zu-

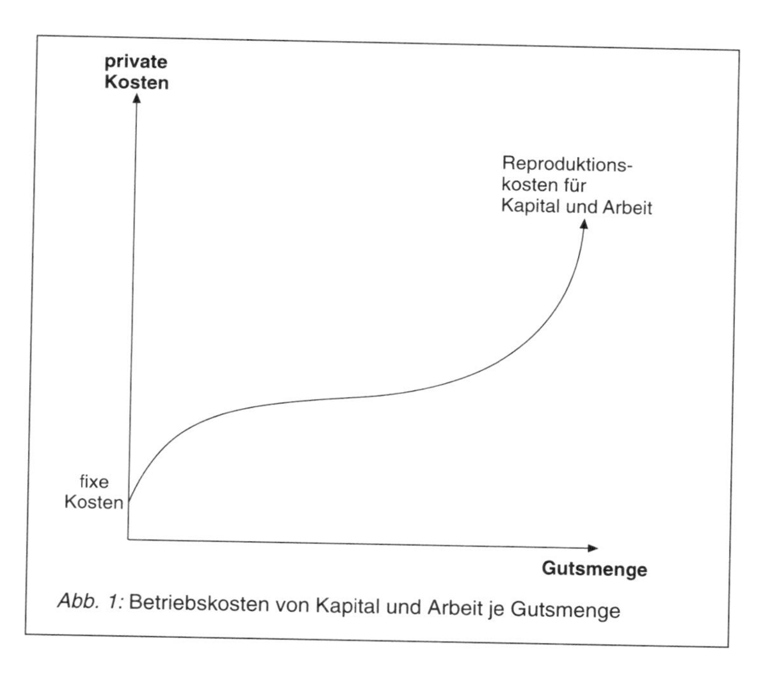

Abb. 1: Betriebskosten von Kapital und Arbeit je Gutsmenge

sätzlichen Gebäude, Maschinen und Fahrzeuge angeschafft werden müssen. Die fixen Kosten bleiben konstant. Nachdem das Optimum der produzierten Gutsmenge überschritten wurde, steigen aber die Kosten im Verhältnis zur produzierten Gutsmenge wieder stärker an [siehe Abb. 1]. Dabei erhöhen sich auch die Stückkosten. Wenn der Produktionsausstoß des Betriebs über das Betriebsoptimum hinaus anwächst, treten nicht nur Zusatzkosten zur Beschaffung neuer Gebäude, Maschinen, Arbeitskräfte auf. Auch der Einzugsbereich zur Versorgung des Betriebs mit den nötigen Roh- und Hilfsstoffen und die Kosten zur Entsorgung der Abfallprodukte wachsen überproportional an. Dazu kommen noch die wachsenden Aufwendungen zur Belieferung räumlich entfernterer Märkte.

Jeder Produktionsstruktur entspricht eine optimale Betriebsgröße. Dieses Optimum bezieht sich nicht nur auf ein einzelnes Unternehmen, sondern auch auf die Produktionsstruktur einer ganzen Volkswirtschaft. Wenn zum Beispiel die Bundesrepublik

Deutschland als exportorientiertes Land anfangen wollte, die ganze Welt mit Kühlschränken zu beliefern, dann käme sie das teuer zu stehen. Die Produktions- und Verteilungskosten einer zentralistischen Produktion sind nach dem Überschreiten des Optimums höher als die einer dezentralen Produktionsstruktur. Deshalb bilden auch multinationale Unternehmen in den einzelnen Ländern produktive Untereinheiten, deren Produktionskapazität der regionalen Nachfrage angepaßt ist.
Der Ertrag muß zumindest die Kosten decken, die zur Produktion und Verteilung der Güter anfallen. Wenn das nicht der Fall ist, dann verschleudert das Unternehmen seine Betriebssubstanz. Die untere Grenze des Marktpreises eines Gutes ist also der betriebswirtschaftliche Kostpreis.
Auf dem Markt wird der Anbieter aber konfrontiert mit der produktiven Fähigkeit der anderen Anbieter. Wenn die anderen Anbieter kostengünstiger produzieren, dann können sie auch billiger verkaufen. Der Marktvergleich zwingt also die Anbieter ständig, die Produktionskosten im Konkurrenzkampf mit den anderen Anbietern zu senken oder den Konsumentennutzen der Güter zu erhöhen, um dadurch höhere Marktpreise zu erzielen. Die Konkurrenz erzeugt sowohl einen Kostendruck auf die Marktpreise als auch eine Tendenz zur qualitativen Verbesserung der Güter.
Gewinne stellen sich ein, wenn der Erlös einer Gutsmenge höher ist als die Betriebskosten [siehe Abb. 2].

Der Nachfrager

Der Marktpreis erscheint für die Nachfrager als private Kosten. Der Nachfrager kann auf dem Markt nur dann eine Ware oder Dienstleistung erwerben, wenn er zahlungswillig und zahlungsfähig ist. Er kauft ein bestimmtes Gut, um ein individuelles Bedürfnis zu befriedigen. Der Marktpreis zwingt ihn zu einer individuellen Kosten-Nutzen-Abschätzung des Gutes, das er erwerben will. Der Nutzen erscheint ihm als eingesparte Kosten und die Kosten als entgangener Nutzen. Er kauft in der Regel dann ein

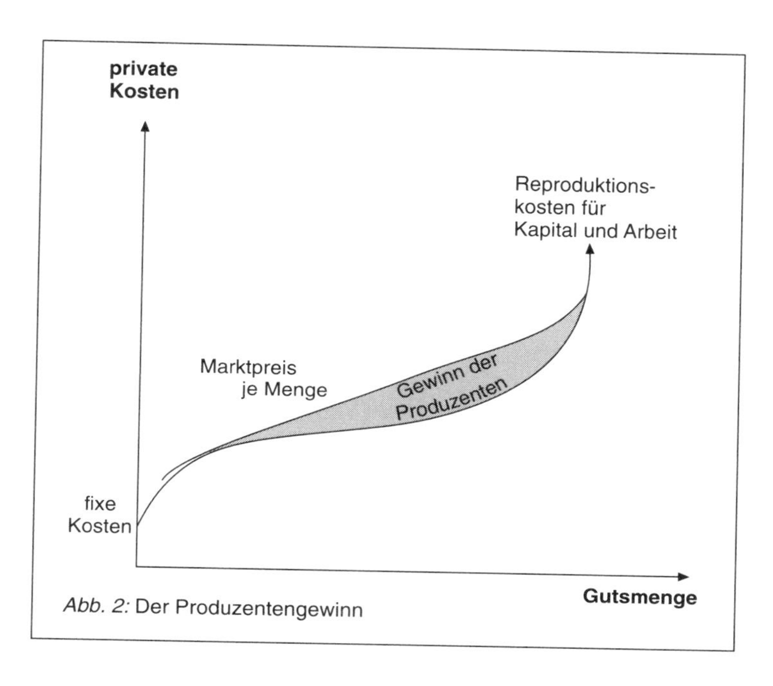

Abb. 2: Der Produzentengewinn

bestimmtes Gut, wenn der individuelle Nutzen, den er aus einem Gut zieht, größer ist als der Marktpreis. So entsteht sein individueller Konsumentengewinn. Ein bedürftiger Nachfrager ist deshalb auch bereit, für ein bestimmtes Gut mehr zu zahlen als ein weniger bedürftiger Nachfrager.

Der Nutzen ist erstens davon abhängig, um was für ein Gut es sich handelt. Die Nutzungsmöglichkeiten von Kühlschränken und Schuhen sind verschieden.

Der Nutzen ein und desselben Guts ist außerdem abhängig von der Art der Nutzung. So kann man 1 kWh Strom sowohl für den Elektroboiler zur Warmwasserversorgung einer Wohnung nutzen als auch für den Betrieb der Pumpe einer solarthermischen Anlage. Der Nutzen derselben Kilowattstunde Strom ist bei verschiedenen Dienstleistungen verschieden hoch. Auch ein Bügeleisen läßt sich verschieden nutzen. Man kann es zum Bügeln oder zum Wäschetrocknen nutzen. Der letzte Fall erweist sich nur in Ausnahmesituationen als sinnvoll.

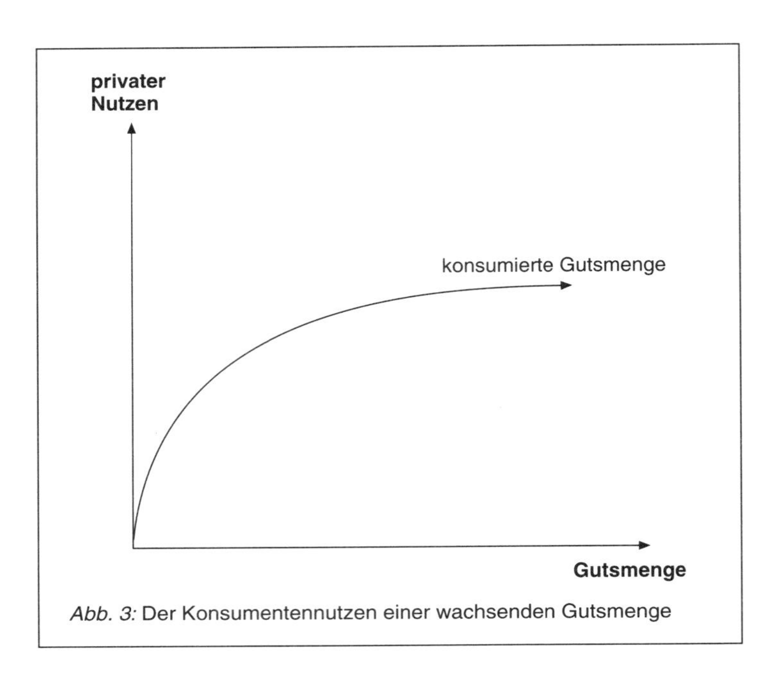

Abb. 3: Der Konsumentennutzen einer wachsenden Gutsmenge

Die genutzte Gutsmenge hat ebenfalls einen Einfluß auf den Gesamtnutzen. Der Nutzen, den der Konsument aus dem ersten genutzten Gut ziehen kann, ist in der Regel größer als der Nutzen, den er aus dem zweiten Gut zieht. Der Nutzen des zweiten Guts ist wiederum größer als der des dritten. Die Abnahme des Nutzens je Stück einer wachsenden Gutsmenge entsteht durch die Sättigung des jeweiligen Bedürfnisses des Konsumenten [siehe Abb. 3].
Wenn ein Vierpersonenhaushalt zum Beispiel mehr als zwei Kühlschränke besitzt, dann wird ein dritter Kühlschrank nur noch sinnvoll sein, um ihn bei Spitzenbedarf (etwa für eine Party) zu bestücken. Je nach der Finanzlage der Familie und der Wohnungsgröße stellt sich hier die Frage, ob der zusätzliche Nutzen die Anschaffungskosten rechtfertigt. Ab einer bestimmten Gutsmenge übersteigen die Kosten regelmäßig den Nutzen. Derselbe Fall tritt ein, wenn ein Gut zweckentfremdet oder gar nicht genutzt wird. Dann entstehen fast nur Kosten und kein Nutzen. Ungenutzte Güter sind weggeworfenes Kapital.

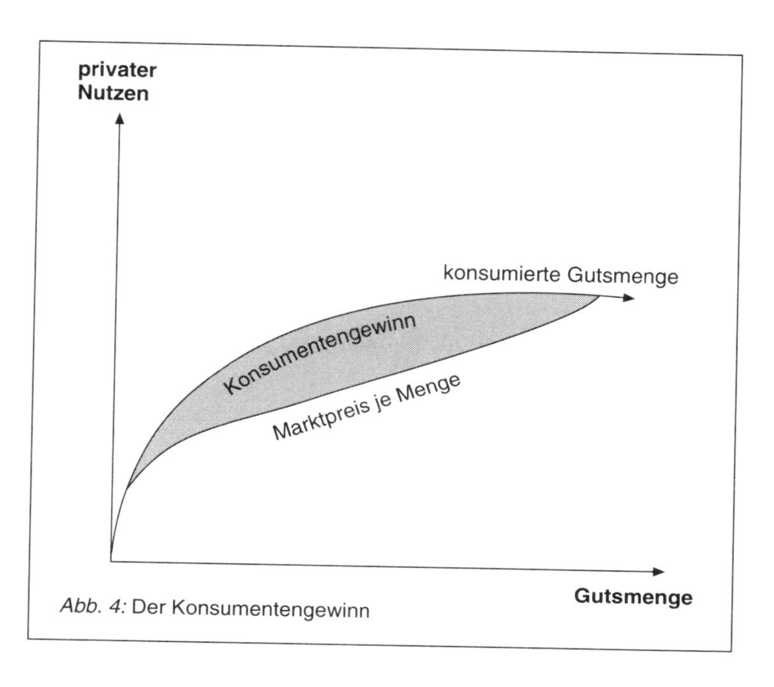

Abb. 4: Der Konsumentengewinn

Die Kurve des Konsumentennutzens signalisiert in einer sozialen Gemeinschaft einen bestimmten Umfang an eingesparten Kosten. Wenn die Bedürfnisse der Konsumenten in bezug auf ein konkretes Gut relativ gesättigt sind, dann läßt die Nachfrage nach. Wenn der Konsum dennoch ansteigt, dann sinkt der Nutzen aus der zusätzlichen Gutsmenge unter die Kosten. Der jeweilige Konsument macht Verluste.

Der Nachfrager optimiert seinen Konsum genauso wie der Anbieter. Wenn sein Nutzen der gekauften Gutsmenge höher ist als deren Marktpreis, macht er Gewinn [siehe Abb. 4].

Der Nutzen sind die eingesparten Kosten. Der Nutzen eines Kühlschranks besteht zum Beispiel für eine Familie darin, daß die Nahrungsmittel nicht so schnell verderben. Der Konsument hat durch den Besitz eines Kühlschranks die Möglichkeit, ein billiges Angebot von Nahrungsmitteln durch einen Großeinkauf zu nutzen. Er spart bei wöchentlichen Großeinkäufen außerdem den zeitlichen und materiellen Aufwand vieler Einkaufsfahrten.

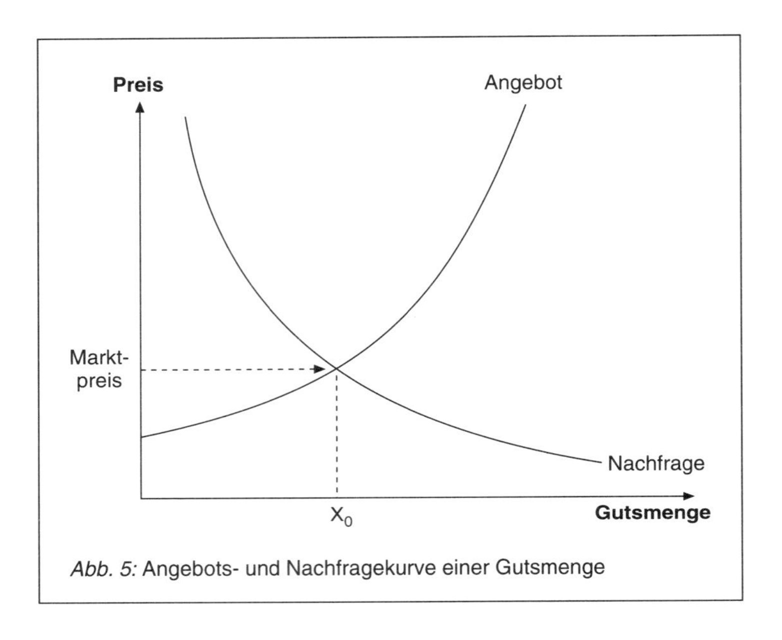

Abb. 5: Angebots- und Nachfragekurve einer Gutsmenge

Für den Käufer des Kühlschranks müssen die eingesparten Kosten unter dem Strich größer sein als der Preis, den er dafür bezahlt hat.

Alle gewinnen – im Prinzip

Der Marktpreis signalisiert die Kosten der Nachfrager und den Nutzen der Anbieter. Während diese möglichst wenig zahlen wollen, um ihre Kosten zu minimieren, wollen die Anbieter dagegen möglichst viel bekommen, um ihren Ertrag zu erhöhen. Auf dem Markt pegelt sich der Marktpreis einer bestimmten Gutsmenge als Schnittpunkt der Angebots- und Nachfragekurve ein [siehe Abb. 5].
Der Marktpreis teilt den sozialen Gewinn, den die Gesellschaft aus der Produktion, Verteilung und Konsumtion eines Gutes zieht, in die Gewinnanteile der Nachfrager und der Anbieter auf. Der Marktpreis ist keine feste Größe. Er muß aber innerhalb des

sozialen Gewinns liegen – sonst wird das Gut entweder nicht produziert oder nicht gekauft.
Vom Prinzip her braucht es in einer Marktwirtschaft keine Verlierer zu geben. Wenn alle ihre Kosten und ihren Nutzen richtig kalkulieren und sich dementsprechend verhalten, gibt es nur Gewinner.
Der private Gewinnbereich ist sowohl von den Produktionskosten der Produzenten abhängig als auch von der Art der Nutzung des jeweiligen Guts durch die Konsumenten. Die Menge der produzierten und konsumierten Güter hat ebenfalls einen gewichtigen Einfluß auf die Größe des privaten Gewinns, den sich Produzenten und Konsumenten teilen.
Sowohl im unterkritischen Mengenbereich (vor M_1) als auch im überkritischen Bereich (nach M_2) entstehen Verluste. Der private Gewinn existiert also nur zwischen den produzierten und genutzten Gütermengen M_1 und M_2 [siehe Abb. 6].

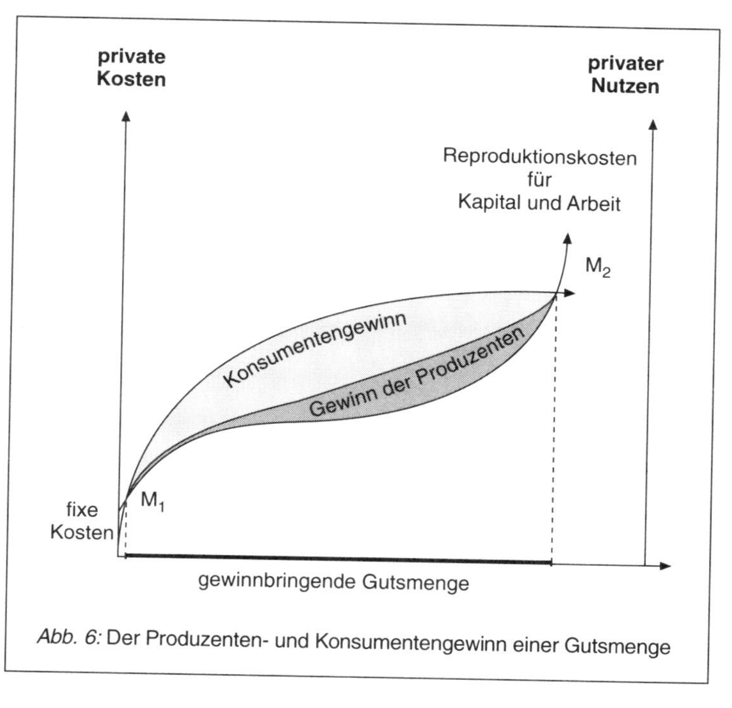

Abb. 6: Der Produzenten- und Konsumentengewinn einer Gutsmenge

Die Summe aller privaten Gewinne ist der soziale Gewinn. Der jeweilige Marktpreis teilt diesen Gewinn zwischen Anbietern und Nachfragern auf. Die Produktivität einer Volkswirtschaft hat deshalb auf jeder konkreten Stufe der gesellschaftlichen Produktion und Konsumtion ein ganz konkretes Maß. Zu wenig Produktion und Konsumtion führt genauso zu volkswirtschaftlichen Verlusten wie zuviel.
Die privaten Gewinne der Produzenten und der Konsumenten sind aber nur dann echte volkswirtschaftliche Gewinne, wenn die Marktpreise die Wahrheit über alle anfallenden Kosten sagen. Das ist nur dann der Fall, wenn sie die Reproduktionskosten aller Produktionsfaktoren enthalten, die im Prozeß der Produktion und Konsumtion der Güter verbraucht werden. Dazu gehören auch die Naturgüter. Naturgüter sind aber keine privaten Güter.

Naturblind

Die Marktwirtschaft wäre ein ideales Wirtschaftssystem, wenn sie nicht zwei lebensbedrohliche Geburtsfehler hätte. Seit ihrer Geburt ist sie völlig naturblind und teilweise sozial taub. Die Naturgüter, die in jedem Prozeß der Produktion, Verteilung und Konsumtion verbraucht werden, werden vom Markt nicht erfaßt. Sie sind für den Markt nicht existent.

Natur umsonst?

Die Betriebskosten der Produktion erfassen nur den Reproduktionsaufwand der privaten Güter Kapital und Arbeit. Jeder Prozeß der Produktion und Verteilung verbraucht aber auch Naturgüter. Maschinen kann man bekanntlich nicht ohne den Verbrauch von Naturgütern bauen und betreiben.
Die Natur ist ein öffentliches Gut. Die privaten Konsumenten

öffentlicher Güter können nicht durch den Markt vom Verbrauch dieser Güter ausgeschlossen werden. Deshalb konsumiert jedermann die öffentlichen Naturgüter zum Nulltarif.
Niemand bezahlt zum Beispiel die »Reproduktionskosten« der verbrannten Kohle oder des Urans. Der Konsument bezahlt im Kohle- oder Erdölpreis nur den sozialen Aufwand zur Reproduktion der privaten Produktionsfaktoren Kapital und Arbeit, die bei der Förderung und der Verteilung dieser Brennstoffe verbraucht wurden. Die Naturgüter, die der soziale Lebensprozeß verbraucht, werden nicht reproduziert. Auch der größte Vorrat geht unter solchen Bedingungen einmal zur Neige. Obwohl dieser Zusammenhang offensichtlich ist, sind dem einzelnen Produzenten und Konsumenten durch das naturblinde Preissystem der Marktwirtschaft die Hände gebunden. Daran ändert auch eine Privatisierung von Naturgütern nichts.
Eine Bodenfläche kann zwar in Privatbesitz sein, doch dadurch wird das ökologische Gefüge des Bodens noch nicht zu einem privaten Gut. Die Gemeinschaft von Lebewesen, die der Boden beherbergt, wird irreversibel zerstört, wenn darauf eine Hotelkette, ein Supermarkt oder eine Autobahn gebaut wird.
Der Markt bewertet im Bodenpreis nur eine Eigenschaft des Grundstücks. Das ist in der Regel seine Bebaubarkeit und die jeweilige räumliche Lage. Die ökologische Vielfalt, die sich ebenfalls dort befindet, scheint wertlos zu sein. Sie wird ersatzlos zerstört. Der Eigentümer der Bodenfläche hatte ja auch keinen Aufwand zur Herstellung der ökologischen Vielfalt. Deshalb sind die vernichteten Pflanzen und Tiere auf dem Markt nichts wert. Der Markt ist also auch dann naturblind, wenn sich das jeweilige Naturgut in privater Hand befindet. Die Erhaltung der Naturgüter kann nicht durch die Privatisierung der Natur erreicht werden.
Die Folgen des Raubbaus an den Naturgütern werden dennoch von der Volkswirtschaft bezahlt. Das sind die Sanierungskosten zur Abwendung von unmittelbaren Gefahren für Leib und Leben der Bürger. Diese Kosten werden in der Regel aus dem Staatshaushalt beglichen. Die Gemeinschaft bezahlt damit die Sanierungskosten des privaten Naturverbrauchs – mit der Folge, daß

für den privaten Verursacher keine marktwirtschaftliche Veranlassung besteht, weniger Naturgüter zu verbrauchen.
Die Sanierungskosten betragen in der Regel ein Vielfaches der privaten Reproduktionskosten. Das Gemeinlastprinzip ist deshalb ein schlechtes volkswirtschaftliches Geschäft.
Wenn eine Naturfläche nachhaltig bewirtschaftet wird, kann der Eigentümer dieser Fläche jahrelang Erträge erwirtschaften, ohne daß ihre Basis zerstört wird. Die Idee der Nachhaltigkeit beruht auf dem Grundprinzip, von den »Zinsen« zu leben. Das Informationspotential der Natur besitzt nämlich die begrenzte Fähigkeit, sich selbst zu reproduzieren.
Auch die Natur ist in der Lage, ein Mehrprodukt zu erzeugen. Wenn zum Beispiel der Eigentümer einer Naturfläche nur den Überschußertrag der Naturproduktion erntet, dann erneuert sich der Naturzusammenhang selbst. Der Naturprozeß vollbringt die Reproduktionsarbeit immer dann kostenlos, wenn dafür die notwendigen Naturbedingungen existieren. Der soziale Konsum des Mehrprodukts der Naturproduktion ist gratis. Die Gratisproduktion erfolgt unter der Bedingung, daß die Gesellschaft nur den Überschuß konsumiert.
Die soziale Kostenkurve des Naturverbrauchs hat bei jedem Naturgut einen anderen Kurvenverlauf. In der Regel gibt es aber bei jedem Naturgut eine bestimmte Gutsmenge, die kostenlos, das heißt gratis, von der Gesellschaft verbraucht (geerntet) werden kann. Diese Menge ist bei fossilen Brennstoffen allerdings sehr klein. Fossile Energieträger regenerieren sich erst in Zeiträumen, die für menschliche Verhältnisse unendlich erscheinen. Deshalb muß der private Verbrauch dieser Naturgüter sehr viel kosten.
Dagegen kann der soziale Verbrauch regenerierbarer Naturgüter innerhalb eines gewichtigen Mengenbereichs kostenlos erfolgen. Die Voraussetzung des kostenlosen Naturverbrauchs besteht in jedem einzelnen Fall darin, die Bedingungen zur Selbstreproduktion des Naturhaushalts zu erhalten. Es ist sehr teurer, ein Naturgut zu renaturieren oder zu sanieren. Deshalb steigen die Kosten nach einer bestimmten Menge des Naturverbrauchs stark an [siehe Abb. 7].

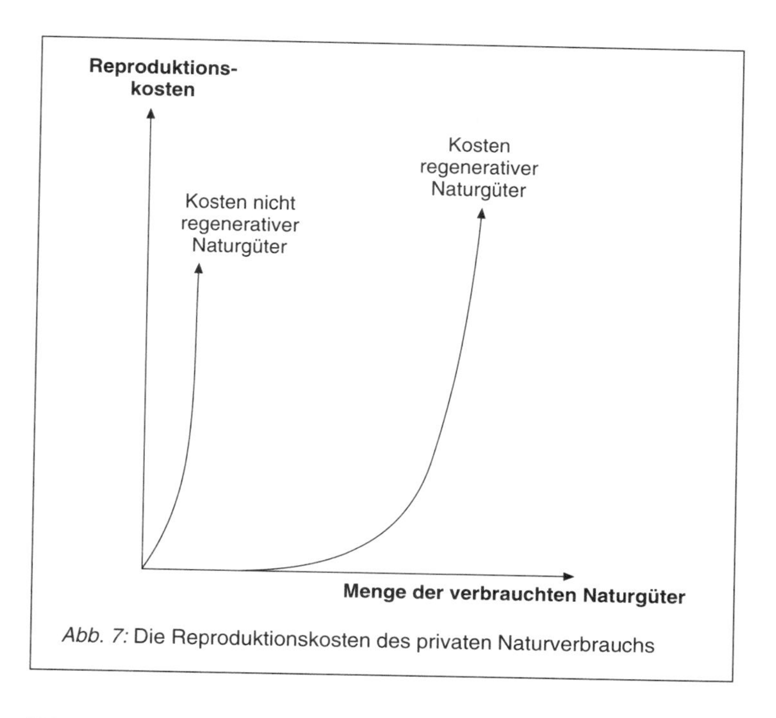

Abb. 7: Die Reproduktionskosten des privaten Naturverbrauchs

Die Reproduktionskosten des sozialen Naturverbrauchs müssen durch ein soziales Subjekt eingefordert werden, das selbst ein Interesse daran besitzt, daß die Naturgüter erhalten bleiben: den Staat.

Der Staat ist bekanntlich kein monolithisches Gebilde, das einheitlich die Interessen der ganzen Gesellschaft vertritt. Vielmehr bündelt er die konzentrierten und organisierten Interessen der einzelnen gesellschaftlichen Gruppen. Starke wirtschaftliche Gruppen haben in der Regel ein größeres politisches Gewicht als schwächere. Die Verteilung der politischen Macht ist vor allem dann entscheidend, wenn zukunftsweisende politische Entscheidungen durchgesetzt werden müssen. Ökonomisch starke und politisch einflußreiche Gruppen, die sich auf Kosten der Natur bereichern, haben »naturgemäß« kein Interesse an einem ökologischen Umbau der Gesellschaft. Sie setzen ihre ökonomische und politische Macht dafür ein, damit alles beim alten bleibt.

Gegen diese gebündelte Macht können sich die zukunftsorientierten wirtschaftlichen Gruppen nur durchsetzen, wenn sie ihre Kraft ebenfalls organisieren. Diese Gruppen müssen Bündnisse mit allen Gleichgesinnten schmieden. Es ist das Einfache, das schwer zu machen ist.
Der ökologische Wettlauf kann in Anbetracht der noch verbleibenden Zeit nur dann gewonnen werden, wenn es außerdem gelingt, die strategisch wichtigen und finanzkräftigen Unternehmen von den Vorteilen des ökologischen Umbaus der Marktwirtschaft zu überzeugen. Gesellschaftliche Veränderungen treten zwar auch dann ein, wenn versucht wird, die Zustände zu konservieren. Doch in diesem Fall gibt es sowohl in der Gesellschaft als auch in der Natur nur noch Verlierer.
Das politische Ziel besteht also darin, das naturblinde Auge der Marktwirtschaft in wirtschaftlich vertretbaren Schritten zum Vorteil aller Wirtschaftssubjekte zu öffnen. Die Operation kann erst dann als gelungen angesehen werden, wenn die Preise der Güter die ökosozialen Reproduktionskosten enthalten [siehe Abb. 8]. In diesem Fall können weder die Produzenten noch die Konsumenten auf Kosten des natürlichen Kapitals leben. Die Marktwirtschaft hätte dann eine wirklich nachhaltige Perspektive. Die wirtschaftlich nutzbare Gutsmenge würde in diesem Fall, je nach Art der verbrauchten Naturgüter, stark reduziert werden.
Der Lebensstandard der Menschen kann durch die Mehrfachnutzung geringerer Gutsmengen, zum Beispiel infolge des Nutzenverkaufs langlebiger Güter, nicht nur erhalten, sondern wahrscheinlich noch gesteigert werden.
Wenn die Marktpreise die ökosoziale Wahrheit sagen, dann werden die langen Transportwege von schweren und voluminösen Gütern auf Grund des hohen Energiebedarfs unbezahlbar sein. Der Welthandel wird unter dieser Bedingung nicht mehr auf der Grundlage von energieintensiven Transporten billiger Produkte abgewickelt. Es werden dann vorwiegend entmaterialisierte High-Tech-Güter transportiert.
In den vergangenen zweihundert Jahren hat die naturblinde Marktwirtschaft die weltweite Arbeitsteilung deformiert. Zum

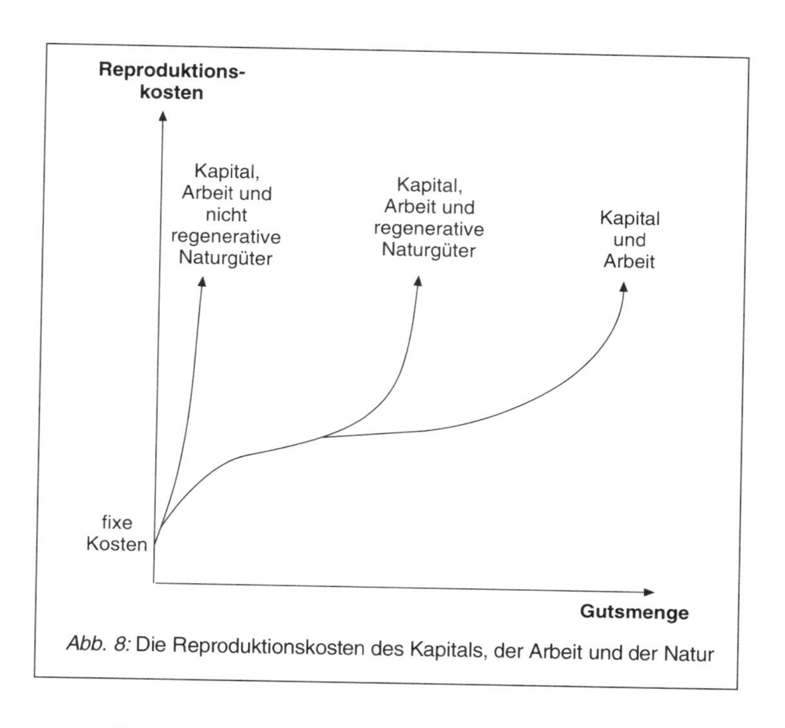

Abb. 8: Die Reproduktionskosten des Kapitals, der Arbeit und der Natur

Nulltarif wurden die Edelhölzer der letzten Regenwälder der Erde durch billige Arbeitskräfte eingeschlagen und mit billigen fossilen Brennstoffen nach Europa, Nordamerika und Japan transportiert. Die Waldbauern in Europa wurden dagegen ihr Holz aus dem nachhaltigen Waldbau nicht mehr los. Wenn auf dem Weltmarkt der Naturverbrauch fossiler Brennstoffe und die Reproduktionskosten für den nachwachsenden Regenwald bezahlt werden müßten, wäre dieser Raubzug unterblieben.

Aus dem gleichen Grund wären auch die Billigprodukte, die im asiatischen Raum produziert werden, nicht mehr in Europa absetzbar. Der Nutzen dieser Waren und Dienstleistungen wäre dann kleiner als ihre ökosozialen Reproduktionskosten. Die Reproduktionskosten der Naturgüter würden die niedrigen Arbeitskosten überkompensieren.

Die Staaten der Welt könnten nur noch dann Wettbewerbsvorteile erzielen, wenn sie entweder relativ teure regenerative Energie verkaufen oder entmaterialisierte High-Tech-Güter. Wenn nämlich gebundene Energie so teuer wird, daß die alternativen Energiequellen konkurrenzfähig sind, lohnt sich nur noch der Handel mit hochwertigen Gütern. Über die Gewinnspanne entscheidet dann das geistige Potential zur Einsparung von Stoff- und Energieverbrauch je genutzter Gutsmenge.

Die Entwicklungsländer hätten in diesem Fall den Vorteil, daß sie infolge ihrer exponierten Lage im Sonnengürtel der Erde relativ billig Solarenergie binden und in Form von solarem Wasserstoff, Methanol oder Strom exportieren könnten. Damit hätten sie auf lange Sicht eine industrielle Entwicklungsperspektive.

Überall auf der Welt würden naturzerstörende Transporte und energieintensive Produktionstechnologien unrentabel werden. Auch die handelbare Gutsmenge würde sich weltweit so weit verringern, daß die Naturkreisläufe stabil bleiben. Regenerative Naturgüter würden nur in dem Maße verbraucht, wie sie nachwachsen, und der Verbrauch von nichtregenerativen Naturgütern unterbliebe aus Kostengründen [siehe Abb. 9].

Der Marktpreis von Waren und Dienstleistungen, bei deren Herstellung, Vertrieb und Konsum regenerative Naturgüter verbraucht werden, ist innerhalb einer bestimmten Gutsmenge identisch mit dem heutigen Marktpreis. Es fallen nämlich keine Kosten zur Reproduktion der Natur an. Die Natur ist in der Lage, relativ kleine Eingriffe selbst zu reparieren. Der geringe Naturverbrauch ist kostenlos.

Übersteigt der Naturverbrauch der Wirtschaft das Reproduktionspotential der Natur, muß die Gesellschaft die Reproduktionsarbeit selbst übernehmen oder künftig auf die Gratisarbeit der Natur verzichten. Die sozialen Kosten zur Sanierung der Natur bzw. zum Ersatz der Naturgüter wachsen aber in der Regel in geometrischer Progression: Der linear wachsende Naturverbrauch verursacht exponentiell wachsende soziale Kosten.

Werden dagegen die Reproduktionskosten des Naturverbrauchs gleich zu Beginn des Wirtschaftsprozesses den privaten Verbrauchern angelastet, dann entsteht eine marktkonforme Lenkungswirkung zur Kostenvermeidung. Die innovative Kraft der Arbeit

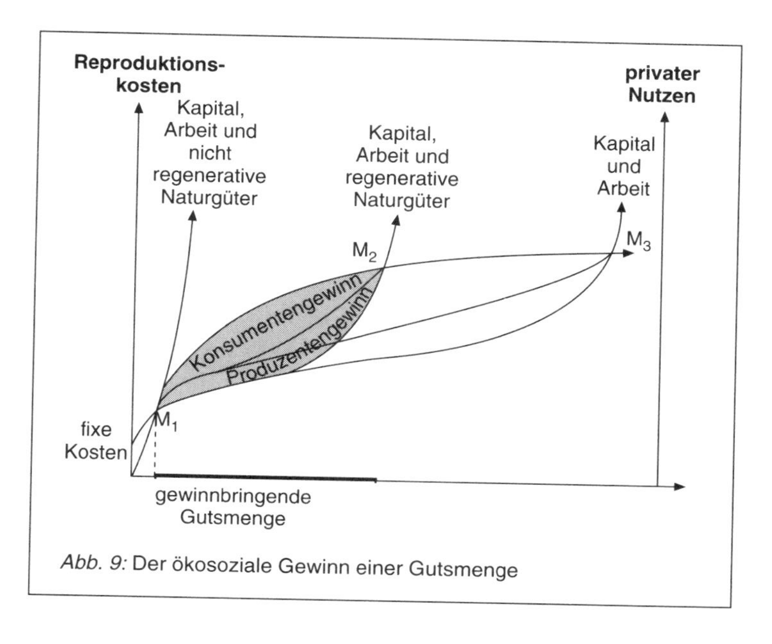

Abb. 9: Der ökosoziale Gewinn einer Gutsmenge

und des Kapitals wird zu einer Reduzierung des Naturverbrauchs bei gleichem Nutzen führen. Wenn sich zum Beispiel der Benzinpreis des Autoindividualverkehrs verdreifacht, verändert sich die Nachfrage. Die Nachfrager werden die Anbieter zwingen, Fahrzeuge zu produzieren, die nicht mehr neun Liter Benzin auf 100 km verbrauchen, sondern nur noch drei Liter. Damit bleiben die unmittelbaren Fahrkosten für den Autofahrer konstant. Die öffentlichen Verkehrsmittel werden dann aber wesentlich stärker nachgefragt. Die Energieproduktivität dieser Verkehrsmittel ist je Personen- bzw. Tonnenkilometer wesentlich besser. Der Transport auf der Schiene und dem Schiff wird in diesem Fall billiger sein als der Transport mit dem Auto und erst recht mit dem Flugzeug. Gegenwärtig produzieren gerade die letztgenannten Verkehrsmittel riesige ökosoziale Verluste.
Die massenhafte Nutzung von Naturgütern, die sich nicht regenerieren können, wird also in den meisten Fällen unrentabel. Nur selten lohnt sich bei den extremen Reproduktionskosten ihr Verbrauch. Die Gesellschaft weicht in diesem Fall auf geeignete Er-

satzgüter aus. Das Ersatzgut von Kohle, Erdöl, Erdgas und Uran ist die Solarenergie.

Auch die Arbeitskraft läßt sich nicht ohne den Verbrauch von Naturgütern reproduzieren. Jeder Arbeitnehmer muß seine Kräfte täglich erneuern. Er muß essen, trinken und sich ausruhen.

Die Nahrungsmittel werden durch die Landwirtschaft produziert. Der Landwirt muß jedes Jahr die notwendigen Naturbedingungen schaffen, um die Nahrungsmittel herzustellen. Er muß nicht nur für die Reproduktion des Saatguts und der Nachzucht sorgen, sondern auch die Wachstumsbedingungen schaffen, damit der Naturprozeß optimal ablaufen kann. Der Kostpreis landwirtschaftlicher Güter enthält also bereits heute außer den Reproduktionskosten des eingesetzten Kapitals und der Arbeitskräfte auch einen Teil des sozialen Reproduktionsaufwands zur Erhaltung des Naturprozesses. Die gravierenden Naturzerstörungen durch die intensive Landwirtschaft, die ihre eigenen Produktionsbedingungen vernichtet, bestätigt nur, daß der Markt auch hier teilweise naturblind ist.

Der ökosoziale Reproduktionsaufwand verbrauchter Naturgüter ist so groß wie die Kosten zur Erhaltung des Reproduktionsvermögens dieser Güter. In sie müssen zum Beispiel beim Anbau von Getreide in der intensiven Landwirtschaft sowohl die Kosten für das eingebrachte Saatgut wie die Kosten zur Sanierung der düngemittel- und pestizidbelasteten Böden eingebracht werden. Der ökosoziale Reproduktionsaufwand des ökologischen Landbaus ist dagegen kleiner. Hier fallen keine Sanierungskosten an. Dafür hat der ökologische Landbau in der Regel höhere Arbeitskosten, denn er ist bekanntlich sehr arbeitsintensiv, schafft also Arbeitsplätze.

Diese Rechnung läßt sich vom Prinzip her auch für alle anderen Formen des Naturverbrauchs aufmachen. Der Reproduktionsaufwand von Eisen ist zum Beispiel der Kostpreis zum Recyclieren von Schrott. Der Verbrauch von Naturgütern, die in einem Produktionszyklus irreversibel vernichtet werden, muß so viel kosten, daß sie durch reproduzierbare Ersatzgüter ersetzt werden können. Das Ersatzgut der intensiven Landwirtschaft ist der ökologische

Landbau. Das Ersatzgut für die Wegwerfgesellschaft ist die nutzenorientierte Informationsgesellschaft. Das Ersatzgut für fossile Brennstoffe und für Kernenergie ist die Solartechnologie.
Der Verbrauch von nicht erneuerbaren Naturgütern muß also für die privaten Konsumenten so teuer werden, daß sich ihr Verbrauch nicht mehr rechnet. Der Verbrauch von erneuerbaren Naturgütern muß so viel kosten, daß nur so viel konsumiert wird, wie nachwächst.

Von der Sozialisierung des Schadens ...

Über die sozialen Kosten der Naturzerstörung wird seit Jahren heftig diskutiert. Weil der Naturzerstörer nichts für seinen Naturverbrauch bezahlt, muß die Gesellschaft die Folgen tragen – unter dem Strich ein schlechtes Geschäft. Deshalb sollte der Staat daran interessiert sein, daß der Schaden erst gar nicht entsteht. Der volkswirtschaftliche Schaden durch nicht in die Preise eingegangenen Naturverbrauch (negative externe Effekte) entspricht in seiner Höhe bereits dem Staatshaushalt der Industriestaaten. In allen Staaten der Welt beginnt er, das bisher erreichte Niveau der gesellschaftlichen Wohlfahrt aufzuzehren.
Die Autofahrer sparen zum Beispiel Kosten, wenn sie nichts für die Regeneration der von ihren Autos verbrauchten Atemluft bezahlen müssen. Die Luft gehört niemandem. Wenn ein altruistisch gesinnter Unternehmer auf die Idee käme, an einer stark befahrenen Straße die Luft zu reinigen, bekäme er dafür weder von den Autofahrern noch von den Passanten einen einzigen Pfennig. Der Produzent von sauberer Luft kann nämlich die Konsumenten nicht vom Verzehr dieses öffentlichen Guts abhalten. Er hat nur Kosten und keine Erträge. Deshalb kommt kein »vernünftiger« Marktteilnehmer auf die Idee, die Kosten für den Verbrauch von öffentlichen Gütern zu bezahlen. Die Luft, das Wasser, die Vielfalt biologischer Arten und die Kulturböden werden so lange von der naturblinden Marktwirtschaft kostenlos verbraucht, bis sie zerstört sind.

Wenn aber die Luft so verpestet ist, daß sie nicht mehr eingeatmet werden kann, dann lohnt sich plötzlich die Produktion von sauberer Luft. Die Bürger müssen sich dann Atemluft kaufen, um zu leben. Wenn jetzt ein Produzent von gesunder Atemluft am Straßenrand »Luft in Dosen« verkauft, kann er zahlungsunfähige Konsumenten ausschließen. Die Kaufkraft der von frischer Luft Abhängigen entscheidet dann über ihr Leben.

Der Markt reagiert erst auf die Naturzerstörung. Erst wenn das Gut knapp geworden ist und der potentielle Konsument infolge der Knappheit nicht mehr konsumieren kann, lohnt sich das Geschäft für die private Wirtschaft. Wenn die Weltmeere vergiftet und ölverseucht sind, wenn der Treibhauseffekt die Naturgrundlagen des gesellschaftlichen Lebens zerstört hat, wenn die Regenwälder und ein Großteil der biologischen Arten vernichtet sind und die Ozonschicht in der Stratosphäre nicht mehr existiert, dann lohnt es sich in einer naturblinden Marktwirtschaft, diese Güter zu produzieren.

Die Naturgüter, die sich vor der anthropogenen Zerstörung selbst reproduziert haben, müssen jetzt mit einem riesigen Aufwand an Arbeit und Kapital von der Gesellschaft hergestellt werden. Das Verhältnis der nichtbezahlten Reproduktionskosten verbrauchter Naturgüter zu den sozialen Folgekosten hat am Ende des 20. Jahrhunderts bereits ein Verhältnis von 1 : 50 erreicht: Für jede privat eingesparte Mark muß die Volkswirtschaft fünfzig Mark ausgeben, um den Schaden zu begrenzen – Tendenz steigend.

Die Sanierungsmaßnahmen führen aber in der Regel nicht zur Wiederherstellung der zerstörten Naturgüter. Sie halten nur den volkswirtschaftlichen Schaden in Grenzen. Das genannte Verhältnis der privaten Kosten zu den volkswirtschaftlichen Kosten verschlechtert sich von Tag zu Tag. Nicht nur die sozialen Produzenten, sondern auch die Konsumenten leben auf Kosten der Natur. Die Industriegesellschaft spart heute eine Mark, um in der Mitte des nächsten Jahrhunderts etwa 100 Mark dafür auszugeben, daß sie weiterleben darf.

Seit dem Beginn des 20. Jahrhunderts ist der Naturhaushalt nicht mehr in der Lage, die sozial verbrauchten Naturgüter zu ersetzen.

Die Marktwirtschaft signalisiert durch die naturblinden Marktpreise aber immer noch, daß das Schlaraffenland des Naturreichtums nach wie vor existiert.

... zur Privatisierung des Naturverbrauchs

Aufgabe der Politik ist es, die Reproduktionskosten des Naturverbrauchs mit geringstem sozialem Aufwand zu privatisieren. Das ist, wie gesagt, nicht identisch mit der Privatisierung der Natur. Wenn die Natur privatisiert wird, dann bestimmt der Markt genauso naturblind über die Nutzung dieses Guts, als wenn das Naturgut noch ein öffentliches Gut wäre. Der Eigentümer von Grund und Boden bekommt für die Erhaltung von Flora und Fauna auf seiner Bodenfläche keinen Pfennig. Soll dagegen auf seinem privaten Natureigentum ein riesiges Kaufhaus gebaut werden, bekommt er für den Verkauf seines Eigentums viel Geld. Private Naturgüter werden vom Markt nur hinsichtlich einer einzigen Eigenschaft bewertet. Die Vernetzung des gesamten ökologischen Systems spielt dabei keine Rolle.
Die Politik wird nicht umhin kommen, das Problem zu lösen. In Deutschland kann sie sich dabei auf die im Grundgesetz verankerte Sozialpflichtigkeit des Privateigentums stützen.
Der Schlüssel für die Organisation einer natur- und sozialverträglichen Marktwirtschaft ist der Energiepreis für alle Formen der gebundenen, kern-fossilen Energie. Dazu ist eine Neuregulierung des Abgaben- und Steuersystems notwendig.
Das Optimum ist erreicht, wenn die Solarenergie konkurrenzfähig ist. Dieser finanzpolitische Schritt würde nicht nur dafür sorgen, daß die fossilen Brennstoffe in der Erde bleiben und die Kernkraftwerke abgeschaltet werden. Er würde auch dafür sorgen, daß der Materialdurchsatz des gesellschaftlichen Lebens wesentlich verringert und die Ressourcenproduktivität um mindestens eine Zehnerpotenz verbessert wird.
Die ökosoziale Marktwirtschaft entwickelt sich dann zu einer solaren Informationsgesellschaft. In dieser Gesellschaft werden

nicht nur die Produktionsfaktoren Kapital und Arbeit reproduziert, sondern auch die verbrauchten Naturgüter. Die Summe der privaten Gewinne wird identisch mit dem ökosozialen Gewinn.

Das Bruttosozialprodukt [BSP] ist das direkte Spiegelbild der naturblinden Marktwirtschaft. Es wächst auch dann, wenn die ganze Gesellschaft nur noch damit beschäftigt ist, die flächendeckenden Müllberge zu sanieren, die Atmosphäre zu reinigen, die Flüsse und die Meere zu destillieren und die Gifte aus dem Boden zu filtern.

Je mehr Autounfälle es gibt, je mehr Tankerunfälle passieren, je öfter Atomreaktoren kollabieren und je größer die gesundheitlichen Schäden der Bürger sind, um so mehr wächst das Bruttosozialprodukt. Selbst der Raubbau an den Naturgrundlagen der Entwicklungsländer wird von diesen Ländern als Ausweis eines erfolgreichen Wirtschaftens gewertet. Die rapide Abnahme der natürlichen Ressourcen wird von allen Staaten der Welt als positiver Beitrag zum Wachstum des BSP verrechnet. Das Bruttosozialprodukt interpretiert die Sanierungskosten der wachsenden Umweltschäden und die Verringerung der natürlichen Ressourcen paradoxerweise als positiven Betrag zur volkswirtschaftlichen Wohlfahrt. Das Bruttosozialprodukt wächst sogar noch an den Folgekosten zur Wiederherstellung der Gesundheit von Kettenrauchern, Alkoholkranken und Drogensüchtigen.

Die realen volkswirtschaftlichen Verluste infolge der Bodenerosion und die riesigen Verluste des Naturkapitals infolge der massenhaften Vernichtung der biologischen Arten werden vom Bruttosozialprodukt überhaupt nicht berücksichtigt, ebenfalls nicht echte wohlfahrtssteigernde Leistungen, wie zum Beispiel die täglichen Hausarbeiten zur Reproduktion der Familie, die eigene Arbeit am Haus, in der Wohnung, im häuslichen Garten und die Nachbarschaftshilfe. Als Ausweis des volkswirtschaftlichen Wohlstands ist das Bruttosozialprodukt offensichtlich sozial taub und naturblind.

Der theoretische Grundstein zur Berechnung des Bruttosozialprodukts wurde 1947 in den USA durch das nationale System der »Volkswirtschaftlichen Gesamtrechnung« gelegt. Es errechnet sich aus der Summe der Marktwerte aller Endprodukte und Dienstleistungen, die im Laufe eines Jahres den Besitzer wechseln. Bei den Aufwendungen des Staates für Rüstungsgüter, Verwaltung, für Bildung und Kultur wird der Erzeugungspreis der jeweiligen Güter eingerechnet. Dazu wird noch der Wert der selbsterzeugten Produkte addiert, die die Landwirte verzehren, sowie der Mietwert der Häuser, die durch die Eigentümer selbst bewohnt werden. Um vergleichbare Werte zu erhalten, wird das Ergebnis durch einen Preisindex auf das Basisjahr 1972 deflationiert.

Diese volkswirtschaftliche Rechnungsführung bemißt den volkswirtschaftlichen Gesamtwert der Güter unabhängig von ihrer stofflichen Zusammensetzung und Nutzung. In dieser Rechnung werden die Rohstoffe und Energieträger als Naturgüter nur insofern berücksichtigt, wie Arbeit oder Kapital investiert wurden, um sie zu fördern und zu verarbeiten. Naturgüter sind in dieser Rechnungsführung wertlos. Je mehr sie ausgebeutet werden, desto knapper werden sie. Je knapper sie werden, desto größer wird der Förderungsaufwand an Kapital und Arbeit. Dadurch wächst das Bruttosozialprodukt, und so spiegelt es den Raubbau an den Naturgütern als Wachstum der Wirtschaftsleistung.

Diesen offensichtlichen Unsinn versuchen einige Nationalstaaten durch eine Reform der volkswirtschaftlichen Gesamtrechnung zu korrigieren. Dabei werden auch erste Ansätze einer vorsichtigen Budgetierung der natürlichen Ressourcen sichtbar. So führte zum Beispiel die japanische Regierung 1973 die Nettonationalwohlfahrt [NNW] ein. Ein Teil der Umweltfaktorkosten wird hier eingerechnet. Es stellte sich heraus, daß das großartige Wachstum des japanischen Bruttosozialprodukts von 8,3 Prozent in den Jahren von 1955 bis 1985 eigentlich nur einem Zuwachs von 5,8 Prozent der Nettonationalwohlfahrt entsprach.

Indonesien hatte ebenfalls ein Wachstum des Bruttosozialprodukts von über 7 Prozent in den Jahren zwischen 1971 und 1984. Zieht man aber den Raubbau an den heimischen Erdölreserven, an den Regenwäldern und die Erosion der Ackerfläche ab, bleibt nur noch ein Rest von 4 Prozent übrig.[1] In Europa, auch in

Deutschland, wo seit Jahren kaum noch nennenswerte Wachstumsraten des BSP erzielt werden, ist der ökosoziale Wohlstand wahrscheinlich schon rückläufig.
Das Statistische Bundesamt in Wiesbaden arbeitet an der Erfassung einer Umweltökonomischen Gesamtrechnung [UGR]. Die Inanspruchnahme natürlicher Ressourcen sollte nach Auffassung seines Präsidenten Johann Hahlen in der volkswirtschaftlichen Gesamtrechnung ausgewiesen sein, denn:

> »Die Inanspruchnahme natürlicher Ressourcen wurde bislang in wirtschaftlichen Bilanzen nicht richtig berücksichtigt ... Seit 1960 ist die Gesamtproduktion der Wirtschaft um rund 150 Prozent, die Arbeitsproduktivität um 240 Prozent gestiegen. Das heißt: Menschliche Arbeit wurde zunehmend durch Maschinen ersetzt. Dies ermöglichte eine Verkürzung der Arbeitszeit und bessere Bezahlung ... Die Verbraucher setzten ihr höheres Einkommen in größere Wohnungen (38 statt 20 Quadratmeter Wohnfläche pro Kopf), andere Ernährungsgewohnheiten (mehr Fleisch und Frischgemüse statt Kartoffeln) und fast dreieinhalbmal so viele Autokilometer um. Die Umweltbelastung stieg dadurch deutlich. Rohstoffentnahme plus 65 Prozent, Energieverbrauch plus 85 Prozent und Flächenverbrauch plus 42 Prozent. Die Luftschadstoffe nahmen um 30 Prozent, die Abfälle um 45 Prozent zu ... Für wirtschafts- und umweltpolitische Überlegungen, etwa für Änderungen in der Besteuerung, sind solche Analysen von grundlegender Bedeutung.«[2]

Eine Studie des Heidelberger UPI-Instituts aus dem Jahre 1991 schätzte die Größenordnung der volkswirtschaftlichen Kosten von Umweltschäden für die Bundesrepublik Deutschland auf mindestens 500 Milliarden DM im Jahr.
Der Ökonom Christian Leipert beurteilt die Aussagekraft der ökonomischen Bewertung von ökologischen Sachverhalten wie folgt:

»Es spricht vieles (vor allem die intuitive Gesamtschau von der insgesamt stark verschlechterten Umweltsituation) dafür, daß die aktuelle Berechnung ein besseres ökonomisches Abbild der ökologischen Schadenssituation in der Bundesrepublik vermittelt. Dennoch können diese Studien den Eindruck eines hohen Maßes an Willkür, der der Auswahl der bewerteten Gegenstände, den theoretischen und methodischen Annahmen und den gewählten Berechnungsverfahren innewohnt, nicht verwischen. Diese der komplizierten Erkenntnis- und Bewertungsmaterie inhärente und damit nicht hintergehbare ›Willkür‹ impliziert auch, daß es gute Gründe gibt, mit einer Variation der bisher gewählten Bewertungsgegenstände, der theoretischen und methodischen Annahmen und der Berechnungsverfahren zu Bewertungsergebnissen der totalen ökonomischen Kosten der Umweltschädigung zu kommen, die bei 600 oder 1000 Milliarden DM und mehr liegen.«[3]

Ökologisch orientierte Volkswirtschaftler schlugen vor, den Abbau von Ressourcen als Abschreibungen auf das Naturvermögen der einzelnen Staaten in die Berechnung des Bruttosozialprodukts einzubeziehen. Die abnehmenden Rohstoffvorkommen von Erzen oder fossilen Energieträgern, die Reduzierung der Grundwasserreserven, die Bodenerosion und die Zerstörung der Regenwälder würden dann entsprechend negativ zu Buche schlagen.
Das Problem besteht aber in der praktischen Umsetzung einer staatlichen Bewertung der Naturgüter. Dazu müßte der Staat die ökologische Konsequenz aus der Sozialpflichtigkeit des Privateigentums ziehen. Im Artikel 15 des Grundgesetzes heißt es:

»Grund und Boden, Naturschätze und Produktionsmittel können zum Zweck der Vergesellschaftung durch ein Gesetz, das Art und Ausmaß der Entschädigung regelt, in Gemeineigentum oder in andere Formen der Gemeinwirtschaft überführt werden.«

In diesem Artikel versteht sich der Staat als Obereigentümer der Naturgüter, der seine Funktion im Namen des Grundgesetzes wahrnehmen kann. Er braucht dafür nicht einmal die in Privathand befindlichen Naturgüter zu enteignen. Er muß nur von den jeweiligen Verbrauchern die Reproduktionskosten zur Wiederherstellung dieser Güter verlangen, unabhängig davon, ob sich das jeweilige Naturgut in privatem oder öffentlichem Besitz befindet. Das Recht dazu hat der Staat sowohl durch den Artikel 15 des Grundgesetzes als auch durch den Artikel 14 Absatz 2. Hier steht:

> »2. Eigentum verpflichtet. Sein Gebrauch soll zugleich dem Wohle der Allgemeinheit dienen.«

Die Privatisierung des Naturverbrauchs erfolgt also durch die Bezahlung der Reproduktionskosten der verbrauchten Naturgüter, die der Staat im Auftrag der Gesellschaft einzieht. Auf dieser rechtlichen Grundlage kann der Bund zum Beispiel auch von den Kommunen eine Naturverbrauchsabgabe für die Bodenversiegelung erheben, die mindestens den Kosten für die spätere Bodenentsiegelung entsprechen muß. Im Gegenzug erhalten die Bürger und Gemeinden Geld, die einen alten Schuppen oder eine ungenutzte Scheune abreißen und die Fläche renaturieren. Die Durchsetzung der Sozialverträglichkeit des Privateigentums und die Organisation der Naturverträglichkeit des gesellschaftlichen Lebens sind die entscheidenden Aufgaben des Staates im kommenden Jahrhundert.

Ohne Natur keine Arbeit, kein Kapital

Nach der klassischen Produktionsfaktorentheorie können die Faktoren der Produktion untereinander ausgetauscht werden. Jeder Produktionsfaktor kann den anderen mehr oder weniger ersetzen. So ersetzt in den Industriestaaten das Sachkapital in großem Maßstab das Arbeitskapital. Das ist die gegenwärtige Tendenz der industriellen Rationalisierung. Wenn dadurch ökosoziale Kosten eingespart werden und das Naturkapital nicht verschlissen wird, ist dagegen auch nichts einzuwenden. Die Richtschnur aller Einzelentscheidungen von Rationalisierungsprozessen ist bekanntlich der Preis der gegenseitig austauschbaren Produktionsfaktoren. Wenn die Preise der jeweiligen Güter die ökosoziale Wahrheit sagen, dann treibt dieser Prozeß den gesellschaftlichen Fortschritt voran.

Das Problem besteht nicht in der Rationalisierung an sich. Es besteht vielmehr darin, daß gegenwärtig massenhaft ökosozial billige Arbeitskräfte wegrationalisiert werden, um sie durch ökosozial teure Technik zu ersetzen. Das geschieht deshalb, weil die Preise der Güter die Wirtschaftssubjekte nicht über die Reproduktionskosten ihres Naturverbrauchs informieren. Der Markt ist also sozial taub, weil er naturblind ist.

Die Vertreter der traditionellen Ökonomie erklären, daß Naturkapitale, wie zum Beispiel Bodenschätze, Regenwälder oder Moore, durch Sachkapital, wie zum Beispiel Maschinen, oder durch Arbeitskapital ersetzbar sind. Sie behaupten, daß es gleichgültig sei, in welcher Zusammensetzung die gegenwärtigen Generationen das Gesamtkapital der Gesellschaft den nachfolgenden Generationen hinterlassen. Wenn zum Beispiel die Sümpfe trockengelegt sind und darauf Häuser, Fabrikanlagen und Straßen gebaut wurden, dann wird die Funktion des Sumpfes als Wasserspeicher durch große Staubecken erfüllt. Die nächste Generation erhält dann weniger Naturkapital und mehr Sachkapital. Diese Form der ökonomischen Theorie wird auch »schwache Nachhaltigkeit« genannt. Für die traditionelle Ökonomie ist nur wichtig, wie hoch die Gesamtsumme der Kapitale ist.

Die Kritiker dieser theoretischen Auffassung halten allerdings dagegen, daß das Sachkapital ohne das Naturkapital keinen Wert hat. Wenn es keine Fische mehr gibt, dann ist auch die Fischfangflotte wertlos. Wenn die Erdöllagerstätten leergepumpt und die Erdgasvorkommen erschöpft sind, dann sind auch die Raffinerien und die Pipelines für die kommenden Generationen sinnlos geworden. Wenn die Wälder vernichtet sind, dann sind auch die Sägemühlen entwertet.

Ohne Natur-»Kapital« gibt es weder das Sachkapital, noch kann es das Arbeitskapital geben. Die drei Produktionsfaktoren sind nicht gleichwertig. Zwischen ihnen existiert keine lineare Abhängigkeit, sondern eine hierarchisch strukturierte Abwärtskompatibilität [siehe Abb. 10]. Das Sachkapital ist aus der Arbeit hervorgegangen. Es ist geronnene Arbeit. Dieser Zusammenhang wird deutlich, wenn man sich die historische Entwicklung dieser Produktionsfaktoren vor Augen führt.
Der Mensch schuf durch seine Arbeit nicht die Naturgrundlagen seiner Existenz, sondern umgekehrt. Er ist das Produkt der Evolution des ökosozialen Zusammenhangs. Die Abwärtskompatibilität zwischen der Natur und der Arbeit existiert nicht nur historisch, sondern auch zu jedem konkreten Zeitpunkt des Wirtschaftsprozesses.
Die Fischfangindustrie kann nicht die Weltmeere leerfischen und hoffen, durch immer effizientere Fangmethoden nicht mehr vorhandene Fische in ihre Netze zu treiben. Auf diese Weise wurde zum Beispiel das Schwarze Meer bereits leergefischt. Die Anrainerstaaten mußten seit 1988 einen dramatischen Rückgang beim Sardellenfang hinnehmen. Die Fangerträge der Türkei sanken innerhalb von zehn Jahren um 84 Prozent. Während 1980 noch 500 000 Tonnen Sardellen gefangen wurden, waren es 1990 nur noch 80 000 Tonnen. Ähnliche Einbrüche der Fangergebnisse mußten auch Bulgarien, Rumänien und die Ukraine verbuchen. Die Fischer verloren insgesamt etwa eine Milliarde Dollar an Erträgen und damit ihre Existenzgrundlage. Die wertvollen Fischbestände wie der Stör, die Makrelen, der Blaufisch und der Bonito sterben aus. Es gibt keine internationalen Absprachen und auch keine Kontrollen des Fischfangs.
Das Schwarze Meer ist die Kloake der Anrainerstaaten. In diesem Binnenmeer gibt es keinen Gezeitenwechsel. Der Frischwassereintrag aus dem Asowschen Meer und dem Marmarameer reicht zur Sauerstoffversorgung nicht aus. Donau und Dnjepr versorgten seit Menschengedenken zusammen mit etwa 300 kleineren Flüssen das Schwarze Meer mit sauerstoffhaltigem Frischwasser.

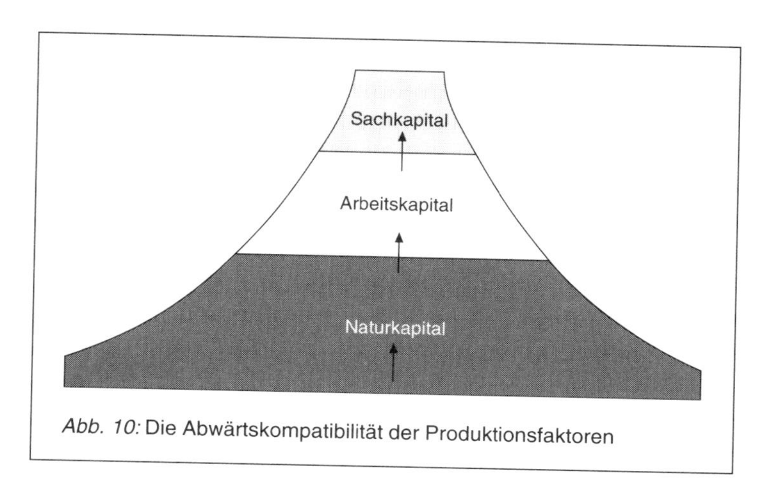

Abb. 10: Die Abwärtskompatibilität der Produktionsfaktoren

Heute führen diese Flüsse aber ständig ansteigende Schadstoffmengen mit sich. Die Donau trägt zum Beispiel jedes Jahr 60 Tonnen Quecksilber, 900 Tonnen Kupfer, 1000 Tonnen Chrom, 4500 Tonnen Blei, 6000 Tonnen Zink, 60 000 Tonnen Phosphor in das Binnenmeer. Hinzu kommen die vielen Tonnen an Waschmittelrückständen und Pflanzenschutzmitteln. Das Wasser des Dnjepr wird seit Jahrzehnten zur Bewässerung auf riesige Reisfeldplantagen gepumpt. Es reichert sich dort mit Pestiziden an und gelangt über den natürlichen Rückfluß und durch Dränagesysteme wieder in den Fluß und damit ins Meer. Es gibt gegenwärtig keine Daten, wie stark das Schwarze Meer bereits mit Lindan und mit DDT verseucht ist. So wie das Schwarze Meer sind alle Weltmeere dabei, am Schlamm der Zivilisation zu ersticken.

Der Begriff der Nachhaltigkeit bezieht sich folglich nicht nur auf das Sachkapital und auf das Arbeitskapital, sondern auch auf das Naturkapital. Er bedeutet, wie bereits erwähnt, daß eine Gesellschaft nur dann Aussicht auf die Erhaltung ihres Lebensstandards hat, wenn sie von den Zinsen lebt. Jeder Raubbau an einem der Güter zerstört die Nachhaltigkeit. Dann lebt die Gesellschaft von der Substanz. Dieser Sachverhalt wird besonders deutlich beim Raubbau an den Regenwäldern.

Die Regenwälder sind die grünen Lungen der Erde. Sie befinden sich rings um den Äquatorgürtel. Seit Mitte dieses Jahrhunderts wurde bereits die Hälfte des ursprünglichen Bestandes dieses Füllhorns der biologischen Arten zerstört. Gegenwärtig umfaßt das grüne Paradies des Lebens noch etwa acht Millionen Quadratkilometer. Davon werden jährlich über 350 000 km^2 durch die naturblinde Weltwirtschaft vernichtet. Die Geschwindigkeit dieses Vernichtungskriegs gegen die Natur steigt mit jedem Jahr weiter an. Die Regenwälder an der Westküste Afrikas sind bereits völlig vernichtet. Das Regenwaldgebiet Brasiliens ist durch große Industrieflächen und breite Straßenschneisen in einzelne Inseln zerschnitten worden. Der Regenwald auf den Philippinen und in Malaysia wird systematisch abgeholzt.
Der sogenannte selektive Einschlag existiert meist nur in politischen Absichtserklärungen der jeweiligen Regierungen. In der Praxis wird reiner Raubbau betrieben. Im chilenischen Urwald werden tausend Jahre alte Bäume für die japanische und europäische Papierindustrie gefällt und an Ort und Stelle zu Holzschnitzeln zerhackt. Die Hochseeschiffe transportieren dann die traurigen Überreste der geschredderten Urwaldbäume ab. Der chilenische Urwald ist für die internationale Papierindustrie billiger als das Holz der Industriestaaten. Die ansässige indianische Bevölkerung wird vertrieben, umgesiedelt oder ermordet.
Der chilenische Urwald wurde während der Pinochet-Diktatur zu 90 Prozent privatisiert. In den Folgejahren wurden große Teile an ausländische Unternehmen verkauft. Sie legten ihr Kapital in einem modernen Maschinenpark zur effizienten Abholzung des Regenwaldes an. Obwohl der Kahlschlag verboten ist, hält sich fast kein »Investor« an die Vorschrift. Die staatliche Forstbehörde hat andererseits kein Geld für Wachpersonal, und der Staat hat kein Interesse, dafür Geld auszugeben. Selbst die geringen Bußgelder, die ausnahmsweise verhängt worden sind, wurden nur zu 10 Prozent bezahlt. Korrupte Gerichte und pfiffige Anwälte arbeiten mit Erfolg im Interesse des naturblinden internationalen Kapitals.
Nach dem Kahlschlag im Regenwald erhalten die Holzunternehmen vom chilenischen Staat großzügig Subventionen für die An-

pflanzung schnellwüchsiger Baumarten, wie zum Beispiel von Nadelbäumen oder Eukalyptus. Eukalyptusbäume brauchen nur zehn Jahre von der Pflanzung bis zum Holzeinschlag. Der chilenische Staat bezahlt 75 Prozent der Kosten für die Anpflanzung der Monokulturen. Die großen Holzunternehmen verdienen in diesem Fall doppelt: Sie erhielten jahrzehntelang großzügige Verträge zur Vernichtung der Regenwälder, und sie erhalten heute riesige Subventionsmittel für die Anpflanzung von Eukalyptus oder Nadelholz. Diese Wirtschaftswälder lassen garantiert keinen Regenwald mehr nachwachsen.
Der Regenwald besitzt nicht nur für die Menschen einen ökologischen Wert an sich. Seine Erhaltung rechnet sich auch für die Wirtschaft der jeweiligen Länder mehr als seine Vernichtung. Das beweist zum Beispiel die Touristikbranche in Costa Rica, die seit 1991 boomt.
Der Öko-Tourismus läßt sich naturverträglich organisieren, wie der Biologe Donald Perry demonstrierte. Er ließ nach langen Jahren der Feldstudien vor Ort eine Regenwaldseilbahn errichten. Die Einschlagschneise für die Seilbahn war nur drei Meter breit. Sie zieht sich am Rande des Nationalparks Braulio Carillo, eine Autostunde von der Hauptstadt entfernt, durch bergiges Urwaldgebiet. Touristen schweben eineinhalb Stunden lang in zwei Etagen durch den Urwald. Auf der Hinfahrt gleiten sie dicht über den Urwaldboden, und auf der Rückfahrt lernen sie das Blätterdach der Urwaldriesen mit den ungezählten Arten von Flora und Fauna kennen. Dabei wird kein Blatt abgerisssen und kein Käfer zertreten. Die Zahl der deutschen Touristen, die nach Costa Rica reisen, stieg von 13 300 im Jahre 1990 auf mehr als 70 000 Reisende 1995. Gegenwärtig versuchen auch Mexiko und Guatemala den Öko-Tourismus als Marketingstrategie zu entwickeln.
Die Nachhaltigkeit des Naturfaktors ist eine unabdingbare Voraussetzung für die Nachhaltigkeit der beiden anderen Produktionsfaktoren. Die Abhängigkeit ist einseitig. Während die Naturgüter auch ohne den Einfluß der Menschen existieren können, ist weder das Kapital noch die Arbeit in der Lage, sich ohne Naturgüter zu reproduzieren. Die Produktionsfaktoren sind unter-

einander durch eine Abwärtskompatibilität verbunden [siehe Abb. 10, S. 155].
Das Sachkapital ist im Sinne des englischen Nationalökonomen David Ricardo geronnene Arbeit. Ohne die Arbeit gibt es kein Kapital. Das Sachkapital ist außerdem von den Naturstoffen abhängig, aus denen es zusammengesetzt ist. Ohne diese Naturstoffe gibt es auch kein Sachkapital. Der Wert des Sachkapitals ist drittens abhängig vom Nutzen, das heißt vom Ertrag, den es einbringt.
Nicht genutztes Kapital ist wertlos. So sind zum Beispiel Investitionsruinen in den Sand gesetztes Kapital. Die In-Wert-Setzung des Sachkapitals ist also von mehreren natürlichen und sozialen Bedingungen abhängig. Die Eigentümer dieser Kapitalform sollten im eigenen Interesse weltweit darauf achten, daß ihr Eigentum nicht durch die selbstverschuldete Zerstörung des Bedingungsgefüges vorschnell entwertet wird. Eine Entwertung kann auch durch die Vernichtung der Kaufkraft der potentiellen Konsumenten infolge der ausufernden Massenarbeitslosigkeit erfolgen. Nicht verkaufbare Güter sind nutzlose Gebrauchswerte und entwertete Tauschwerte. Genauso ist ungenutzte Arbeit ein sozialer Verlust.
Die Ersetzung des Arbeitskapitals durch das Sachkapital ist nur dann ein ökosozialer Fortschritt, wenn erstens die Gesamtheit des stoff-energetischen Verbrauchs des Sachkapitals kleiner ist als die des Arbeitskapitals und wenn zweitens das freigesetzte Arbeitskapital sozial aufgewertet wird. Die Aufwertung kann zum Beispiel durch Qualifizierungsmaßnahmen der freigesetzten Arbeitskräfte erfolgen.
Historisch gesehen ist diese produktive Freisetzung der Sinn des gesellschaftlichen Fortschritts. Der Mensch befreit sich von primitiven Tätigkeiten mit dem Ziel, seine geistigen Potenzen zu entwickeln.
Die Ersetzung des Naturkapitals durch das Arbeitskapital ist die zweite Möglichkeit der gegenseitigen »Konkurrenz« der Produktionsfaktoren. Auch dieser Prozeß findet von Anbeginn der menschlichen Gesellschaft an massenhaft im Rahmen der Ab-

wärtskompatibilität der Produktionsfaktoren statt. So versuchte der Mensch, durch sozial organisierte Arbeit die Produktivität der Naturprozesse für seine Zwecke zu erhöhen. Die landwirtschaftliche Tätigkeit bietet dafür ein anschauliches Beispiel. In der Pflanzenproduktion erhöht der Bauer durch seine »unternehmerische« Tätigkeit den Teil der Naturproduktion, der für die Gesellschaft nützlich ist. Er unterbindet beispielsweise gezielt das Wachstum von Bäumen auf den Feldern, indem er die Ackerflächen ständig bearbeitet. In den Jahrtausenden der Primärproduktion entstanden ausgedehnte naturnahe Kulturlandschaften. Die Pflanzen- und Tierproduktion der ökologischen Landwirtschaft fördert die Naturproduktion. Diese Entwicklung kann so lange fortgesetzt werden, wie der stoffliche, energetische und genetische Gesamtzusammenhang der Naturproduktion reproduziert wird.

Die historische Schwelle zur Zerstörung der Selbstreproduktion des Naturhaushalts wurde bereits vor einem Jahrhundert überschritten. Der Schwund der biologischen Arten ist dafür das untrügliche Kriterium. Seit der Jahrhundertwende geht zum Beispiel die Artenvielfalt der Farne und Blütenpflanzen in Mitteleuropa immer schneller zurück. Das ist genau die Zeit, in der die Industrialisierung der Gesellschaft und damit auch der Landwirtschaft einen Umfang erreichte, in dem kein Platz mehr für die nicht landwirtschaftlich genutzten Lebewesen war. Heute beansprucht die Menschheit fast ein Drittel der weltweiten Pflanzenproduktion für ihre Zwecke. Für den Rest der Biosphäre bleibt immer weniger übrig. Die Bedingungen zur Reproduktion der Biosphäre werden damit zerstört. Die Menschen verzehren weltweit das Natur-»Kapital«. Sie leben damit von der Substanz ihrer eigenen Existenz.

Die Abwärtskompatibilität der Evolutionsformen weist darauf hin, daß die Natur die tragende Säule aller darauf aufbauenden Formen der Evolution ist. Das Sachkapital kann nicht ohne das kreative Potential des Arbeitskapitals existieren. Die Arbeitskraft der Fischer und das in die Fischerboote investierte Kapital wird aber entwertet, wenn die Fische nicht mehr vorhanden sind. Mit den Regenwäldern stirbt mehr als die Hälfte aller biologischen Arten der Erde aus. Die Verbrennung der fossilen Energieträger führt zur Aufheizung der Atmosphäre, und zusätzlich hält die Natur die freigesetzte Energie durch den Treibhauseffekt zurück. In der Kohle, im Erdgas und im Erdöl war diese Energie gebunden. In freigesetzter Form ruft sie einen entropischen Schaden hervor, der in Form des Treibhauseffekts die Bewohnbarkeit der Erde in Frage stellt.

Die ökologische Leistung der Biosphäre zur Reproduktion des stofflichen und energetischen Gleichgewichts der Erde ist kostenlos. Billiger kann die Gesellschaft auch nicht produzieren. Es ist ein schlechtes Geschäft, das Naturgeschenk zu vernichten, um anschließend die Leistung selbst erbringen zu müssen. Die Gesellschaft kann nur eines: Sie kann durch ihr Arbeits- und Sachkapital die Leistungsfähigkeit der Natur bei der Erfüllung ihres Naturzwecks erhöhen. Sie kann zum Beispiel auf den Dächern der Städte, auf den Feldern und in den Wäldern optimale Bedingungen schaffen, um durch die jeweils geeignete Technologie möglichst viel Solarenergie zu binden – ohne die ökologische Leistung des Gesamthaushalts der Natur zu schädigen. Sie sollte außerdem die gebundene Solarenergie in ihren Konsumgütern so sparsam wie möglich freisetzen.

Sozial taub

In den Lehrbüchern der Volkswirtschaftslehre heißt es, die Marktwirtschaft funktioniere nach den Prinzipien der freien Konkurrenz, der Chancengleichheit zwischen den Neueinsteigern, der Konsumentensouveränität und der Preisbildung durch Angebot und Nachfrage. In der Theorie ist das richtig. In der Praxis hat man jedoch Mühe, diese Funktionsprinzipien wiederzufinden.

Die lebendige Arbeit hat heute im Konkurrenzkampf mit der Maschinerie (fixes Kapital) schlechte Karten. Die Arbeit wird nämlich durch Kosten belastet, die das fixe Kapital nicht hat. Wenn zum Beispiel ein Automat verschlissen ist, dann wird er verschrottet. Wenn ein Arbeitnehmer arbeitsunfähig geworden ist, dann bekommt er eine Rente. Das ist sozial gerecht – aber es verteuert die Arbeit und begünstigt den Einsatz von Technik. Zusätzlich muß jeder Arbeitnehmer einen Teil der Kosten seines Naturverbrauchs bezahlen. Er muß den Naturverbrauch seines Körpers doppelt ersetzen: Erstens muß er essen und trinken, und zweitens muß er zur Aufrechterhaltung der Produktion Nachkommen zeugen, ernähren und erziehen. Er muß so viel verdienen, daß er seine Kinder zu anständigen Bürgern heranwachsen lassen kann. Das kostet viel Geld.

Die Konkurrenz zwischen den Faktoren der Produktion ist ungleich. Der Kostpreis von Maschinen und Automaten enthält keinen Reproduktionsaufwand des Naturverbrauchs. Die lebendige Arbeit muß dagegen einen Teil davon tagtäglich bezahlen. Der ersatzlose Naturverbrauch der Maschinerie signalisiert der Wirtschaft, daß es sich lohnt, teure Arbeitskräfte zu entlassen. Die Naturblindheit der Marktwirtschaft hat ihre soziale Taubheit im Gefolge.

Der Trend zur Rationalisierung ist an sich nichts Schlechtes. Er produziert nur dann die soziale Seuche der Massenarbeitslosigkeit, wenn der Markt naturblind ist. Wenn die Staatseinnahmen dann noch zuungunsten der Arbeit verteilt werden, erfolgt die Wirtschaftsentwicklung auf Kosten der Arbeitsplätze.

Die entlassenen Arbeitskräfte sind aber gleichzeitig die potentiellen Nachfrager der Güter. Wenn sie kein Geld haben, sind sie zahlungsunfähig. Die Produzenten können ihre Waren und Dienstleistungen nicht mehr absetzen. Sie versuchen deshalb, noch billiger zu produzieren, und entlassen also noch mehr Arbeitskräfte. Das weitere Wachstum der Arbeitslosigkeit führt zur Schwindsucht der Kaufkraft der potentiellen Nachfrager und damit zum Ruin ganzer Branchen.

Wenn die Einnahmen des Staates aus der Lohnsteuer infolge wachsender Massenarbeitslosigkeit zu gering werden, droht die gesamte Gesellschaft über kurz oder lang zu kollabieren. Der

Staat erhält immer weniger Steuern, muß aber gleichzeitig immer mehr arbeitslose und bedürftige Menschen versorgen.
Die soziale Marktwirtschaft wurde geschaffen, um branchenbedingte Strukturkrisen sozialverträglich zu überwinden. Sie wird immer dann instabil, wenn das Sozialsystem in eine chronische Krise gerät. Der Sozialstaat versucht heute, das Problem dadurch zu lösen, daß er eine soziale Errungenschaft nach der anderen abbaut.
Warum verringert sich die Arbeitslosigkeit auch bei guter Konjunktur nicht? Unter der Bedingung des internationalen Konkurrenzdrucks ist das Kapital in den Industriestaaten gezwungen, dort zu sparen, wo die Produktionskosten hoch sind: an den Arbeitskosten. Deshalb werden diese zu Lasten des zusätzlichen Naturverbrauchs der Technik eingespart. Die Folgen sind globale Naturzerstörungen und eine ausufernde Arbeitslosigkeit. Damit schlägt sich die Marktwirtschaft gleich alle drei Standbeine ab. Die Naturgrundlagen werden unwiederbringlich vernichtet, die sozialen Grundlagen werden zerstört, und das Kapital wird entwertet.

Selbstzerstörerisch

Es ist erstaunlich, daß die deutsche Wirtschaft nicht schon längst am herrschenden Steuersystem erstickt ist. Die Finanzpolitiker der Regierungsparteien setzen seit Jahrzehnten die Belastbarkeit der Bürger einem Dauertest aus.
Steuern sind Einnahmen des Staates durch Geldleistungen der Bürger, für die der Staat keine konkrete Gegenleistung zu erbringen braucht. Die Einführung einer neuen Steuer oder die Anhebung des Steuersatzes einer bereits existierenden Steuer erfordert keine wissenschaftliche Begründung. Der Finanzminister muß Bundestag und Bundesrat nur begreiflich machen, daß der neue Steuersatz für das Funktionieren des Staatswesens notwendig ist.

Steuern sind in einer modernen Gesellschaft lebensnotwendig. Ohne Steuern kann kein Staatswesen existieren. Die Staatseinnahmen sind nötig, um die soziale Ordnung aufrechtzuerhalten. Die Polizeibeamten als Ordnungshüter nach innen und die Armee als Ordnungshüter nach außen werden genauso von der öffentlichen Hand bezahlt wie die Schulen und Universitäten.
Der Staatshaushalt wird durch die Steuerabgaben der Bürger gefüllt. Die Steuern entziehen aber der Wirtschaft Geld. Sie verringern die Investitionen, und sie schmälern die Kaufkraft der Bürger.
Die Steuer verteuert das jeweils besteuerte Gut und führt auf dem Markt je nach Nachfrageelastizität zu einem anderen Kaufverhalten, was natürlich auf die Anbieter des Guts zurückwirkt. Diese werden versuchen, die unumgänglichen Steuerabgaben durch Kosteneinsparungen auf anderen Gebieten aufzufangen, um den Absatz nicht zu gefährden. Je höher der Steuersatz, desto größer der Druck zur Reduzierung der Kosten.
Seit Bestehen der Bundesrepublik wurden die Lohn- und Einkommensteuern ständig erhöht. Der Faktor Arbeit schien grenzenlos belastbar zu sein, denn die Republik befand sich zunächst in der Aufbauphase, später in der quantitativen Entwicklungsphase. Arbeitskräfte wurden von der Wirtschaft so kräftig nachgefragt, daß sogar ein Sog für ausländische Arbeitskräfte entstand.
Diese Phase gehört aber seit fast einem Jahrzehnt der Vergangenheit an. Die Volkswirtschaft ist gezwungen, ihr Wachstum am Bedarf der Weltwirtschaft zu orientieren. Unter dieser Bedingung behindert das herrschende Steuersystem die weitere ökonomische und soziale Entwicklung des Landes. Die hohen Steuern und Sozialabgaben der Arbeit blockieren den notwendigen Transformationsprozeß der nationalen Wirtschaft.
Die künstliche Verteuerung des Produktionsfaktors Arbeit durch das Steuersystem führt zu einer Verringerung der Nachfrage. Dadurch werden all die Tätigkeiten unrentabel, deren Gesamtkosten größer oder gleich dem Nutzen sind, der beim Gebrauch von Arbeit entsteht. Die Arbeit wird wegrationalisiert.

Der Markt reagiert bekanntlich nur auf das jeweilige Kosten-Nutzen-Verhältnis eines Guts. Wodurch die Kosten zustande kommen und worin der Nutzen besteht, ist für den Markt irrelevant. Der Tauschwert der Güter ist das einzige Kriterium, das zählt.
Die Lohnsteuereinnahmen betrugen 1996 etwa 260 Milliarden Mark, und die Einkommensteuer belief sich auf 20 Milliarden Mark. Zusammen mit der Umsatzsteuer (etwa 245 Milliarden Mark) bilden sie das Gros der Staatseinnahmen. Die Gewerbesteuer (Gewerbeertragsteuer und Gewerbekapitalsteuer) trug nur mit 16 Prozent (45 Milliarden Mark) zur Aufbesserung der Staatsfinanzen bei. Die Zahlung der Vermögensteuer entfällt nach dem Urteil des Bundesverfassungsgerichts zudem ab 1997. Damit verschiebt sich das ganze Steuersystem noch weiter zuungunsten des Produktionsfaktors Arbeit. Die Masse der Steuerzahler soll nämlich nach der »großen Steuerreform« 1999 unter anderem über die Mehrwertsteuer zu neuen Abgaben herangezogen werden, um eine kleine Gruppe zu entlasten [vgl. S. 291f.].

Die Arbeit wird vernichtet

In der Bundesrepublik Deutschland bestraft der Staat durch die Abgaben der Arbeitseinkommen die sozial nützliche Tätigkeit genauso, wie er durch Kapitalsteuern die kreative Tätigkeit der Unternehmer bestraft. Kapital und Arbeit sind aber die beiden einzigen sozialen Faktoren der Produktion, die den sozialen Reichtum mehren können. Vom Prinzip her darf weder der eine noch der andere Faktor der Produktion besteuert und damit verteuert werden.
Die Massenarbeitslosigkeit in den Industriestaaten ist unter anderem die Folge eines doppelten Staatsverschuldens: Die Arbeit wird durch hohe Abgaben bestraft, der Naturverbrauch durch Nichtbesteuerung und Subvention belohnt. Die Zahl der Arbeitslosen stieg in den Industriestaaten in der Zeit von 1973 bis 1996 von 11,3 Millionen auf über 40 Millionen an. Die Massen-

arbeitslosigkeit ist gegenwärtig nicht mehr davon abhängig, ob es sich um einen guten oder schlechten Industriestandort handelt. Sie ist auch nicht in erster Linie davon abhängig, ob sich ein Land gerade in einer Krise oder in einer guten Konjunkturphase befindet. Sie wächst ständig und überall an.

Den besten Beweis dafür liefert die deutsche Automobilindustrie, eine Schlüsselbranche für die deutsche Wirtschaft. Während es 1910 in Deutschland etwa 24 000 Automobile gab, erhöhte sich ihre Zahl bis 1981 auf 24 Millionen. Fünfzehn Jahre später hatte sich diese Zahl noch einmal verdoppelt. Die realen Preise der Fahrzeuge sanken im Vergleich zum Reallohn im Lauf dieses Jahrhunderts genauso kontinuierlich wie die Benzinpreise. Das war möglich, weil der Naturverbrauch des Autoindividualverkehrs bekanntlich kein Bestandteil der Güterpreise ist. Der Naturverbrauch ist kostenlos.

Die relative Kostenbelastung der Haushalte für den Erwerb und den Unterhalt eines privaten Autos ist in den vergangenen Jahren von 12 Prozent des Jahreseinkommens auf 10 Prozent gesunken. Das Auto erbringt gegenwärtig vier Fünftel der Gesamtleistung des Verkehrswesens. Das bundesdeutsche Straßennetz wurde allein zwischen 1960 und 1980 um 100 000 km ausgebaut. Bis in die achtziger Jahre überstiegen die Investitionen für den Straßenbau die Ausgaben zum Ausbau der öffentlichen Verkehrsmittel um ein Vielfaches. Während das Straßennetz ständig mit steigendem Aufwand vervollkommnet wurde, stammt das Eisenbahnnetz größtenteils noch aus dem vorigen Jahrhundert. Seit Mitte der siebziger Jahre wurde das Schienennetz der Bundesrepublik Deutschland sogar um 14 Prozent verkleinert. Dieser Trend beschleunigt sich noch mit der Privatisierung der Bahn.

Die Mobilität der Gesellschaft ist nicht mehr länger Mittel zum Zweck einer höheren Lebensqualität. Sie ist Selbstzweck geworden. Es handelt sich um ein verzerrtes Mobilitätsverständnis. Die Entwicklung der gesamten Infrastruktur ist seit Jahrzehnten diesem Selbstzweck unterworfen.

Jeder siebte Arbeitsplatz ist direkt oder indirekt von der Automobilindustrie abhängig. Auch hier führte der Rationalisierungsdruck zum Abbau von Arbeitsplätzen. Während die Branche ihre Produktion und den Absatz 1995 noch einmal kräftig steigern konnte, wurden weiter Arbeitskräfte entlassen und durch relativ billige Roboter ersetzt. Bis zur Jahrtausendwende ist geplant, weitere hunderttausend Arbeitsplätze wegzurationalisieren.

Die Vernichtung von Arbeitsplätzen ist eine allgemeine Erscheinung. Dieser Prozeß vollzieht sich nicht nur in der Industrie, sondern auch im Dienstleistungssektor. Auch der Einzelhandel, das Bankwesen, die Post und so weiter müssen Arbeitsplätze streichen, um dem nationalen und internationalen Wettbewerbsdruck gewachsen zu sein.

Mit seinen steuerpolitischen Instrumenten lenkt der Staat die Industriegesellschaft in eine Richtung, in der sie ihre Lebensgrundlagen zerstört.

Die Natur wird verbraucht

Wenn eine Ware oder Dienstleistung besteuert wird, dann führt diese Abgabe zu einer Anpassungsreaktion des Marktes. Das kann – wie im Fall von Alkohol oder Tabak – sinnvoll sein. Die Volksgesundheit kann durch die Lenkungswirkung dieser Steuern verbessert werden. Die Abgabe muß aber eine gewichtige Höhe im Verhältnis zum Realeinkommen erreichen, um die gewollte Lenkungswirkung zu zeigen.

Wird eine produktbezogene Steuer durch die Inflationsrate jedoch ständig entwertet, gleitet sie schrittweise in die Bedeutungslosigkeit ab. Das zeigen insbesondere die historischen Erfahrungen mit dem mengenbasierten Steuersystem, das Ende des 19. Jahrhunderts die Staatskasse füllte. Als Rudimente dieses Steuersystems existieren heute noch fast 200 Bagatellsteuern. Diese Steuern hat man einfach »vergessen«. Ihr Beitrag zum Staatshaushalt wurde infolge der chronischen Geldentwertung so gering, daß sie heute sinnlos geworden sind. Deshalb wurden zum Beispiel die Teesteuer, Salzsteuer und Zuckersteuer vor wenigen Jahren ersatzlos gestrichen.

Der Gesetzgeber verfolgt im Steuerrecht strikt das Nominalprinzip. Es besagt, daß es keine automatische Anpassung von Steuersätzen oder ihren Bemessungsbasen an die Inflationsrate gibt. So ist zum Beispiel das Benzin unter Berücksichtigung der Geldentwertung heute billiger als noch 1950.

Das Nominalprinzip entwertet die Warensteuern. Um die Staatseinnahmen langfristig zu sichern, traten nach dem Zweiten Weltkrieg die Einkommen- und die Mehrwertsteuer ihren Siegeszug an. Diese Steuern sind wertbasiert. Wertbasierende Steuern machen die inflationsbedingte Preissteigerung der Löhne und Gehälter sowie der Waren und Dienstleistungen automatisch mit.

Die Mehrwertsteuer berührt die Unternehmen bekanntlich nicht direkt. Sie ist für die Unternehmen nur ein Nullsummenspiel. Diese Steuer beeinflußt die Wirtschaft aber indirekt durch die Veränderung der Nachfragestruktur. Im Verhältnis zur Kaufkraft der Bürger verteuert die Mehrwertsteuer teure Gebrauchsgüter, die in der Regel einen relativ kleineren Naturverbrauch haben, mehr als die billigen Wegwerfartikel, die in ihrer Masse gerade auf Grund des kostenlosen Naturverbrauchs so billig sind.

Intensivlandwirtschaft kontra Ökolandbau

Bei landwirtschaftlichen Gütern wird dieser Zusammenhang besonders deutlich. Wenn auf dem Markt Nahrungsmittel angeboten werden, die aus dem arbeitsintensiven, aber naturverträglichen Ökolandbau stammen, dann sind sie in der Regel teurer als Nahrungsmittel, die aus der industriellen Landwirtschaft kommen. Der Ökolandwirt trägt nämlich nicht nur die Reproduktionskosten für die verbrauchten Anteile an Kapital und Arbeit. Er reproduziert auch die Naturgrundlagen der landwirtschaftlichen Produktion. Seine Betriebskosten enthalten den vollständigen Aufwand zur Reproduktion aller Produktionsfaktoren. Die Preise seiner Waren sagen die ökosoziale Wahrheit.

Wer beispielsweise auf dem Ökobauernhof Gut Wulksfelde bei Hamburg Rindfleisch kauft, muß für ein Kilogramm das Doppel-

te bezahlen wie im Supermarkt. Dafür wird aber eine ökologische Tierhaltung und gesundes Fleisch garantiert. Die Rinder stehen acht Monate im Jahr auf der Weide und sind garantiert nicht »wahnsinnig«. Im Winter werden die Tiere noch auf Stroh »gebettet«. Die Pflege und Fütterung der Tiere ist arbeitsintensiv. Deshalb benötigt ein Ökobauernhof auch mehr Arbeitskräfte als ein kapitalintensiv wirtschaftender Landwirt. Die Mehrwertsteuer verteuert also die ökologisch produzierten Nahrungsmittel je Nahrungseinheit stärker als die landwirtschaftlichen Billigprodukte.
Die Intensivlandwirtschaft wird außerdem noch hoch subventioniert. Im Jahre 1993 flossen allein in Deutschland 13 Milliarden Mark an Steuergeldern in diese Branche. Wenn die Mittel gerechterweise der alternativen Landwirtschaft gezahlt würden, wären ihre Güter auf dem Markt konkurrenzfähig. Der kapitalintensive Landwirt läßt schwere Technik arbeiten, weil der Naturverbrauch nicht im Preis der Technik sichtbar wird. Dadurch wird aber die Bodenkrume der Äcker zerstört. Der großflächige Technikeinsatz führte in den sechziger und siebziger Jahren zur flächendeckenden »Flurbereinigung« – mit der Folge, daß die Reste naturnaher Biotope zerstört wurden. Der Intensivlandwirt erspart sich außerdem durch den Einsatz von Herbiziden das arbeitsaufwendige Unkrautziehen. Er bestellt die Felder mit Nutzpflanzen in weiträumiger Monokultur. Dabei schafft er für Schadinsekten und Pflanzenkrankheiten günstige Wachstumsbedingungen. Die Schädlinge und Pilzkrankheiten werden dann durch den verstärkten Einsatz von Insektiziden und Fungiziden bekämpft. Dabei wird mehr oder weniger die gesamte naturbelassene Flora und Fauna abgetötet.
Die kapitalintensive Landwirtschaft bezahlt weder die Reproduktionskosten der zerstörten Naturgüter noch die Sanierungskosten des kontaminierten Grundwassers, das durch den Pestizid- und Düngemitteleinsatz vergiftet wird. Diese Sanierungskosten trägt der Staat über die Steuergelder der Bürger. So kostet ein Kilogramm des »Unkraut«-Vernichtungsmittels Atrazin von der Firma Ciba-Geigy den intensiv wirtschaftenden Landwirt

etwa zehn Mark. Wenn dieses Kilogramm ins Grundwasser durchsickert, dann kostet die Reinigung des Rohwassers das Wasserwerk mehr als 150 000 Mark.
Da Atrazin im Verdacht steht, krebserregend zu sein, wurde dieses Herbizid 1991 verboten. Naturschäden treten aber erst nach einer raum-zeitlichen Verzögerung ein. Deshalb fand man noch 1994 Atrazin im Grundwasser. Das Umweltbundesamt untersuchte 14 000 Proben von deutschen Wasserwerken. In 6200 Fällen wurde man fündig, in mehr als 2000 Fällen wurde der staatlich festgelegte Grenzwert, ab dem eine Gesundheitsgefährdung zu befürchten ist, überschritten. Bisher gilt das Produktionsverbot von Atrazin nur für Deutschland. Im Ausland und auf dem Schwarzmarkt kann man das »Unkraut«-Vernichtungsmittel weiterhin kaufen.
Während 1960 ein Kubikmeter Trinkwasser für die privaten Haushalte nur 37 Pfennig kostete, muß der Verbraucher heute schon drei Mark dafür bezahlen. Die Tendenz ist steigend. Die sozialen Kosten, die die privaten Verursacher von Umweltschäden hervorrufen, werden über die Wasserpreise von der Gemeinschaft bezahlt. Die privaten Verursacher sehen deshalb auch keinen Grund, ihr sozial schädliches Handeln einzustellen. Weiterhin werden massenhaft Pestizide und künstliche Düngemittel auf die Felder gebracht, ohne daß die intensive Landwirtschaft für die externen Folgeschäden zur Kasse gebeten wird.
Im Gegenteil! Diese Form der Landbewirtschaftung wird mit fast 50 Milliarden Mark innerhalb der Europäischen Union subventioniert. Die novellierte Pestizidrichtlinie der EU sieht außerdem vor, daß die Hersteller dieser Giftstoffe selbst die Grenzwerte vorschlagen können, um das staatliche Zulassungsverfahren zu beschleunigen. Außerdem erlaubt die »Positiv-Liste«, daß Pestizide, die in einem EU-Land genehmigt wurden, auch in allen anderen EU-Staaten ohne erneute Prüfung verkauft werden dürfen.
Für die Bundesrepublik Deutschland gibt es nur zwei Alternativen: Entweder werden die relativ hohen Reinheitsgrade des deutschen Trinkwassers niedriger angesetzt, oder es werden nacheinander die Wasserwerke geschlossen, die die derzeit gültigen

Grenzwerte infolge der zunehmenden Grundwasservergiftung nicht mehr garantieren können. Im ersten Fall steht die Gesundheit der Menschen auf dem Spiel, im zweiten Fall die Trinkwasserversorgung der Bevölkerung.

Die Energiebilanz der Landwirtschaft

Die landwirtschaftliche Tätigkeit ist eine Primärproduktion. In den Urzeiten der gesellschaftlichen Existenz war das Jagen und Sammeln die Hauptquelle der Energieversorgung der Menschen. Danach verdrängte die neolitische Revolution diese Tätigkeiten aus ihrer zentralen Rolle beim Nahrungserwerb. Ackerbau und Viehzucht bildeten fortan den Mittelpunkt der gesellschaftlichen Aktivitäten. Die Landwirtschaft lieferte die Nahrungsenergie für die Menschen und die Zugtiere, so daß das Handwerk und der Handel in der Folgezeit ihre Energie zu 80 Prozent aus der Landwirtschaft bezogen. Die restlichen 20 Prozent wurden aus anderen Formen der indirekten Solarenergie gedeckt, wie zum Beispiel Schöpfräder, Wassermühlen, Windmühlen und Segelschiffe. Das Verhältnis der Energieeinsatzmengen in der traditionellen Landwirtschaft zu den Energieerntemengen lag in den vorindustriellen Zeitaltern etwa bei 1:10.

Diese Welt mutet uns heute primitiv an. Sie befand sich aber im energetischen Gleichgewicht. Selbst die ersten Maschinen der industriellen Revolution wurden noch mit der Muskelkraft von Tieren oder Menschen bzw. mit der Kraft von Wasserrädern oder Windanlagen angetrieben.

Das änderte sich grundlegend im Lauf des 20. Jahrhunderts. Zuerst wurden die Windmühlen und die kleinen Laufwasserkraftanlagen durch fossile Brennstoffe ersetzt. Windmühlen wurden unrentabel, das Pferdefuhrwerk oder der Ochsenkarren wurden durch den Lastkraftwagen bzw. den Traktor ersetzt.

Selbstfahrende landwirtschaftliche Maschinen bestimmten in der zweiten Hälfte des 20. Jahrhunderts die Arbeit auf den Feldern. Die Landwirtschaft wurde vollständig mechanisiert. Der Maschineneinsatz verlangte sowohl die großflächige Flurbereinigung als auch den massenhaften Einsatz mineralischer Düngemittel und Pestizide. Während die Energieproduktivität der traditionellen Landwirtschaft bei 10 : 1 lag (Energieertrag zum energetischen Aufwand), erreicht die intensive Landwirtschaft lediglich den Faktor 0,1. Die Energieproduktivität der modernen Landbewirtschaftung hat sich also innerhalb eines Jahrhunderts um das Hundertfache verschlechtert. Der Fortschritt der landwirtschaftlichen Massenproduktion wurde mit einem gewaltigen Rückschritt in der Produktivität des Energieeinsatzes erkauft.

Das Verhältnis zwischen dem energetischen Ergebnis und dem energetischen Aufwand beträgt beim intensiven Anbau von Weizen und Kartoffeln je nach Intensität des Maschinen- und Düngemitteleinsatzes zwischen Zwei und Acht. Bei Gemüse verringert sich dieses Verhältnis auf Eins. Holländische Tomaten in riesigen Gewächshausanlagen ganzjährig angebaut, erreichen sogar nur den Faktor 0,01. Im Winter sind mehr als 500 Energieeinheiten nötig, um eine Einheit Lichtenergie in den Tomaten zu binden.

Die holländischen Gewächshäuser werden in der Regel mit Erdgas beheizt. Auf mehr als 1500 ha Gewächshausfläche werden 650 000 Tonnen Tomaten geerntet. Jedes Kilogramm Tomaten verbraucht die Energie von 1,7 kg Steinkohle bzw. von 3,35 m^3 Erdgas. Ein Kilogramm Tomaten hat aber nur 0,5 Megajoule Solarenergie gespeichert. Das entspricht der Energiemenge von 0,017 kg Steinkohle bzw. von 0,0335 m^3 Erdgas. Energetisch ist das mithin ein sehr schlechtes Geschäft, denn das bedeutet, daß die holländische Tomatenproduktion hundertmal mehr Energie investiert, als sie erntet. Diese Art der Produktion ist nur möglich, weil sich der energetische Naturverbrauch überhaupt nicht im Preis der Tomaten widerspiegelt.

Im Verhältnis zu dieser enormen Energieverschwendung liegt die Intensivhaltung von Mastrindern auf der Basis von Kraftfutter mit einem Energieproduktivitätsfaktor von 0,03 noch besser als die Produktion von holländischen Tomaten. Der Faktor von 0,03 weist allerdings ebenfalls auf eine enorme Energieverschwendung hin.

An dieser Stelle sei ausdrücklich darauf hingewiesen, daß hier nicht einer rein vegetarischen Ernährungsweise das Wort geredet werden soll. Die Einschränkung des massenhaften Fleischkonsums in den Industriestaaten würde aber zu einem gewaltigen Anstieg der Energiepro-

duktivität dieser Staaten führen – besonders dann, wenn ökologische Anbaumethoden zum Einsatz kämen. Die ökologische Form der Landbewirtschaftung ist beim Pflanzenbau in der Lage, mit einem Einsatz von einer Energieeinheit mehr als fünfzig Einheiten Solarenergie im Erntegut einzufangen. Auch die Energieproduktivität der Viehhaltung auf Weiden befindet sich noch im positiven Bereich. Im Gegensatz zum intensiven Gemüseanbau und zur intensiven Tierzucht erreicht die extensive Tierproduktion eine Energieproduktivität mit dem Faktor zwei und die ökologisch orientierte Tierhaltung den Produktivitätsfaktor fünf. Die ökologische Form der Tierhaltung ist damit hundertmal energieproduktiver als die der intensiven Landwirtschaft.
Die ökonomische Rentabilität des ökologischen Landbaus bewegt sich dagegen vor dem Hintergrund des naturblinden Markts im kritischen Bereich. Der Widerspruch zwischen der energetischen Produktivität und der ökonomischen Produktivität wird durch die massiven Energiesubventionen noch zusätzlich verstärkt. So braucht die Landwirtschaft – übrigens ebenso wie das Flugwesen – keine Mineralölsteuer zu bezahlen.

Grüne Revolution kontra Saatenvielfalt

In den siebziger Jahren schien es so, als könnte die sogenannte Grüne Revolution den Hunger der Welt beseitigen. Die Grüne Revolution wurde aber um den Preis der Vernichtung der einheimischen Flora und Fauna erkauft. Die ertragreichen Sorten der Industriestaaten brachten anfangs auch außergewöhnlich hohe Erträge, und so kauften die Bauern in der sogenannten Dritten Welt das Saatgut, die Düngemittel und die Pestizide von den Firmenvertretern der Industriestaaten. Indien konnte zum Beispiel seine Weizenproduktion von 1963 bis 1994 von neun auf sechzig Millionen Tonnen steigern. Auch auf den Philippinen stiegen die Reiserträge durch den Anbau von Hochleistungssorten aus den Industriestaaten zwischen 1970 und 1990 um 70 Prozent an. Die Folge war, daß das Angebot auf dem Weltmarkt stieg – und der Reispreis fiel in den Keller. Gleichzeitig wuchs die Nachfrage der

Bauern nach Düngemitteln und Pestiziden. Die Kosten der intensiven Landwirtschaft in den Entwicklungsländern verdreifachten sich, während gleichzeitig die Verkaufserlöse der Bauern trotz erhöhter Erntemengen nicht weiter anstiegen. Statt dessen verringerten sich die realen Einkommen der Bauern um die Hälfte. Noch in den fünfziger Jahren bauten die indischen Bauern mehr als 30 000 verschiedene Reissorten an. Die Vielfalt der dortigen Nahrungspflanzen hatte sich seit Jahrtausenden bewährt. Gegenwärtig werden nur noch etwa 50 Sorten bewirtschaftet. Die neuen Hochleistungssorten sind aber weder an die klimatischen Bedingungen des Subkontinents angepaßt, noch sind sie gegen die dortigen Krankheiten und Schädlinge widerstandsfähig.
Die Grüne Revolution führte auch in den Industriestaaten nicht nur zum Ruin kleiner und mittlerer Bauernwirtschaften. Es kam zur Fusion der Saatgutbranche mit der Chemieindustrie. Die Hochertragssorten wurden fortan mit den notwendigen Düngemitteln und den dazugehörenden Pestiziden in einem Paket verkauft. Die Konzerne Shell und Ciba-Geigy zum Beispiel brachten seit 1970 etwa tausend Saatgutunternehmen unter ihre Kontrolle.
Die Supersorten erwiesen sich im Langzeittest als wenig angepaßt. Sie sind außerdem genetisch instabil. Die Mißernten der Entwicklungsländer häuften sich infolge der geringen Anpassungsfähigkeit der importierten Sorten. Die ertragsärmeren, aber dürrebeständigen und resistenten einheimischen Sorten waren jetzt aber nicht mehr verfügbar. Sie gingen in den Jahren der Grünen Revolution verloren. Das einheimische Saatgut wurde in Hungerszeiten aufgegessen oder verdarb.
Wurden die Entwicklungsländer von Dürrekatastrophen und Hungersnöten heimgesucht, lieferten ihnen die Industriestaaten durch humanitäre Hilfsaktionen Nahrungsmittel und Saatgut. Das führte dazu, daß auch die letzten traditionellen Bauernwirtschaften auf das kostenlose Supersaatgut umsteigen mußten, um den Preisverfall zu kompensieren. Ein Kreislauf der genetischen Selbstzerstörung setzte ein, der gegenwärtig auf Hochtouren läuft.
Die Industriestaaten verdienen daran. Ihre Entwicklungspro-

gramme setzen weiterhin auf die Grüne Revolution. Gleichzeitig sammeln die internationalen Saatgutkonzerne in Zusammenarbeit mit der Biotechnologieindustrie in allen Ländern der Welt Saatgut und Pflanzen für ihre Genbanken und horten so einen Bruchteil des genetischen Potentials der Welt. Das scheint eine uneigennützige und edle Tätigkeit zu sein, die zur Rettung der Artenvielfalt beiträgt. Die Genbanken sind aber bares Geld. Das Geschäft mit den Genen blüht. Die landwirtschaftlichen Hochleistungssorten sind nämlich genetisch instabil. Das kostenlose biologische Material der Entwicklungsländer dient zur genetischen Verbesserung der Hochleistungssorten. Die veränderten Nutzpflanzen werden dann gegen einen Monopolpreis wieder an die Entwicklungsländer verkauft.

Genetisch veränderte Nahrungsmittel kommen auch in den Industriestaaten auf den Markt. Der amerikanische Saatgutmulti Monsanto erhielt im Juni 1996 als erster Großkonzern von der EU-Kommission die Genehmigung zum Verkauf von gentechnisch manipulierten Sojabohnen. Diese Bohnen sind gegen das Herbizid Round-up resistent. Das Totalherbizid, billiger als andere Pflanzenvernichtungsmittel, zerstört jedes pflanzliche Leben mit Ausnahme der Sojabohne. Der Konzern hält das Monopol auf das Saatgut und auf das Herbizid und verkauft beides im Doppelpack.

Der Schweizer Konzern Novartis, der aus der Fusion von Ciba Geigy und Sandoz hervorgegangen ist, will künftig viel Geld mit Mais verdienen. Am Ciba-Mais wurden gleich drei gentechnische Veränderungen vorgenommen. Erstens produziert die Pflanze ein Insektengift gegen den Zünsler – eine Raupenart. Diesem Vielfraß fallen weltweit fast 7 Prozent der Maisernte zum Opfer. Zweitens wurde der gentechnisch veränderte Mais resistent gegen ein Unkrautvernichtungsmittel gemacht, das dieser Konzern herstellt und vertreibt. Drittens enthält der Ciba-Mais eine genetische Information, die Resistenz gegenüber dem Antibiotikum Ampicillin hervorruft. Dieses Antibiotikum wird von Medizinern bei Lungenentzündungen oder bei Diphtherie eingesetzt. Es besteht die Gefahr, daß sich diese Resistenz über das Viehfutter auf

Tiere und Menschen überträgt und die Wirkung des Medikaments verhindert.

Im Juni 1996 scheiterte die Zulassung des Ciba-Mais noch am Protest von dreizehn Umweltministern der Europäischen Union. Es wurde befürchtet, eine Resistenzerscheinung beim Menschen könne den therapeutischen Nutzen wichtiger Medikamente zunichte machen. Die Zulassung auf dem europäischen Markt ist dennoch so gut wie beschlossen, denn die EU-Kommission sprach sich trotz aller Bedenken Ende 1996 einstimmig dafür aus.

Bei der Entwicklung herbizidresistenter Pflanzensorten tut sich der Chemieriese AgrEvo besonders hervor. Das Unternehmen wurde 1994 durch einen Zusammenschluß der Pflanzenschutzsektionen der Pharmakonzerne Hoechst und Schering gegründet. AgrEvo besitzt Anteile an drei großen Saatgutfirmen der Welt. Dazu gehört auch der Kleinwanzlebener Saatzuchtbetrieb, das größte Unternehmen der Branche in Deutschland.

Die Chemiker von Hoechst entwickelten auf der Grundlage einer Mikrobe aus Kamerun das Totalherbizid Basta. Diese Mikrobe enthielt aber nicht nur die genetische Information zur Vernichtung von Pflanzen, sondern auch das Gegenmittel. Die genetische Information zur Produktion des Gegenmittels wurde durch die Biogenetiker des Konzerns in die Erbsubstanz von Mais-, Zukkerrüben- und Rapssorten übertragen. Diese Sorten sind gegen Basta resistent.

Durch die breite Anwendung dieses Herbizids werden große landwirtschaftliche Flächen geschaffen, auf denen nur noch die genetisch veränderten Nutzpflanzen wachsen können. In der Regel gelingt es einzelnen Wildarten, sich nach etwa 15 Jahren an das Herbizid anzupassen. Alle anderen »Unkräuter« werden dann verdrängt oder ausgerottet sein. Gegen die wenigen überlebenden Naturpflanzen muß nach dieser Zeit ein anderes Totalherbizid, zum Beispiel Round-up, eingesetzt werden. Das macht dann den letzten Wildpflanzen endgültig den Garaus.[4]

Das Institut für Pflanzenbau und Pflanzenzüchtung der TU München erhielt nach einem langen Tauziehen schließlich die Genehmigung vom Bundesgesundheitsamt, Freilandversuche

zu starten – trotz des Protests von mehr als 20 000 Bürgern. Die Versuche finden 1997 auf dem Gut Roggenstein statt.
Aus dem massiven Widerstand der Bürger zog der Gesetzgeber seine Lehren: Nach dem neuen Gentechnikgesetz von 1994 werden keine mündlich vorgebrachten Einwände mehr anerkannt. Die Einwendungen der Bürger müssen künftig in schriftlicher Form erfolgen.
Für den pestizidresistenten Raps hat AgrEvo bereits die Zulassung beantragt. Das Unternehmen hofft, die europaweite Zulassung von Basta bereits 1997 zu erreichen. Dazu benötigt der Konzern nur die Genehmigung in einem Land der Europäischen Union.
Auf der einen Seite horten diese Saatgutkonzerne kostenlos das weltweit verfügbare Saatgut, und auf der anderen Seite beschleunigen sie die weltweite Vernichtung der genetischen Naturreichtümer durch ihre Pestizide. Dadurch schaffen sie sich das Monopol für knappe Naturgüter. Es ist ein Geschäft, dessen Renditen in Zukunft durch den Überlebenskampf der Völker und das Elend der Menschheit ins Unermeßliche ansteigen werden.
Im Rahmen der kürzlich abgeschlossenen GATT-Verhandlungen mußten sich auch die Länder des genetischen Ausgangsmaterials verpflichten, nach einer Übergangsfrist die Patente des Nordens zu kaufen. Dann werden die Bauern der Entwicklungsländer dafür Gebühren an die Saatgutfirmen zahlen müssen, die das von ihrem Boden stammende genetische Material manipuliert haben und patentieren ließen. Sie werden sogar dann zur Kasse gebeten, wenn sie das Saatgut für ihren eigenen Bedarf selbst vermehren.
Die instabilen Hochleistungssorten der Industriestaaten verdrängen weltweit die seit Jahrtausenden bewährte Vielfalt der Kulturpflanzen. Die Agrar- und Chemiekonzerne pokern mit der Arche Noah ihrer Genbanken. Wenn die Kühlung dieser Anlagen nur ein einziges Mal ausfällt, sterben auch die letzten Vertreter der biologischen Arten der Welt – ein Irrsinn, der sich unter der Bedingung des naturblinden Weltmarkts auch noch rechnet, weil mit der zunehmenden Knappheit auch der Marktwert der Gene steigt.

1993 wurde ein politischer Therapieversuch unternommen: Die Konvention über die biologische Vielfalt trat in Kraft. Sie wurde bisher von 110 Staaten ratifiziert. Diese Konvention gesteht den genetischen »Geber«-Ländern einen Vergütungsanspruch durch die industriellen »Nehmer«-Länder zu, die den eingesammelten genetischen Reichtum vermarkten. Die bereits vorhandenen Sammlungen der Genbanken bleiben durch eine Klausel der Konvention davon allerdings unberührt. Unter diese Klausel fallen allein in den Genbanken Deutschlands 160 000 verschiedene Samenproben aus aller Welt. Weltweit wurden etwa vier Millionen Genmuster von den Zahlungen ausgenommen.

Die Entwicklungsländer beginnen langsam, aus den Fehlern der Vergangenheit zu lernen. Einige besinnen sich wieder auf ihre bewährten landwirtschaftlichen Traditionen. Die verfügbaren traditionellen Sorten werden wieder genutzt. Deren Erträge sind zwar oft geringer, dafür aber sicherer und vor allem billiger. Insgesamt ist das Verhältnis zwischen dem sozialen Aufwand und dem Ernteergebnis günstiger als bei den Hochleistungssorten der Industriestaaten. Die einheimischen Sorten sind das Ergebnis eines jahrtausendealten Selektionsprozesses, der erst in den vergangenen Jahrzehnten unterbrochen wurde.

Die Züchtungsergebnisse, die Kleinbauern mit ihren traditionellen Sorten erreichen, sind oft erstaunlich. Das zeigte sich zum Beispiel in der äthiopischen Provinz Shewa. In Shewa wurde durch die Selektion von Saatgut der Hirseart Tef eine Sorte gezüchtet, die nicht nur einen relativ hohen Ertrag hat, sondern auch noch anspruchslos und resistent gegen Krankheiten ist.

Das kreative Kapital wird bestraft

Die Besteuerung des Kapitals führt zur künstlichen Verteuerung dieser Quelle gesellschaftlichen Reichtums. Das Urteil des Bundesverfassungsgerichts aus dem Jahre 1996, mit dem die Vermögensteuer als eine Form der Kapitalbesteuerung abgeschafft werden soll, trägt dieser Tatsache Rechnung. Die ertragsunab-

hängige Substanzsteuer in Form der Gewerbekapitalsteuer soll ebenfalls gestrichen werden. Außerdem wird darüber diskutiert, ob nicht auch die Gewerbeertragssteuer abgeschafft werden kann.
Die Gewerbeertragsteuer bestraft die Produktivität des Kapitals. Je mehr Erträge durch Kapitalanlagen erwirtschaftet werden, desto mehr muß an den Staat abgeführt werden. Das untergräbt die Investitionsfreudigkeit der Wirtschaft, das Kapital wandert ab. Damit beraubt sich der Staat gleich doppelt seiner eigenen Steuergrundlage: ins Ausland abgewandertes Kapital kann nicht mehr besteuert werden, und Arbeitsplätze im Lande, Basis der Lohn- und Einkommensteuer, gehen verloren. Statt dessen sollte der Staat gerade an der Investitionskraft der privaten Wirtschaft zur Vermehrung des gesellschaftlichen Reichtums interessiert sein. Der »Arbeitskreis Konsumorientierte Neuordnung des Steuersystems« [KNS] empfiehlt deshalb, die Zinserträge und die Kapitaleinkommen nicht der Einkommensteuer bzw. der Kapitalertragsteuer zu unterwerfen.

Das Rentenproblem

Der Kapitalertrag ist bekanntlich eine Quelle künftiger Investitionen. Mit der Kapitalertragsteuer greift der Fiskus die privaten Ersparnisse der Bürger für die private Altersversorgung an. Zur Entlastung der öffentlichen Kassen sind aber gerade eine private Altersversorgung und entsprechende steuerliche Entlastungen beim Ansparen nötig. Genauso sollten auch die Abgaben zur staatlichen Rentenversicherung von der Lohn- und Einkommensteuer befreit werden. Wenn der Sonderausgabenabzug nicht greift, erhöht diese Steuer die Sozialabgaben noch zusätzlich.
Die Rentenbeiträge fließen auf dem Wege der direkten Umverteilung in die Taschen der Rentner. Für diese Einnahmen brauchen die Rentenempfänger bislang keine Steuern zu zahlen, denn das Rentengeld wurde bereits bei der abgabepflichtigen erwerbstätigen Bevölkerung besteuert. Gerade darin besteht aber die

Ungerechtigkeit. Da die Lebenszeit der einzelnen Rentenzahler unterschiedlich lang ist, zahlt derjenige, der zu früh stirbt, doppelt. Auch die Erben des früh Verstorbenen sehen das eingezahlte Geld nicht wieder. Deshalb forderte das Bundesverfassungsgericht bereits 1980 eine Neuordnung der Rentenbesteuerung. Nicht mehr die Rentenbeiträge sollten besteuert werden, sondern die gezahlten Renten. Die Rentenbeiträge sollten dagegen vollständig von der Steuer abgesetzt werden können.

Die Besteuerung von Einkommen

Das Einkommen zu besteuern ist wirtschaftlich schädlich. Statt sich auf die Einnahmeseite der Bürger zu konzentrieren, sollte der Fiskus vielmehr die Ausgabenseite der Bürger in eine sozial und ökologisch sinnvolle Richtung lenken. An die Stelle direkter Lohn- und Einkommensteuern sollten indirekte Verbrauchsteuern treten, wie zum Beispiel Naturverbrauchsteuern und die Mehrwertsteuer. Die Bürger haben dann die Möglichkeit, die Last ihrer Steuerabgaben durch ihr Kaufverhalten aktiv zu beeinflussen.

Die Umsetzung der jüngsten steuerpolitischen Entscheidung des Bundesverfassungsgerichts ist aber nur unter der Bedingung sinnvoll, daß das gesamte Steuersystem reformiert wird. Insellösungen dieser oder jener Art wirken meist destruktiv.

Wenn nämlich nur die Besteuerung des Kapitals gestrichen wird und der Fiskus das fehlende Geld durch die Erhöhung der Lohn- und Einkommensteuer wieder hereinzubringen versucht, werden die Arbeitskräfte noch teurer, die Technik wird im Verhältnis dazu noch billiger, die Massenarbeitslosigkeit beschleunigt sich.

Die Umsetzung der Entscheidung des Bundesverfassungsgerichts führt nur dann zu einer sozialen Gesundung der Volkswirtschaft, wenn das Steuersystem auch ökologisch reformiert wird. Erst dann, wenn die Reproduktionskosten der verbrauchten Naturgüter im Preis der Waren und Dienstleistungen enthalten sind, stimmt auch das Kosten-Nutzen-Verhältnis zwischen den Produktionsfaktoren Kapital und Arbeit. Bei einer gewichtigen Naturverbrauchsteuer könnten die Steuern für Kapital und Arbeit ganz gestrichen werden.

Die Lohnnebenkosten sowie die Gewerbe- und Kapitalsteuern sollten bei einer ökosozialen Steuerreform als erste in dem Maße entfallen, wie die Staatseinnahmen aus einer ökologisch orientierten indirekten Steuer auf fossile Brennstoffe und auf Kernenergie zu sprudeln beginnen. Dadurch wird die Investitionsfreudigkeit des Kapitals erhöht, und Arbeitsplätze werden geschaffen. In der nächsten Stufe sollten alle anderen direkten Steuern eliminiert werden, zu denen auch die Lohn- und Einkommensteuern gehören.

Es gibt noch einen weiteren Grund dafür, daß eine einseitige Streichung oder Kürzung der Kapitalbesteuerung bei unserem gegenwärtigen Steuersystem die ökosozialen Marktverzerrungen nur noch vergrößert. Auf dem Markt sind alle Faktoren der Produktion gleichgestellt. Auf der Kostenseite zählt nur der Kostpreis. Das fixe Kapital bezahlt aber nicht nur seinen Naturverbrauch nicht, die Maschinen können nach ihrer Abschreibung auch bedenkenlos verschrottet werden. Im besten Falle werden sie als Schrott in den stofflichen Verwertungsprozeß einbezogen.

Arbeitskräfte lassen sich nicht verschrotten. Man kann sie auch nicht »demontieren«, um die funktionsfähigen Teile zu einem arbeitsfähigen Organismus zusammenzusetzen. Die Erwerbstätigen haben nach einer angemessenen Lebensarbeitszeit als produktive gesellschaftliche Subjekte ein Recht auf eine gesicherte Existenz im Alter. Die Sozialbeiträge verteuern aber auf den unterschiedslosen Produktionsfaktorenmärkten die Kosten der Arbeit. Damit entsteht ein weiteres Kostenungleichgewicht zum fixen Kapital. Wenn das fixe Kapital den gleichen Kostenbelastungen unterworfen wäre, dann müßten bereits zur »Lebenszeit« der Maschine die Museumskosten zur Wartung und Stationierung in den Kostpreis dieses Produktionsfaktors eingehen.

Die Arbeit ist auf dem Markt der Produktionsfaktoren gegenüber dem Kapital kostenmäßig stark benachteiligt. Es wäre deshalb nur gerecht, wenn auf der einen Seite der Naturverbrauch des fixen Kapitals durch eine Naturverbrauchsteuer bezahlt werden muß und wenn auf der anderen Seite die Besteuerung der Arbeit und die Sozialbeiträge gestrichen werden. Die Naturverbrauchsabgaben sollten die Steuerbasis einer ökosozialen Marktwirtschaft bilden.

Das Kriterium für die Reformierung des gesamten Steuersystems muß darin bestehen, die Freisetzung gebundener Energie zu besteuern und die Bindung freier Energie zu entlasten. Wenn die Naturverbrauchsteuern im Lauf der Zeit nicht in der Lage sein sollten, die Löcher im Staatshaushalt zu stopfen, dann kann man mit relativ ruhigem Gewissen den Weg zu weiteren Verbrauchsteuern öffnen. Das kann zum Beispiel die Mehrwertsteuer sein. Alle Waren und Dienstleistungen sind gegenständliche Formen gebundener Energie. Der Verbrauch dieser Güter setzt die gebundene Energie wieder frei. Die Freisetzung der gebundenen Energie führt zu entropischen Verlusten. Die Mehrwertsteuer wirkt dem verschwenderischen Konsum entgegen, vorausgesetzt, es gibt gleichzeitig auch eine Abgabe auf den Naturverbrauch. Wegwerfprodukte werden dann nicht mehr gewinnbringend verkauft werden können. Dagegen führt eine Primärenergiesteuer auf gebundene Energie in Kombination mit der Mehrwertsteuer zur Erhöhung der Langlebigkeit der Produkte, die wiederum den Dienstleistungssektor und die Kreativität der Gesellschaft fördert.

Die Besteuerung von Produkten setzt allerdings voraus, daß das inflationsabhängige Nominalprinzip im deutschen Steuerrecht endlich auf den Kehrichthaufen der Geschichte geworfen wird. Die Mehrwertsteuer hat demgegenüber den Vorteil, sich automatisch der Inflationsrate anzupassen. Sie dürfte allerdings nur von solchen Gütern erhoben werden, bei deren Gebrauch gebundene Energie freigesetzt wird. Die Bindung freier Energie muß auch hier steuerfrei bleiben.

Realpolitik und Umweltschutz

Seit einem Vierteljahrhundert bemüht sich die Umweltpolitik vergeblich, die wachsenden Umweltprobleme mit administrativen politischen Mitteln zu lösen. Schon nach einem Jahrzehnt stellte sich heraus, daß die Kosten zur Erreichung der gewünschten Umweltentlastung durch das Auflagenprinzip doppelt so groß sind wie bei Umweltabgaben. Der bürokratische Aufwand und die Vollzugsdefizite stiegen mit jeder neuen Auflage an. Bei der heutigen Regelungswut der Umweltbehörden sind sowohl die Wirtschaft als auch die Behörden völlig überfordert.
Der Umweltschutz kann zwar nicht auf das Ordnungsrecht verzichten, wenn es um die Schaffung von Rahmenbedingungen der Marktwirtschaft geht. Es kann aber nicht sein, daß die Umweltbehörden mehr als 80 Prozent aller umweltpolitischen Regelungen durch Auflagen zu lösen versuchen. Der Umweltschutz nach dem Auflagenprinzip kommt die Volkswirtschaft sehr teuer zu stehen. Der Nutzen dieser Maßnahmen steht, verglichen mit anderen umweltpolitischen Instrumenten, in keinem Verhältnis zu den Kosten.
Das Nutzen-Aufwand-Verhältnis ist bei Abgaben in der Regel wesentlich besser als bei Auflagen. Umweltabgaben erhöhen das Eigeninteresse der Wirtschaft am Schutz der Umwelt.
Es gibt verschiedene Formen der Umweltabgaben. Umweltsonderabgaben bilden zum Beispiel Sonderfonds, die nur für bestimmte Umwelttatbestände von den »Umweltsündern« eingefordert und auch nur für die Eindämmung des Umweltschadens ausgegeben werden dürfen. Das klingt gut. Aber genau hier liegt der Pferdefuß. Sonderabgaben erhöhen nämlich die Abgabenlast der Bürger, ohne ein Bestandteil des Staatshaushalts zu sein. Deshalb können sie keine gewichtige Abgabenhöhe erreichen, ihre Lenkungswirkung bleibt gering.
Steuern sind eine andere Form der Abgaben, die auf der Einnahmenseite des Staatshaushalts verbucht werden, ohne daß der Staat dafür eine konkrete Gegenleistung erbringen müßte. Ihr Vorteil besteht darin, daß sie eine gewichtige Höhe erreichen

können. Die Einführung einer gewichtigen Umweltweltsteuer würde aber die Abgabenlast der Bürger erhöhen, wenn sie nicht durch die Senkung anderer Steuern kompensiert wird. Dabei kann man zwei Fliegen mit einer Klappe schlagen. Es ist sinnvoll, durch eine Ökosteuer den Naturverbrauch in den Preis der Waren und Dienstleistungen einzubeziehen und gleichzeitig die Kosten für die Arbeit und das Kapital zu verringern. Das ist die doppelte Rendite der ökosozialen Steuerreform. Es ist der entscheidende Schritt zum Schutz der Umwelt und gleichzeitig ein durchschlagendes Arbeitsbeschaffungsprogramm. In diesem Fall würden die Güterpreise die ökosoziale Wahrheit sagen. Die Bürger wären dann nicht nur über die Marktpreise richtig informiert, sondern automatisch gezwungen, sowohl ökologisch als auch sozial richtig zu handeln.

Die politische Realität weist allerdings in eine andere Richtung. 1985 purzelten die internationalen Rohölpreise in den Keller. Das OPEC-Kartell wurde durch die vereinigte Energielobby der Industriestaaten zerschlagen. Die realen, das heißt die inflationsbereinigten Energiepreise liegen inzwischen wieder auf dem Niveau des Jahres 1970. In den Industriestaaten sind aber die realen Einkommen der Konsumenten im selben Zeitraum bedeutend angestiegen. Die Energieausgaben belasten deshalb die Konsumenten dieser Staaten heute weit weniger als noch vor einem Vierteljahrhundert. Es gibt also derzeit keinen wirtschaftlichen Grund zum Energiesparen.

Der Weltmarktpreis für ein Barrel (159 Liter) Erdöl sank von 42 US-Dollar im Jahre 1980 auf 15 Dollar zu Beginn des Jahres 1995. Damit suggerierte der Preis als Knappheitsanzeiger des Erdöls den Verbrauchern, daß sich die Weltvorräte in dieser Zeit fast verdreifacht hätten.

Ein Gutachten des Baseler Prognos Instituts für das Bonner Wirtschaftsministerium aus dem Jahre 1996 weist darauf hin, daß die Preissignale des Energiemarkts derzeit in Richtung erhöhter Verschwendung gehen. In der fast 400 Seiten umfassenden Expertise des Instituts gehen die Wissenschaftler sehr hart mit der deutschen Energiewirtschaft ins Gericht. Der gegenwärtige Um-

gang mit Energie ist danach völlig inakzeptabel. Die negativen externen Effekte infolge des verschwenderischen Umgangs mit Energie führen zu einem verdeckten kollektiven Enteignungsprozeß. Die Energiekonsumenten von heute leben diesem Gutachten zufolge auf Kosten künftiger Generationen. Der Effizienzanspruch der Marktwirtschaft kehrt sich ins Gegenteil um. Die Wissenschaftler kommen zu dem Schluß, daß ein sofortiger und drastischer politischer Handlungsbedarf gegeben ist.
Es wurde auch gehandelt. Auf die jüngste Preisentwicklung des Weltenergiemarkts reagierten Politiker in einer verblüffend einfachen Weise, indem die Veröffentlichung der amtlichen Berichte zur rationellen Energieverwendung eingestellt wurden.
Das Denk-Handeln vieler politischer Repräsentanten des Volkes reicht oft nicht weiter als von einem politischen Tag zum anderen. Zieht sich die SPD ebenfalls entgegen früheren Willensbekundungen aus der energiepolitischen Diskussion zurück? In ihren energierelevanten Vorschlägen von 1996 verzichtete sie zum Beispiel auf die Forderung nach Einführung einer Primärenergiesteuer und spricht nur noch vage über eine mögliche Stromsteuer. Hermann Scheer, der Präsient der European Solar Energy Association EUROSOLAR, tritt dennoch ungebrochen für eine konsequente Solarpolitik in seiner Partei ein. In dem Buch *Sonnenstrategie – Politik ohne Alternative* verweist er auf die Notwendigkeit und Machbarkeit einer vollständigen solaren Energieversorgung im kommenden Jahrhundert.
Die FDP schlug 1996 eine ökologische Steuerreform im Gewand einer erhöhten Mehrwertsteuer auf Energie vor. Für die Unternehmer ist die Mehrwertsteuer ein durchlaufender Posten. Wegen des Vorsteuerabzugs werden sie durch das Nullsummenspiel der Mehrwertsteuer nicht berührt. Trotzdem ist der FDP-Vorschlag besser als gar keiner. Das Steuersignal zum Energiesparen greift bei der vorgeschlagenen Anhebung der Mehrwertsteuer für Mineralöl, Erdgas, Heizöl und Strom zwar nur für die Haushalte. Aber auch das ist dringend nötig, denn die Masse der klimaschädlichen Treibhausemissionen entsteht immer noch beim Heizen der Wohnungen und im Straßenverkehr. Solange sich die

Endenergie nicht verteuert, werden Häuser mit geringerem Heizöl- oder -gasbedarf bzw. spritärmere Autos nicht nachgefragt.
Der Energieverbrauch in den Haushalten steigt seit Jahren an. Die realen Energiepreise dagegen sacken im Verhältnis zur Kaufkraft in den Keller. Der FDP-Vorschlag zur Anhebung der Mehrwertsteuer für Endenergie würde also die richtigen Signale in der richtigen Bevölkerungsgruppe setzen. Indirekt würden auch die wirtschaftlichen Aktivitäten der Unternehmer durch die Energie-Mehrwertsteuer beeinflußt, da das Kaufverhalten der Konsumenten den Markt auf energiesparende Produkte orientiert. Damit zwingt die veränderte Nachfrage auch das unternehmerische Angebot zu ökologischen Anpassungsreaktionen.
Auf der Ausgabenseite sieht der FDP-Vorschlag vor, die Unternehmer durch die Senkung der Lohnnebenkosten und der Einkommensteuer sowie der Körperschaftsteuer zu entlasten. Damit erhält die Wirtschaft ein Doppelgeschenk: Die Senkung der Kosten für den Produktionsfaktor Kapital in Form der verringerten Körperschaftsteuer und die Senkung der Abgabenlast für den Produktionsfaktor Arbeit in Form geringerer Lohnnebenkosten sollen die Standortbedingungen für die deutsche Wirtschaft verbessern.
Bündnis 90/Die Grünen halten nach wie vor die energiepolitische Steuerfahne mit ihrer Forderung nach einer gewichtigen Primärenergiesteuer hoch. Sie wollen das Steueraufkommen ohne Mehrbelastung der Wirtschaft zugunsten der Entlastung der Arbeit umverteilen. Es sind sogar aufkommensneutrale Rückverteilungen im Programm zur »Ausgestaltung der Anpassungshilfen für energieintensive Branchen« im Gespräch, um den Einstieg in die Ökosteuer zu erleichtern.[5] Die Durchsetzung dieses energiepolitischen Programms würde den Geburtsfehlern der Marktwirtschaft entgegenwirken. Doch gerade daran sind viele Produzenten und Konsumenten nicht interessiert. Sie leben heute viel billiger auf Kosten der Überlebenschancen künftiger Generationen.
Ein Umschwung in der geistigen Haltung der Marktsubjekte erfolgt wahrscheinlich erst dann, wenn die gesellschaftliche Existenz unmittelbar bedroht ist. In diesem Fall werden auch die

starken Parteien ihr Programmfähnlein in den politischen Wind hängen. Es muß wohl erst zu ökosozialen Zusammenbrüchen der freiheitlich-demokratischen Ordnung kommen, bis das System merkt, daß etwas schiefläuft. Ob es dann politisch richtig handelt, ist allerdings sehr fraglich.

Am Beginn einer ökologischen Steuerreform muß die Frage beantwortet werden, welche Naturgüter sinnvollerweise besteuert werden müssen und welche nicht. Das Ziel der Umsteuerung besteht in der Erzeugung ökosozialer Gewinne. Der Weg dahin ist weit. Viele Steine sind noch wegzuräumen. Ein riesiger Brocken auf diesem Weg sind die Subventionen des Naturverbrauchs. Wenn diese Subventionen nicht abgeschafft werden, braucht man mit einer ökosozialen Steuerreform gar nicht erst anzufangen. Die richtige Schrittfolge entscheidet auch hier über den Erfolg. Doch bevor das Richtige getan wird, müssen erst einmal die politischen Fehlentscheidungen der Vergangenheit revidiert werden. Dazu gehört der endgültige Abschied von den Allmachtsphantasien der energetischen Nutzung der Atomkraft in Gestalt von Kernspaltung und Kernfusion.

Kernenergie – Ausweg ins Aus?

Die Notwendigkeit einer besseren Energienutzung zeigt sich überall auf der Welt. Das reale Wachstum der Wirtschaft betrug 1996 in China über 9 Prozent, in Thailand und Malaysia etwa 8 Prozent, in Indonesien, Südkorea und Singapur 7 Prozent, in Taiwan 6,5 Prozent und in Hongkong, Indien und auf den Philippinen 5,5 Prozent. Der Energiehunger der Entwicklungsländer wächst von Jahr zu Jahr. Einige Länder versuchen ihr Energieproblem durch den Bau von Atomkraftwerken zu lösen. Wenn es nach den Regierungsprogrammen von Pakistan, Indien, Indonesien, China und Korea geht, soll die Kapazität ihrer Atomkraftwerke vervierfacht werden. Zählt man die Vorhaben Japans dazu, das mit seinen 47 Atomreaktoren jetzt schon 31 Prozent seines Strombedarfs deckt, dann ist eine Erweiterung von derzeit

59 000 Megawatt Atomstrom auf fast 100 000 Megawatt bis zum Jahr 2005 geplant. Darüber freut sich natürlich die Atomlobby in den Industriestaaten.
Die Kernenergie ist aber nicht nur eine gefährliche Energiequelle. Sie ist auch eine sehr teure Form der Energiewandlung. Die Summe der internen und externen Kosten ist von der Gesellschaft kaum zu bezahlen.
In der Bundesrepublik Deutschland brauchten Preußen-Elektra und das Rheinisch Westfälische Elektrizitätswerk [RWE] als Betreiber der Atomkraftwerke bisher nur für sechs Jahre im voraus den Behörden mitzuteilen, wo sie ihren lebensgefährlichen Atommüll innerhalb dieses Zeitraums aufbewahren wollen. Atommüll emittiert seine tödlichen Strahlen aber nicht nur sechs Jahre, sondern viele Jahrtausende lang.
Die Novellierung des Atomgesetzes von 1994 bestimmt im Paragraphen 9a, daß die Betreiber von Atomanlagen dafür zu sorgen haben, daß anfallende radioaktive Reststoffe schadlos verwertet oder als radioaktive Abfälle geordnet beseitigt werden. Leben, Gesundheit und Sachgüter sollen nach diesem Paragraphen vor den Gefahren der Kernenergie und der schädlichen Wirkung ionisierender Strahlung geschützt werden.
Die Hoffnung der Betreiber von Kernkraftanlagen, ihre alten Brennstäbe in der Wiederaufarbeitungsanlage [WAA] im bayerischen Wackersdorf verwerten zu können, wurde 1990 begraben. Die Wiederaufarbeitung ausgebrannter Kernbrennstäbe war zuvor zwei Jahrzehnte lang in der Karlsruher Forschungsanlage »geübt« worden. Dann wurde auch diese Anlage geschlossen. Der »Spaß« kostete die Steuerzahler mehrere Milliarden Mark. Die Uranverarbeitung und die Herstellung von Plutonium-Brennelementen erwiesen sich auch in Hanau als Flop. Die bereits vorgenommenen Investitionen in Milliardenhöhe bezahlten die Stromkunden. Der milliardenschwere schnelle Brüter, der in Kalkar gebaut werden sollte, mußte ebenfalls aufgegeben werden.
Auch nach einem halben Jahrhundert Kernenergienutzung ist das Problem der »geordneten Beseitigung« der radioaktiven Abfälle ungelöst. Das deutsche Atomgesetz trägt dieser Sachlage

Rechnung, indem es von einer »Entsorgungsvorsorge« durch die Betreiber von Atomanlagen spricht, deren Grundsätze 1980 festgelegt wurden. Danach müssen die Brennelemente durch die Betreiber der Atomkraftanlagen »in ein für diesen Zweck geeignetes Lager mit dem Ziel ihrer Verwertung durch Wiederaufarbeitung oder ihrer Behandlung zur Endlagerung oder Wiederaufarbeitung« gebracht werden. Bis auf den heutigen Tag allerdings ist kein Betreiber deutscher Atomkraftwerke in der Lage, den Nachweis zu erbringen, was mit dem Atommüll künftig geschehen soll. Es gibt weder die Möglichkeit der Verwertung durch Wiederaufarbeitung noch der Endlagerung in Deutschland. Die Wiederaufarbeitung findet deshalb im Ausland statt.

In Frankreich und in Großbritannien werden die deutschen Brennstäbe »aufgearbeitet«. Bei der Wiederaufarbeitung der Brennstäbe entsteht neben dem wirtschaftlich unverwertbaren Rest-Uran und dem supergiftigen Atombombenmaterial Plutonium noch eine große Menge an Atommüll mit schwacher und mittlerer Radioaktivität. Die deutsche Seite hat sich in den Verträgen mit Frankreich und England verpflichtet, den aufgearbeiteten Atommüll mit Ausnahme des Plutoniums zurückzunehmen. Für die »Verwertung« des Plutoniums sorgen Frankreich und England selbst: Sie verwenden es für ihre Atombomben.

Im Castor-Behälter wurden 1996 die ersten Rücktransporte des »deutschstämmigen« Atommülls aus Frankreich zum Zwischenlager Gorleben durchgeführt. Der wachsende Unwille und Widerstand der Atomkraftgegner kostete die niedersächsische Regierung 30 Millionen Mark allein zur Bezahlung des Polizeiaufgebots. Auf Dauer kann und will sie sich das nicht leisten.

Insgesamt bleibt in diesem Zusammenhang festzustellen, daß weder die Verwertung noch die Entsorgungsvorsorge des Atommülls gewährleistet werden können. Genau das waren aber die Voraussetzungen für den Betrieb deutscher Atomkraftwerke, wie sie im Atomgesetz festgeschrieben wurden.

Es gibt auf der ganzen Erde noch kein ungefährliches Endlager für den Atommüll aus Kernkraftwerken. Dagegen scheint das Militär in einigen Staaten bereits eine Lösung gefunden zu haben.

Die Russen zeigten der Welt, wie das Problem aus den Augen geschafft werden kann.

Die ehemalige Sowjetunion versenkte zum Beispiel dreizehn atomare Schiffsreaktoren in der Karasee des Nordpolarmeeres. In der Barentsregion wurden außerdem 135 Reaktoren von 71 ausgemusterten Atom-U-Booten in ungesicherten alten Frachtschiffen »für immer« eingelagert. Im April 1989 sank das größte Jagd-U-Boot aller Zeiten in der nördlichen Barentssee. An Bord waren zwei natriumgekühlte 100-Megawatt-Reaktoren sowie tonnenweise Uran. Es wird auch damit gerechnet, daß bei diesem Schiffsunglück sechs Kilogramm des supergiftigen Bombenmaterials Plutonium mit an Bord waren. Die ehemalige Sowjetunion hat in der Zeit zwischen 1966 und 1991 auch das Japanische Meer als »Atomklo« mißbraucht. Dort wurden an zehn verschiedenen Stellen radioaktive Abfallcontainer versenkt.[6]

Die Japaner und die Skandinavier warten nun voller Angst darauf, daß die versenkten Container und Schiffe durch die fortschreitende Korrosion der Außenwände dieser Großbehälter und durch die Tiefenströmungen leckschlagen. Die Meeresströmungen verteilen dann die gefährliche Fracht rund um den Globus.

Die Umweltverschmutzung in den Ländern der ehemaligen Sowjetunion ist verheerend. Aus dieser Tatsache wird aber gegenwärtig noch internationales Kapital geschlagen. Die Zahlungsschwäche der GUS-Staaten und das relativ schwach entwickelte Umweltbewußtsein der Bevölkerung ermöglicht es den neuen Führungskräften, die alte »Umweltpolitik« weitgehend fortzusetzen. Es besteht die Gefahr, daß die Nachfolgestaaten der ehemaligen Sowjetunion gegen Devisen zur Müllkolonie der westlichen Welt werden. In der Zeit von 1987 bis 1993 gab es nach einer Studie von Greenpeace insgesamt 74 registrierte Versuche nichtrussischer Firmen, die insgesamt 34 Millionen Tonnen radioaktive und andere gefährliche Sonderabfälle in diese Staaten transportieren wollten. Der größte Teil dieser Schiebereien konnte durch die Behörden und den öffentlichen Protest verhindert werden. Mehr als 50 Prozent der registrierten Versuche und 82 Prozent der angebotenen Sondermüllmengen stammten aus Deutschland.[7]

In den USA, wo 110 Atomkraftwerke 20 Prozent des US-amerikanischen Strombedarfs decken, wurde der letzte Reaktor im Jahr 1978 geordert. Obwohl die Sicherheit der Atomkraftwerke in den USA kein öffentliches Diskussionsthema ist, will kein Bundesstaat auf seinem Territorium ein Endlager für den Atommüll haben.
Die Aufnahmekapazität der amerikanischen Kühlwasserbassins ist weitgehend erschöpft. Diese Bassins dienen als zeitweilige Zwischenlager. Sie wurden in den jeweiligen Kernkraftwerken vor Jahren als Provisorien eingerichtet – bis ein geeignetes Endlager gefunden wäre. In den US-amerikanischen Zwischenlagern befinden sich bereits 30 000 Tonnen ausgebrannte Reaktorbrennstäbe und andere hochradioaktive Abfälle. Jedes Jahr kommen weitere 2000 Tonnen hinzu. Um die Kosten für ein Endlager bezahlen zu können, wurde 1982 in den USA ein Fonds geschaffen. Dieser Fonds des Department of Energy umfaßt bereits zwölf Milliarden Dollar. Aber auch für die vielen hunderttausend Tonnen schwach radioaktiven Mülls gibt es noch kein Endlager.
Zu den Kosten für den Atomstrom müssen auch die Rückbaukosten für die Entsorgung ausgedienter Kernkraftwerke gerechnet werden. Dieses Problem macht besonders Frankreich zu schaffen. Die 54 französischen Reaktoren produzieren 81 Prozent der nationalen Stromnachfrage. Nach den Erdölkrisen von 1972/73 und von 1978 wollte das Land seine Energiebasis vom Weltmarkt unabhängig machen. Der Bau von Atomkraftwerken wurde mit massiven staatlichen Subventionen gefördert. Die Kosten dafür beliefen sich auf etwa 900 Milliarden Francs bzw. 265 Milliarden Mark. Bis 1998 sollen vier weitere Atomreaktoren ans Netz gehen.
Doch auch in Frankreich wurde 1987 der letzte Atomreaktor geordert. Das Land erzeugt heute viel mehr Strom, als es benötigt. In der Planungsphase ging man nämlich von einem ständig steigenden Strombedarf aus. Die »International Energy Agency« [IEA] weist dagegen heute für Frankreich eine Überkapazität von mindestens fünf Reaktoren aus. Zu diesen fünf Reaktoren müssen eigentlich noch die zehn Reaktoren gezählt werden, die ihren Strom ins Ausland exportieren.
Die großen Atompläne Frankreichs erweisen sich volkswirt-

schaftlich unter dem Strich als ineffizient. Das trifft insbesondere auf den Superphénix von Creys-Malville zu. Frankreichs schneller Brüter kostete in den vergangenen 20 Jahren umgerechnet zwölf Milliarden Mark. Ständige Havarien ließen dieses »High-Tech-Wunder« bislang weniger als ein Jahr lang Strom liefern. Auch als Forschungsreaktor soll er nach Auffassung einer von der Regierung eingesetzten Wissenschaftskommission nicht taugen. Der Abriß dieses Monstrums wird ein Vielfaches der bisher investierten Summe verschlingen.[8]

Der Kostpreis für Atomstrom wird in Form von »Referenzkosten« vom französischen Industrieministerium festgelegt. Diese willkürliche Preisfestlegung ähnelt stark der Aushebelung des Marktes durch die Preiswillkür des realexistierenden Sozialismus.

Die französischen Schätzungen für den Rückbau ausgedienter Kernkraftwerke beliefen sich im Jahre 1974 auf 15 Prozent der gesamten Baukosten des Reaktors. Seit dieser Zeit wurde diese staatliche Kostenfestlegung wider besseres Wissen nicht revidiert. Die Rückbaukosten der Atomkraftwerke betragen heute jedoch mindestens 100 Prozent der ehemaligen Baukosten. Die radioaktiven Bauteile müssen einzeln isoliert in einer Spezialdeponie gelagert und ständig überwacht werden. Würde man diese Rückbaukosten einbeziehen, hätte das direkte Folgen für den Atomstrompreis. Dieser Preis wird beim Exportstrom vom französischen Industrieministerium mit 25 Centimes angegeben. Das sind sieben Pfennig pro kWh.

Frankreich exportierte 1996 etwa 10 Prozent seiner Stromproduktion. Der Exportpreis wird vom französischen Steuerzahler subventioniert. Die tatsächlichen Referenzkosten des Atomstroms betragen mindestens 15 Pfennig pro kWh. Das bedeutet, daß der französische Staat den Exportstrom mit 8 Pfennig je kWh stützt. Diese Kosten werden von der nächsten Generation zu bezahlen sein. Sie fallen spätestens dann an, wenn die Kraftwerke entsorgt werden müssen. Die französischen Behörden wissen das. Deshalb ist auch nicht damit zu rechnen, daß sich die Exportquote des billigen französischen Atomstroms nach der Öffnung des europäischen Energiemarkts nennenswert erhöht.

Atomstrom ist unsicher, gefährlich und teuer. Auch in Großbritannien ist man sich der Gefahr bewußt. Die Privatisierungsbestrebungen der englischen Energieindustrie scheiterten an den Atomkraftwerken. Es fanden sich keine Käufer für das Atomunternehmen British Energy. Das hatte vor allem wirtschaftliche Gründe. Zum einen war den potentiellen Käufern der reale Stromerstellungspreis von Atomstrom zu teuer, und zum anderen war ihnen das Risiko zu groß: Atomkraftwerke (AKWs) werden von der Versicherungsindustrie nicht unter Vertrag genommen. Nach dem verheerenden Unfall in Harrisburg/USA von 1979 erhöhten alle Industriestaaten ihre Sicherheitsanforderungen für AKWs. Die Risikoverminderung erhöhte aber die Stromerstellungskosten der Atomkraftwerke beträchtlich. Deshalb verzichtete Großbritannien im Dezember 1995 auf den Bau des geplanten Atomblocks Sizewell C.
Auch Schweden beginnt, den Beschluß des Schwedischen Reichstags aus dem Jahre 1980 umzusetzen. Das erste Atomkraftwerk soll danach 1998 »entsorgt« werden. Bis zum Jahr 2000 will Schweden von seinen zwölf Reaktoren nur noch höchstens acht am Netz haben. Die verbleibenden Reaktoren sollen dann im Jahr 2010 abgeschaltet werden.
Ungeachtet der Kostenfrage und des Sicherheitsrisikos halten aber Indien, China, Süd- und Nordkorea, Rußland und Taiwan an ihren Atomplänen fest. Der Widerstand aus der eigenen Bevölkerung ist in diesen Ländern noch nicht groß genug. Deshalb arbeiten auch Siemens und Framatome als Produzenten von Atomkraftwerken weiter an der Entwicklung des »sicheren« Druckwasserreaktors. Sie erhalten dafür umfangreiche Forschungsmittel aus den öffentlichen Kassen.
Außerdem wird an der Entwicklung eines Fusionsreaktors geforscht. Fusionsreaktoren sind kleine Sonnen. Die energetische Katastrophe des Kosmos soll auf der Erde wiederholt werden. Der Energieumsatz von Fusionskraftwerken ist zehnmal größer als der von Atomkraftwerken. Die Abwärme beträgt über 70 Prozent. Zur Kühlung dieser künstlichen Sonnen müssen große Flüsse, die Ozeane oder die gesamte Atmosphäre genutzt werden.

Der Treibhauseffekt wird hier durch den Fusionseffekt verstärkt. Die Reaktorwände werden durch die starke Neutronenstrahlung hoch radioaktiv, und sie müssen mehrmals im Jahr ausgewechselt werden. Der radioaktive Müll dieser Kraftwerke übersteigt noch den der heutigen Atomkraftwerke.
Letztlich kann weder der Zubau von großen Wärmekraftwerken noch der Ausbau der Atomkraft den Energiehunger der Welt stillen. Die Lösung besteht vielmehr in der Erhöhung der Energieproduktivität und im allseitigen Ausbau der Solartechnologie sowie der Errichtung von kleinen Kraft-Wärme-Anlagen. Allein Energiesparmaßnahmen (»Nega-Watt-Investitionen«) würden in Deutschland den Verzicht auf mindestens ein Drittel des heutigen Kraftwerkparks erlauben.
Die Subventionsmittel der Europäischen Union für das Fusionsprojekt übersteigen die Fördermittel zur Nutzung der Solarenergie deutlich. Die energiepolitischen Weichen sind eindeutig falsch gestellt. Die umfangreichen Forschungsmittel, die in die Atomforschung investiert werden, fehlen nicht nur in der realen Zukunftsforschung – sie blockieren auch die Entwicklung des Zukunftsstandorts Deutschland.

Parasitär

Wirtschaftssubventionen – die Zeche zahlen die anderen

Die zunehmende Zerstörung der natürlichen Ressourcen bewirkt in der Regel einen Preisanstieg der immer knapper werdenden Naturgüter, auf den die Unternehmen in zwei Richtungen reagieren können: Entweder sie senken den Naturverbrauch je Wert der produzierten Güter, indem sie den wissenschaftlich-technischen Fortschritt optimal nutzen, oder sie nehmen Einfluß auf die Politik, um den Marktpreis als Knappheitssignal der Naturgüter manipulieren zu lassen. Tatsächlich versuchen die Wirtschaftsbranchen mit dem größten Naturverbrauch durch Lobbyarbeit die politischen Weichen so zu stellen, daß die steigenden Kosten ihres Naturverbrauchs in Form von Subventionen durch die Steuergelder der Bürger aufgefangen werden.

Die Subventionierung des Naturverbrauchs verhindert, daß die Marktpreise der Naturgüter den Grad der bisherigen Naturzerstörung signalisieren, und blockiert zugleich die Weiterentwicklung des wissenschaftlich-technischen Fortschritts zur Reduzierung des Naturverbrauchs. Die Subventionierung gleich am Beginn des Wirtschaftsprozesses, beim Ressourcenverbrauch, lenkt nicht nur die wirtschaftliche Aktivität der jeweiligen Branche, sondern auch die aller nachfolgenden Stufen fehl. Genau das ist der Fall bei der direkten oder indirekten Subventionierung des Verbrauchs von fossilen und kernenergetischen Brennstoffen.

Die politisch sanktionierte Beschleunigung der Verschwendung von Naturressourcen durchzieht mehr oder weniger das gesamte Wirtschaftsleben aller Industriestaaten. Die direkte oder indirekte Subventionierung des Naturverbrauchs ist die politische Krankheit der Marktwirtschaft. Diese Krankheit hat weltweite Metastasen. Sie zeigen sich gegenwärtig nicht nur in den Industriestaaten, sondern auch in den aufstrebenden Entwicklungsländern. Dort werden alle Entwicklungsfehler der Industriestaaten wiederholt und ins Extrem getrieben.

Entwicklungsländer

In Indien wird die Landwirtschaft kostenlos mit Strom versorgt. Der kostenlose Stromverbrauch auf dem Land ist natürlich nur in Gebieten möglich, die an das Stromnetz angeschlossen sind. Das sind in der Regel die ländlichen Gemeinden industriell entwickelter Regionen. Der kostenlose Strom verleitet in Indien zum Einsatz großer Bewässerungssysteme, die zu einem groben Mißbrauch der knappen Wasserressourcen führen. Die Subvention fördert die Entwicklung von Großbetrieben, die eine intensive Form der Landbewirtschaftung betreiben – verheerende Natur- und Sozialzerstörung sind die Folge. Die Kleinbauern werden dabei ruiniert. Nach Ansicht indischer Ökonomen sollten die Mittel der staatlich gewährten Stromsubventionen als direkte Beihilfen an die ärmeren Bauern gezahlt werden. Die Landwirtschaft könnte durch diese Investitionshilfe einen wirtschaftlich sinnvollen Entwicklungsimpuls erhalten.

Die indonesische Stadt Jakarta ist mit ihren zehn Millionen Einwohnern ein typisches Beispiel für eine aufstrebende Entwicklungsregion. Die Subventionierung des Naturverbrauchs führt auch hier zur beschleunigten Urbanisierung. Die Wirtschaft dieser Stadt wuchs 1995 mit 8,3 Prozent noch um einen Prozentpunkt schneller als der Rest des Landes. Der Zuwachs des Autoverkehrs beträgt seit Jahren über 10 Prozent mit steigender Tendenz (14 Prozent 1995). Täglich strömen Millionen Pendler aus den umliegenden Städten Bogor, Tangeran und Bekasi in die Metropole. Die Stadtväter von Jakarta rechnen bis zum Jahr 2015 mit einer Stadtbevölkerung von 33 Millionen Menschen. Schon heute verstopft der Verkehrsfluß der wachsenden Autolawine die Straßen.

Die Politiker der Stadt ließen deshalb das Straßennetz ausbauen. Außerdem verbannten sie 1990 die innerstädtischen Fahrradrikschas von den Straßen. Die Indonesier bezeichnen diese muskelbetriebenen Transportmittel des kleinen Mannes liebevoll als Becaks. Um ein »sauberes und würdevolles Jakarta« zu schaffen, ließen die Stadtväter die Becaks ins Meer werfen und durch Tausende Inter-City-Busse ersetzen, die die Innenstadt einnebeln. Ein riesiger Inter-City-Busbahnhof wurde gebaut. Der bisherige Straßenverkehr vergiftet die Luft bereits in einem Ausmaß, daß die Weltgesundheitsorganisation Jakarta zu den vier Großstädten der Welt zählt, deren Atemluft am stärksten mit Blei und anderen Giftstoffen belastet ist.

Die Abwässer der Haushalte Jakartas werden infolge einer fehlenden Kanalisation über Gräben, Kanäle und Flüsse zusammen mit den Abwässern der Industriebetriebe ins Meer geschleust. Das Flußwasser ist im Stadtbereich stärker verschmutzt als das

Abwasser in den unterirdischen Kanalisationen westlicher Industriestädte. Die Korallenbänke in der Jakarta Bay sind heute bereits im Umkreis von vierzig Kilometern abgestorben.
Zugleich erschöpfen sich die Grundwasserreserven. Das unkontrollierte Abpumpen des Süßwassers aus Tiefbrunnen führte dazu, daß jedes Jahr das Salzwasser des Ozeans einen Kilometer weiter landeinwärts ins Grundwasser vordringt. Die Zahl der amtlich genehmigten Brunnenbauten stieg von 13 Tiefbrunnen 1978 auf 2640 Brunnen 1991. Die Zahl der illegal gebauten Brunnen läßt sich heute kaum noch ermitteln. Der Wasserbedarf Jakartas wird sich nach Ansicht der Wasserexperten der Stadt in den nächsten 25 Jahren verdreifachen. Bereits heute existiert ein gravierender Wassernotstand. Trotzdem nutzen etwa 70 Prozent der innerstädtischen Unternehmen das Grundwasser zur Prozeßführung ihrer Produktionsanlagen. Der ständige Verbrauch des Grundwassers ist für die Betriebe der Stadt billiger als der Bau von Reinigungsanlagen und die Mehrfachnutzung des industriellen Brauchwassers.
Die Umweltverschmutzung wächst besonders schnell in den industriell aufstrebenden Entwicklungsländern, und ihre Wachstumsraten übertreffen noch die Bevölkerungsexplosion der Städte dieser Länder. In den nächsten 25 Jahren rechnet man in Indonesien mit einem Wirtschaftswachstum von 300 Prozent. Die Umweltverschmutzung wird in dieser Zeit den Lebensnerv der Stadt zerfressen. Der ehemalige Umweltminister Indonesiens Emil Salim nimmt an, daß Jakarta am Ende des nächsten Jahrhunderts nicht mehr bewohnbar sein wird.
Die sozialen Probleme und die Umweltzerstörungen durch die weltweite Urbanisierung waren auch das Thema einer großen UN-Konferenz. Habitat II fand in Istanbul im Juni 1996 statt. Die 3200 Konferenzteilnehmer diskutierten über die sozialen und ökologischen Probleme, die sich aus den explosionsartig wachsenden Großstädten der Welt ergeben.
Die Hälfte der Menschheit lebt bereits heute in Städten. Am Ende des 20. Jahrhunderts werden fast 80 Prozent des globalen Sozialprodukts in den Städten der Welt erwirtschaftet. Möglichkei-

ten zur Arbeit gibt es, wenn überhaupt, fast nur noch in den Städten. Selbst für die Obdach- und Mittellosen findet sich auf den Müllhalden in der Nähe der Slums und durch Gelegenheitsjobs noch eine Existenzmöglichkeit.

Die Prognosen der UNO gehen davon aus, daß im Jahr 2025 mehr als 65 Prozent der Weltbevölkerung in Betonsilos hausen wird. Die Zahl der Millionenstädte wird sich dann von gegenwärtig 280 auf fast 600 erhöht haben – ein Zuwachs, der fast ausschließlich in den Entwicklungsländern erfolgt. Während sich die Städte der Industriestaaten zersiedeln und die versiegelte Bodenfläche auch bei stagnierender Einwohnerzahl ständig anwächst, explodiert die Zahl und Größe der Städte in den Entwicklungsländern. Die Landbevölkerung dieser Länder entzieht sich der Ausweglosigkeit ihrer Lebenssituation durch Flucht in die Städte.

São Paulo wächst zum Beispiel jedes Jahr um 700 000 Menschen. Das Wachstum der anderen Großstädte in den Entwicklungsländern verläuft in ähnlichen Dimensionen. Es wird geschätzt, daß die gegenwärtige Bevölkerungszahl von 19,2 Millionen Menschen in São Paulo bis zum Jahr 2010 auf über 25 Millionen ansteigen wird. In Bombay rechnet man ebenfalls mit 25 Millionen Einwohnern.

Die Menschen in den Städten verändern ihre Lebensgewohnheiten. Sie passen sich den sozialen Umständen an, unter denen sie leben. Dazu gehört zum Beispiel die Schaffung neuer Organisationsformen. Jeder Neuankömmling muß neue Sozialkontakte knüpfen, um zu überleben. Wer Arbeit findet, hat in der Regel ein Auskommen. Wer keine geregelte Arbeit hat, versucht sich irgendwie über Wasser zu halten. Eine wachsende Zahl sozial ausgegrenzter Menschen vegetiert unter dem Existenzminimum. Sie versuchen in Slums und unter Brücken den jeweils nächsten Tag zu erleben. Sozial entwurzelte Menschen schaffen sich in Straßengangs und kriminellen Vereinigungen eine neue Ordnung, um das tägliche Überleben zu sichern. Die Laster der Zivilisation können sich unter derartigen sozialen Verhältnissen voll entfalten.

Die Stadtväter der explodierenden Großstädte sind kaum noch

in der Lage, die sozialen Probleme zu verwalten. Wasser wird in den Großstädten genauso knapp wie die Atemluft. Vom Wohnraum ganz zu schweigen.
Der Stofftransport und damit der Energiebedarf steigt durch die Versorgungs- und Entsorgungsleistung der Großstädte sowie durch den internationalen Handel mit den hier produzierten Gütern in gigantische Dimensionen. So wuchs allein der Welt-Agrarhandel zwischen 1980 und 1994 um 40 Prozent auf 395 Milliarden Dollar.
Die Naturgrundlagen des gesellschaftlichen Lebens werden an den weltweiten Warentransporten zerbrechen. Hinzu kommt noch ein bisher ungekanntes Sozialdumping infolge des niedrigen Lebensniveaus der Bevölkerung.

Fleischkonsum

In den Städten der Entwicklungsländer explodieren nicht nur die Bevölkerungszahlen. Es wächst auch der Fleischkonsum jedes einzelnen Stadtbewohners. Auch hier bilden die Industriestaaten das »Vorbild«. Während jeder Deutsche 1996 fast 70 kg Fleisch verzehrte, erfreute sich jeder Stadtbewohner Chinas der halben Fleischportion. Ein chinesischer Bauer begnügt sich dagegen durchschnittlich mit nur 13 kg im Jahr.
Die Landwirtschaftsakademie von Peking prognostizierte für die Jahrtausendwende, daß die Hälfte der chinesischen Getreideernte als Futtermittel eingesetzt werden muß, um die Nachfrage nach Fleischprodukten zu befriedigen. In China dominiert das Schweinefleisch. Zur Produktion von einem Kilogramm Schweinekotelett sind vier Kilogramm Getreide notwendig. Weltweit landen heute fast 40 Prozent der Getreideernte in den Futtertrögen. Damit werden 17 Milliarden Hühner, Enten, Gänse und Puten gefüttert sowie 1,3 Milliarden Rinder und fast eine Milliarde Schweine gemästet.
Die Zahl der Stadtbewohner wächst weltweit fast doppelt so schnell wie die Weltbevölkerung insgesamt, die mit jedem Tag

um 250 000 Menschen zunimmt. Mehr als zwei Drittel davon werden im kommenden Jahrhundert in den Städten leben. Diese Menschen essen dann doppelt soviel Fleisch wie die verbleibende Landbevölkerung. Damit ist das globale Ernährungsproblem der Zukunft schon vorprogrammiert. Der weltweite Fleischkonsum liegt heute bei 160 Millionen Tonnen pro Jahr. Wenn der explosionsartig wachsende Fleischhunger der Städter weiter anhält, wird sich der Fleischverzehr in dreißig Jahren verdoppeln. Die Weltgetreideproduktion müßte demnach auf mehr als drei Milliarden Tonnen gesteigert werden, denn die Hälfte davon wandert in die Futtertröge. Die landwirtschaftliche Nutzfläche dieser Erde ist aber begrenzt, und sie verringert sich durch die Erosion der Böden.

Die intensive Landwirtschaft benötigt riesige Düngemittelmengen sowie Pestizidgaben, um die Futtermittel für die Nutztiere zu produzieren. Das Ackerland wird im großen Stil mit schwerer Technik bearbeitet. Dadurch beschleunigt sich die weltweite Bodenerosion der landwirtschaftlichen Nutzfläche noch. Die verbliebenen Flächen werden anschließend um so intensiver bewirtschaftet. Es ist ein Teufelskreis, der mit der Selbstzerstörung der Zivilisation endet.

Die Bundesrepublik Deutschland benötigt zum Beispiel für ihre intensive Tierhaltung solche Mengen an Futtermitteln, daß die doppelte landwirtschaftliche Nutzfläche des Landes nötig wäre, um die Ernährung der landwirtschaftlichen Nutztiere zu sichern. Das fehlende Tierfutter wird aus den hungernden Entwicklungsländern importiert. Deutschland ist mit 10 Prozent am Welt-Agrarhandel beteiligt. Die Agrarimporte des Landes überstiegen die Agrarexporte um mehr als 16 Milliarden Dollar. Damit ist Deutschland nach Japan der zweitgrößte Netto-Agrarimporteur der Welt.

Die realen Fleischpreise sind in der Bundesrepublik in den vergangenen dreißig Jahren im Verhältnis zur Kaufkraft der Bevölkerung um das Vierfache gefallen. Während ein Durchschnittsverdiener 1960 noch 120 Minuten für ein Kilogramm Rindfleisch arbeiten mußte, sind es heute nur noch 30 Minuten.

Dieser Preissturz ist unter anderem die Folge der immensen Subventionen für die intensive Landwirtschaft, die sich 1993 auf 13 Milliarden Mark summierten. Die Subventionsbeträge in der Europäischen Union lagen bei 50 Milliarden Mark. Die Folge davon waren riesige Überbestände in den Kühlhäusern, wo sich 1992 zum Beispiel Rindfleischberge von mehr als einer Million Tonnen häuften. Zusammen mit einer halben Million Tonnen Schweinefleisch wurden sie unter ihren Herstellungskosten auf dem Weltmarkt verschleudert. Allein dafür wurden mehr als 2,5 Milliarden Mark Steuergelder ausgegeben.
Die subventionierten Billigexporte destabilisieren aber die Landwirtschaft in den unterentwickelten Importländern, denn die Bauern dieser Länder werden ihre Erzeugnisse auf den einheimischen Märkten nicht mehr los, weil die subventionierten landwirtschaftlichen Waren aus den Industriestaaten billiger sind. 1992 wurde deshalb auf Druck der Welthandelsorganisation [WTO] eine europäische Agrarreform angeschoben, die die Exportsubventionen schrittweise abbauen soll.
Die Subventionierung der industriellen Landwirtschaft ist allerdings nur die Spitze des Eisberges. Unter der Oberfläche des Agrarmarkts tobt ein unerbittlicher Konkurrenzkampf zwischen den Industriestaaten. Der Kampf um das billigste Steak führte zum Verfüttern verendeter Tiere an Rinder, um Futterkosten zu sparen. Der Wahnsinn dieser Praxis mündete 1995 in den BSE-Skandal [Rinderwahnsinn].
Die Schlachthäuser in Deutschland unterbieten sich zudem gegenseitig mit Billigangeboten, um Kundschaft zu werben. Nach dem Fall der ostdeutschen Mauer haben die westdeutschen Fleischkonzerne mit hohen Subventionen der EG und des Landwirtschaftsministeriums in Bonn modernste Schlachthöfe in den neuen Bundesländern gebaut. Dabei wurde völlig am Bedarf vorbei investiert. Die Billigangebote der ostdeutschen Schlachthöfe führen jetzt dazu, daß Schlachttiere in ganz Deutschland durch Aufkäufer eingesammelt werden. Unter extremen Transportbedingungen werden die Tiere dann tagelang zu dem jeweils billigsten Schlachthof gekarrt.

Verkehr

Der Abbau umweltschädlicher Subventionen wird in den Industriestaaten immer schwieriger. So wäre es zum Beispiel dringend erforderlich, die indirekten Subventionen des internationalen Flugverkehrs zu streichen. Fluggesellschaften sind fast überall auf der Welt von der Mineralölsteuer befreit. Eines der wenigen Länder, das diese Steuerbefreiung für Inlandflüge abgeschafft hat, ist Dänemark. Für Auslandsflüge bleibt die Steuerbefreiung aber auch in Dänemark weiter in Kraft, um den internationalen Wettbewerb nicht zu »verzerren«. Die Steuerbefreiung des Flugwesens verschiebt das ohnehin naturblinde Preisgefüge des internationalen Güter- und Personentransports noch zusätzlich.
Die Subventionen im Verkehrsbereich hemmen die Kreativität der Wissenschaftler und Ingenieure. Das Motto der Zeit lautet: Was man nicht im Kopf hat, kann man bequem mit dem Flugzeug oder dem Auto erledigen. Die subventionierte Primärenergie und die indirekten Subventionen der Transportwege per Luft oder Straße zerstören auch die Vielfalt der jahrhundertelang gewachsenen ökonomischen Strukturen der einzelnen Länder. Die staatlichen Preisverzerrungen signalisieren nämlich, daß die verbrauchte Primärenergie und die Transportkosten wirtschaftlich vernachlässigbare Größen seien. Als Folge davon werden solche Branchen benachteiligt, die nicht subventioniert werden. Das Energiesparen und die Nutzung alternativer Energieformen wird dadurch bestraft.
Der Energieverbrauch pro transportierte Tonne je Kilometer beträgt beim Gütertransport mit dem Flugzeug 7,5 kWh. Im Verhältnis dazu ist sogar der Gütertransport mit dem Lastkraftwagen energiesparend. Der Lkw-Transport benötigt im Durchschnitt »nur« 0,5 kWh/t pro Kilometer. Der Straßenverkehr muß zwar die Mineralölsteuer bezahlen, doch diese Steuer deckt in keiner Weise die ökologischen Schäden des Autoverkehrs. Nicht bezahlte ökologische Schäden aber sind versteckte Subventionen. Die Kosten des Straßenverkehrs ergeben sich nicht nur aus dem Bau von Straßen, sondern überwiegend aus deren Nutzung: Aus

den sozialen Folgekosten von Verkehrsunfällen sowie aus den Kosten, die durch die verkehrsbedingte Luft- und Wasserverschmutzung, durch den Flächenverbrauch und durch Lärmschäden entstehen. Den Autofahrern werden diese Kosten nicht als unmittelbare Fahrkosten angelastet. Dadurch wird die Straßennutzung billiger als die Nutzung öffentlicher Verkehrsmittel. Eine Folge davon ist die Verlagerung der ständig wachsenden Transportwege von der Schiene auf die Straße.
Zwei Drittel des Gütertransports werden in Deutschland auf der Straße abgewickelt. Während die Bahn 1991 in Gesamtdeutschland noch etwa 81 Milliarden Tonnenkilometer [Mrd.t/km] Güter transportiert hat, waren es 1996 weniger als 70 Mrd.t/km. Der Straßengüterfernverkehr wuchs dagegen in Deutschland im selben Zeitraum von 144 Mrd.t/km auf 216 Mrd.t/km an. Auch die Transportleistung des Straßengüternahverkehrs nahm von 58 Mrd.t/km auf 78 Mrd.t/km zu.
Dieselbe Entwicklung war auch im Personenverkehr zu beobachten. Während der öffentliche Straßenverkehr [zum Beispiel Busse und Straßenbahnen] 1991 noch 83 Milliarden Personenkilometer [Mrd.P/km] beförderte, waren es 1996 nur noch 64 Mrd.P/km. Dagegen stieg die Verkehrsleistung im Pkw von 751 Mrd.P/km auf 788 Mrd.P/km an. Die Eisenbahn bestreitet heute nur noch $^{1}/_{10}$ des gesamten Personenverkehrs in der Bundesrepublik Deutschland.
Der Luftverkehr ist zwar an der Verkehrsleistung des Gütertransports und des Personentransports nur marginal beteiligt, aber der Naturschaden dieses Transportmittels ist dafür um so größer. Die Abgase der Flugzeuge gefährden besonders in großen Höhen die chemische Stabilität der Atmosphäre.
Die Verkehrsentwicklung läßt darauf schließen, daß es bis zum Jahr 2010 einen wesentlich stärkeren Zuwachs des Straßengüterverkehrs und des privaten Personenverkehrs gibt als bei der Bahn. Dabei ist die energetische Effizienz des Autos geradezu lächerlich. Der Autoindividualverkehr nutzt lediglich zwei Prozent der Treibstoffenergie zum Transport des Fahrers. Dagegen werden 15 Prozent für die Fortbewegung des Autos benötigt.

Der Rest löst sich in Wohlgefallen auf und erwärmt dabei die Umwelt.
Das Verkehrswesen ist seit Jahrzehnten neben den Haushalten der ungekrönte Wachstumskönig im Primärenergieverbrauch. Seit den sechziger Jahren verringern sich die realen Preise für eine Tankfüllung nicht nur im Verhältnis zur Kaufkraft der Bevölkerung, auch in der betriebswirtschaftlichen Rechnungsführung sinken die Realkosten für den Treibstoff im Verhältnis zu den Wachstumsraten der sonstigen Kosten. Es lohnt sich für die Betriebe, die Straße als Warenlager zu nutzen. Die Ladefläche der Lastkraftwagen hat sich deshalb vergrößert, und die Motoren sind leistungsstärker geworden. Auf den Beifahrer wird heute weitgehend verzichtet. Das Fahrerhaus ist der Schlafplatz. So kann man die Frachtgüter kreuz und quer über die Kontinente transportieren.
Seit der Öffnung des Markts für Transportleistungen verfallen in der Europäischen Union auch die Frachttarife immer mehr. Die ausländischen Konkurrenzanbieter haben geringere Personalkosten und Kraftfahrzeugsteuern sowie niedrigere Instandhaltungskosten. Die wachsende Billigkonkurrenz aus Osteuropa drückt die Transportpreise in den Keller.
Das zieht den Gütertransport auf der Straße an wie ein Magnet. Eine Folge davon sind chronische Verstopfungen des Verkehrsflusses. Daran droht der volkswirtschaftliche Organismus zu ersticken.
Auch die Europäische Union setzt auf den Ausbau der Transportinfrastruktur in Europa. Der Aufbau eines transeuropäischen Straßenverkehrsnetzes beschleunigt das Wachstum des Personen- und Gütertransports bis weit in das nächste Jahrtausend hinein.
Die Bahn benötigt nur etwa 0,1 kWh gebundener Energie je transportierte Tonne pro Kilometer und verbraucht damit nur ein Fünftel der Energie eines Lkw oder eines Pkw. Sie muß aber ihr gesamtes Schienennetz ohne staatliche Subventionierung unterhalten. Von daher erklären sich sowohl der enorme Schuldenberg der Bahn als auch die hohen Fahrpreise.
Das Münchner ifo-Institut für Wirtschaftsforschung kam in

seinem Gutachten vom Juli 1995, das der Verkehrsminister in Auftrag gegeben hatte, zu dem Schluß, daß ein Benzinpreis von 4,60 Mark die deutschen Wirtschaft kaum belastet, aber den Kohlendioxydausstoß um 25 Prozent reduziert. Das soll durch die schrittweise Erhöhung der Mineralölsteuer um jährlich 9,7 Prozent bis zum Jahr 2005 erreicht werden. Mit diesen Einnahmen sollen Sozialbeiträge verringert und eine Verkehrswende eingeleitet werden. Das kann im nationalen Alleingang erfolgen, denn die Mineralösteuer ist Sache der einzelnen Länder und nicht der Europäischen Union.
In der Zusammenfassung schreiben die Autoren der Studie:

> »Weder die Einzelmaßnahmen zur CO_2-Reduktion noch deren Bündelung in der hier untersuchten Weise beeinträchtigen das gesamtwirtschaftliche Wachstum nennenswert.«[9]

Die politisch unkomplizierteste und billigste Lösung besteht tatsächlich in einer dem realen Verhältnis des Naturverbrauchs entsprechenden massiven Anhebung der Mineralölsteuer. Die Kraftfahrzeugsteuern sollten im Gegenzug abgeschafft werden. Der Tankwart kassiert dann mit jedem Liter Kraftstoff auch die Steuer für den Staat, so daß Vielfahrer stärker zur Kasse gebeten werden, während sich die Einsparung von Fahrkilometern rechnen würde. Die Folge wären Konzeptionen zur Minimalkostenplanung im Straßenverkehr, um den Nutzen bei gleichen Kosten zu erhöhen. Alle anderen Wege, wie zum Beispiel die Straßenbenutzungsgebühren [Roadpricing] und die Schwerverkehrs-Lenkungsabgabe, können zwar auch zum Ziel führen, doch sie sind wesentlich kostenaufwendiger.
Die Verkaufshallen auf der grünen Wiese sind die unmittelbare Folge des billigen Autotransports. So wurden zum Beispiel in Sachsen nach 1989 80 Prozent der Einkaufsflächen ohne Anbindung an den jeweiligen Nahverkehr gebaut. Die staatlich besoldeten Verkehrsplaner schaffen damit immer neue Mobilitätszwänge der Bürger. Auch das ist eine Form der indirekten Subvention des Autoindividualverkehrs. Obwohl die Landes- und

Raumordnungspolitiker per Gesetz dazu verpflichtet sind, die Bebauung an zentralen Orten zu konzentrieren und an die Achsen des öffentlichen Nahverkehrs anzubinden, wird weiter dezentralisiert.

Der Grund dafür liegt auf der Hand. Erstens sind die Grundstückspreise auf dem Land wesentlich niedriger als in der Stadt, und zweitens sind die Autofahrten vergleichsweise billig. Außerdem sind die ländlichen Gemeinden über die Gewerbesteuer daran interessiert, daß sich möglichst viele Unternehmen ansiedeln. Die Unternehmen wiederum sparen bei den geringen Bodenpreisen Kosten, wenn sie Flachbauten errichten. Infolge der Konkurrenz zwischen den ländlichen Gemeinden könnte ein Gemeinderat auch keine mehrstöckige und damit flächensparende Bauweise vorschreiben. Deshalb wird weiter auf der grünen Wiese so gebaut, als ob es das Problem der flächendeckenden Bodenversiegelung gar nicht gäbe. Diese Form der Naturzerstörung hat besonders in den neuen Bundesländern bedenkliche Ausmaße angenommen.

Viele Bundesbürger sind nicht bereit, auf ihr geliebtes Auto zugunsten der Hebung ihrer eigenen Wohnkultur zu verzichten. Diese Erfahrung mußten zu Beginn des Jahres 1996 die Stadtplaner von Bremen machen. Am Bremer Stadtrand wollte man 220 Reihenhäuser und Etagenwohnungen bauen. Die Siedlung wurde autofrei und ohne Garagen geplant. Als das Projekt ausgeschrieben wurde, signalisierten Hunderte potentieller Kunden ihr Kaufinteresse. Die Anbindung des autofreien Wohnquartiers an das Stadtzentrum wurde durch öffentliche Nahverkehrsmittel ermöglicht. Die Fahrzeit ins Zentrum sollte etwa zwanzig Minuten betragen. Außerdem sollten Fahrradwege als »Schnellverkehr« durch Parks ins Stadtzentrum führen. Als die Kaufverträge unterzeichnet werden sollten, waren aber nur noch vier Käufer eines Eigenheims bereit, mit ihrer Unterschrift den Verzicht aufs Auto zu erklären. Die negative wirtschaftliche Entwicklung der Region und die wachsende finanzielle Unsicherheit der Familien ließ die Menschen vom Wohnen in der Stadt der Zukunft zurückschrecken.

Auf dem Weltmarkt wird Bilanz gezogen

Mehr als die Hälfte aller Güter, die auf dem Weltmarkt getauscht werden, erzeugen ökosoziale Verluste. Der Handel mit diesen Gütern macht die Nationen nicht reicher, sondern ärmer. Der Welthandel sollte sich stärker auf immaterielle Güter konzentrieren, anstatt Autos und Öl von einem Ende der Welt zum anderen zu schaffen. Zum weltweiten Transport von Informationen sind wesentlich kleinere stoffliche und energetische Verbräuche nötig als beim Transport von Produkten.

Der traditionelle Weltmarkt schadet heute der Weltgemeinschaft mehr, als er nützt. Er zerstört die historisch gewachsene ökologische und kulturelle Vielfalt der Völker. Die Industriestaaten haben diesen »Weltgeist« ins Leben gerufen, als sie selbst durch die Ausplünderung der Naturreichtümer industriell unterentwickelter Länder hohe Profite erzielen konnten und am Verkauf ihrer Billigprodukte gut verdienten. Das Rad der Geschichte hat sich aber weitergedreht. Eine wachsende Zahl von Entwicklungsländern hat die technologische und soziale Anpassungsphase hinter sich gebracht. Die Länder Südostasiens und teilweise auch einige Länder des ehemaligen Ostblocks treten erfolgreich als Konkurrenten der westlichen Industriestaaten auf.

Die Technologie der modernen Fertigungsprozesse läßt sich in sozial »angepaßte« Entwicklungsländer relativ problemlos exportieren. Der Marktvorteil dieser Länder ist ihr niedriges Lohngefüge. Zwischen dem Lohnniveau der europäischen Hochlohnländer und den billigsten asiatischen Standorten klafft eine riesige Lücke. Die billigsten asiatischen Anbieter produzieren teilweise die gleichen Güter wie die Europäer mit vierzigmal geringeren Lohnkosten und überkompensieren damit die Unterschiede in der Produktivität um Längen. Die Lohnstückkosten der Güter, die in den aufstrebenden Entwicklungsländern produziert werden, sind deshalb auf dem Weltmarkt wesentlich niedriger als die der Industriestaaten. In vielen Entwicklungsländern fehlen außerdem vergleichbar strenge Umweltbestimmungen. Die Auslagerung der Produktion in Niedriglohnländer lohnt sich

auch dann noch, wenn sozial- und umweltbewußte Unternehmen dort doppelt so hohe Löhne zahlen.
So wurde 1994 von der Schweizer Handelsförderung zusammen mit dem Schweizer Textildetaillisten-Verband sowie dem Ableger der Gesellschaft für Technische Zusammenarbeit [GTZ] Pro-Trade die Schweizer Stiftung Double Income Project [DIP] gegründet. Die Stiftung hat in Kenia und anderen Niedriglohnländern Afrikas, Asiens und Lateinamerikas Textilbetriebe gebaut und produziert dort nach den hohen Schweizer Umweltstandards Textilien für die Industriestaaten. Die einheimischen Arbeitskräfte erhalten doppelt so hohe Löhne wie im Landesdurchschnitt üblich. Durch diese wirtschaftliche Initiative werden in den Entwicklungsländern hohe soziale und ökologische Maßstäbe gesetzt. Das Projekt rechnet sich trotz der relativ hohen Löhne und der anspruchsvollen Umweltstandards. Beide Länder sind die Gewinner – ein sozialer Fortschritt.
Der Handel mit den Entwicklungsländern und die Auslagerung von Betrieben in Niedriglohnländer schont nur dann die globalen Naturgrundlagen, wenn die Preise der Welthandelsgüter die ökosoziale Wahrheit sagen. Dann kann man allerdings nicht mehr mit naturverschwendenden Billigprodukten Handel treiben.

Kapitel 3

Schritte in die ökosoziale Zukunft

Der Weltmarkt zwingt zur Entscheidung

Der Weltmarkt diktiert die Aktivitäten der nationalen Politik, indem sich die Industriestaaten gezwungen sehen, am Wettlauf mit den jungen Entwicklungsländern um die Angleichung der Sozial- und Umweltstandards nach unten teilzunehmen. Der natur- und sozialblinde Weltmarkt bringt die Industriegesellschaft in einen negativen ökosozialen Zugzwang.

Der Weltmarkt ist in wirtschaftliche Großräume gegliedert, innerhalb derer das Kapital so beweglich ist, daß seine Besteuerung durch nationale Instanzen ohne Schaden für den jeweiligen Wirtschaftsstandort kaum mehr möglich ist. Denn unter den differenzierten Wirtschaftsbedingungen dieser Großräume führt die Besteuerung des Kapitals und der Arbeit zu Wettbewerbsungleichgewichten zwischen den einzelnen Nationen. Für dieses Problem gibt es zwei Lösungswege.

Der erste Weg: Wenn der Weltmarkt weiterhin naturblind und sozial taub bleibt und wenn die Ferntransporte weiterhin subventioniert werden, verlieren die Industriestaaten auf dem Weltmarkt eine Position nach der anderen. Die Handelspolitik dieser Staaten wird versuchen, protektionistische Maßnahmen in Form von Einfuhrverboten oder -zöllen durchzusetzen, um die eigene Wirtschaft vor den Billigexporten der Entwicklungsländer zu schützen. So werden gegenwärtig an den Grenzen der Europäischen Union Einfuhrzölle für Möbel aus Tropenholz verlangt. Die Einfuhr von Rohholz aus den Regenwaldländern ist dagegen zollfrei.

Die Industriestaaten erheben umfangreiche Einfuhrzölle für solche Agrarprodukte der Entwicklungsländer, die auch in den Industriestaaten hergestellt werden. Außerdem werden Einfuhrzölle für Textilien aus den Entwicklungsländern verlangt. Allein die genannten protektionistischen Maßnahmen verursachen in den Entwicklungsländern potentielle Einkommensverluste in Höhe von mehr als 150 Milliarden Dollar jährlich. Die Tendenz dieser Handelshemmnisse ist trotz der GATT-Verhandlungen seit 20 Jahren steigend.
Gleichzeitig subventionieren die Industriestaaten die Exporte ihrer ineffizient gewordenen Wirtschaftsstrukturen auf dem Weltmarkt. Die OECD-Mitgliedsstaaten stützten allein 1990 den Export ihrer Agrarprodukte mit mehr als 170 Milliarden Dollar. Das führte unweigerlich zu einer Übersättigung des Welt-Agrarmarktes. Viele Industriestaaten versuchen zudem, den Konkurrenzvorteil der billigen Arbeitslöhne von Entwicklungsländern durch die Senkung der Lohnkosten im eigenen Land auszugleichen – mit allen Folgen für den Lebensstandard, die soziale Sicherheit und die politische Stabilität.
Der asiatische Raum wird voraussichtlich das Rennen um die Vorherrschaft auf dem naturblinden Weltmarkt in der ersten Hälfte des 21. Jahrhunderts gewinnen. Südamerika wird versuchen, den Anschluß zu halten.
Im Zuge dieses globalen Konkurrenzkampfs werden die weltweiten Umweltschäden in der ersten Hälfte des kommenden Jahrhunderts bereits solche Dimensionen angenommen haben, daß sie in Form zunehmender Naturkatastrophen auf den Welthandel zurückschlagen werden. Die alten und neuen Industriestaaten kämpfen dann in der zweiten Hälfte des 21. Jahrhunderts genauso ums physische Überleben wie der afrikanische Kontinent in der Gegenwart. Die Wiege der Menschheit liegt bereits heute im Sterben, während der Rest der Welt die Augen verschließt.

Der zweite Weg: Um dem Schicksal des Verlierers auf dem Weltmarkt des kommenden Jahrhunderts zu entgehen, müssen die Industriestaaten eine eigene Lösung finden. Sie könnten sich zum

Beispiel zu Vorreitern des internationalen Umweltschutzes machen und das naturblinde Auge des Weltmarkts in den wirtschaftlichen Großräumen öffnen. Sie brauchten nur dafür zu sorgen, daß der internationale Handel mit naturverschwendenden Massengütern unrentabel wird.

Einen Königsweg gibt es nicht. Einige Branchen der Industriestaaten werden Federn lassen müssen. Die billigen Rohstoffimporte für die Industrie und die Futtermittel für die industrielle Landwirtschaft aus den Entwicklungsländern werden dadurch viel teurer. Die Industriestaaten müßten dann ihr gewaltiges kreatives Potential mobilisieren, um den Naturverbrauch durch die Immaterialisierung des Wirtschaftsprozesses zu reduzieren. Die politischen Vorgaben zur Minimierung der volkswirtschaftlichen Verluste werden am Beginn dieser Entwicklung über den Weg entscheiden. Der direkte Zugang zum Weg der ökosozialen Wende ist heute noch politisch verbaut. Selbst die aktuelle Umweltpolitik der Industriestaaten blockiert das Überschreiten der ökosozialen Türschwelle. Die Umweltpolitik ist immer noch eine Feuerwehrpolitik. Die Umweltausgaben der USA (Bund und Bundesstaaten zusammengenommen) wurden zum Beispiel noch Mitte der achtziger Jahre überwiegend für die Beseitigung von Schadstoffemissionen eingesetzt.[1] Weniger als 20 Prozent der Investitionen im Umweltschutz kamen in den OECD-Staaten den sauberen Technologien zugute.[2]

Die Entwicklungsphasen der Industriestaaten

Nach dem Ende des Zweiten Weltkriegs durchlief die Industriegesellschaft zwei Entwicklungsphasen. Sie steht vor der Türschwelle zur dritten Phase.

In der ersten Phase ging es vorrangig darum, die grundlegenden Bedürfnisse der Menschen quantitativ zu befriedigen. Der wirtschaftliche Schwerpunkt dieser Zeit lag in der Massenproduktion und im Massenkonsum.

In der zweiten Phase verlagerte sich der Schwerpunkt zunehmend auf den Nutzen der Produkte. Es kam zu einem Qualitätssprung der industriellen Entwicklung. Das Schwergewicht des betrieblichen Managements wurde um den Faktor der Wertschöpfung durch Produktinnovationen und die dazugehörenden Dienstleistungen erweitert. Sowohl die Produkte als auch die Dienstleistungen orientierten sich zunehmend an den individuellen Sonderwünschen der Nachfrager. Dadurch wurde der Absatz wieder stimuliert. Auf der anderen Seite ermöglichte das Qualitätsmanagement eine zusätzliche Kosteneinsparung, indem die Ausschußquote der Produkte gesenkt wurde. Insgesamt führte die zweite Entwicklungsphase der Nachkriegszeit zu einer erheblichen Verringerung des Stoff- und Energieverbrauchs je Produkt, die jedoch durch die ausgeweitete Produktion mehr als wettgemacht wurde. Der absolute Naturverbrauch nahm deshalb weiter zu.
Allmählich setzte sich auch in der Wirtschaft die Überzeugung durch, daß noch ganz andere Dimensionen zur Einsparung des Naturverbrauchs erreicht werden können.
Die dritte Phase wurde durch die bisherige Wirtschaftsentwicklung vorbereitet. Es ist die Phase der Immaterialisierung der Wirtschaft, in der zunehmend mit Informationen gehandelt wird. Die Immaterialisierung der Weltwirtschaft beruht auf den Entwicklungsergebnissen der beiden vorangegangenen Phasen. Der entscheidende Unterschied besteht allerdings darin, daß hier nicht nur der relative Verbrauch von Stoff und Energie je Stück eines Guts gesenkt wird, sondern auch der absolute Verbrauch von Naturgütern. Diese Entwicklungsphase wurde punktuell bereits in einigen hochentwickelten Industriestaaten eingeleitet.
Der Schlüssel, der die Tür zur Informationsgesellschaft aufschließt, ist der Naturverbrauchspreis für Rohstoffe und gebundene Energieträger, also in erster Linie für fossile Brennstoffe und Kernenergie. Es werden dann solche Güter transportiert, die einen hohen Kreativitätsanteil haben. Der Handel auf dem Weltmarkt wird sich dann nicht mehr auf naturverschleißende Billigprodukte konzentrieren, sondern auf Ideen und Lizenzen.

Die nationalen Volkswirtschaften der einzelnen Länder werden unter dieser globalen Bedingung eine Doppelfunktion erfüllen. Sie werden die Bedürfnisse der Bevölkerung nach Gütern des täglichen Bedarfs durch eigene Produkte befriedigen, und sie werden sich auf solche Güter spezialisieren, die unter den länderspezifischen Bedingungen im internationalen Maßstab konkurrenzfähig sind. Die ökosozialen Produktions- und Transportkosten dieser Welthandelsgüter müssen in jedem Fall kleiner sein als der Nutzen, den die Güter in anderen Teilen der Welt hervorbringen.

Am Beginn dieser Entwicklung hätten die Industriestaaten einen gewaltigen wissenschaftlich-technischen und organisatorischen Vorsprung. Sie wären zumindest noch im 21. Jahrhundert auf dem Weltmarkt führend. Das teure Lebens- und Ausbildungsniveau der eigenen Bevölkerung, das gegenwärtig die Konkurrenzfähigkeit der Industriestaaten auf dem Weltmarkt untergräbt, zahlt sich dann in Form von Kreativität der Arbeit aus.

Die Industriestaaten werden sich aber einem Vorwurf nicht entziehen können. Sie haben schließlich im 19. und 20. Jahrhundert die Entwicklungsländer ökologisch ausgeplündert und die globalen Stoff- und Energiekreisläufe ruiniert. Wenn sie dann im 21. Jahrhundert verkünden, daß global eine ökologische Kehrtwendung nötig ist, dann sollten sie dafür auch die Kosten tragen. Die Industriestaaten werden im Interesse der Erhaltung des Weltfriedens nicht umhin kommen, ihre Schuld aus den vergangenen Jahrhunderten abzutragen.

Die vollständige Streichung des gewaltigen Schuldenbergs der Entwicklungsländer wird dabei nur der erste Schritt sein. Der zweite Schritt könnte die Einführung eines Weltenergiefonds sein. Die Einnahmen dieses Fonds müßten aufkommensneutral pro Kopf der Weltbevölkerung rückverteilt werden. Da die Industriestaaten bis weit in das 21. Jahrhundert den überwiegenden Teil der fossilen und kernenergetischen Weltenergievorräte verbrauchen werden, erhalten die industriell unterentwickelten Länder aus diesem Fonds Geld zum Aufbau einer eigenen Wirtschaft, ohne die naturzerstörende Sozialentwicklung der Indu-

striestaaten nachzuvollziehen. Die Entwicklung eines ökosozialen Welthandels liegt in deren eigenem Interesse.
Das naturblinde Auge des Weltmarkts wird erst dann richtig geöffnet sein, wenn die Staatengemeinschaft dieser Erde mehr freie Solarenergie in ihrem Produktionsprozeß bindet, als sie gebundene Energie in ihrem Konsumtionsprozeß freisetzt. Dieses Ziel wird wahrscheinlich erst am Ende des kommenden Jahrhunderts erreicht sein. Die heute noch industriell unterentwickelten Länder hätten dann zumindest auf dem Energiesektor die Nase auf dem Weltmarkt vorn. Die Strahlungsintensität der Sonne ist in diesen Ländern im Durchschnitt doppelt so hoch wie in den heutigen Industriestaaten – ein Vorteil, den letztere nur durch die Entfaltung des kreativen Potentials der Gesellschaft wettmachen können.
Die künftige Entwicklung der Weltwirtschaft ist heute mehr als ungewiß. Im Extremfall zerstört sie sich selbst. Der Gegenpol dieses Extrems führt in eine lebenswerte globale Zukunft. Es ist aber sehr unwahrscheinlich, daß sich eines dieser beiden Extreme durchsetzen wird. Wahrscheinlicher ist eine tendenzielle Entwicklung. Die Tendenz entscheidet dann über den Weiterbestand der Menschheit. Insofern ist es ganz und gar nicht egal, was heute getan oder unterlassen wird.
Die umweltpolitischen Rahmenbedingungen für die Entwicklung einer ökosozialen Marktwirtschaft existieren bisher nur als einzelne Mosaiksteine in einem großen Bild, das erst noch geschaffen werden muß. Das Ziel dieses sozial und ökologisch nachhaltigen Wirtschaftssystems besteht darin, daß die im gesellschaftlichen Lebensprozeß verbrauchten Naturgüter genauso reproduziert werden wie die verbrauchten Kapitale und die Arbeit.

Die Öko-Audit-Verordnung der Europäischen Gemeinschaft

Die EG-Öko-Audit-Verordnung wurde am 29. Juni 1993 vom Rat der Europäischen Gemeinschaft als Verordnung Nummer 1836/93 verkündet. Die korrekte Bezeichnung lautete: »Über die freiwillige Beteiligung gewerblicher Unternehmen an einem Gemeinschaftssystem für das Umweltmanagement und die Umweltbetriebsprüfung.«
In der Begründung zur Verordnung heißt es:

> »Die Industrie trägt Eigenverantwortung für die Bewältigung der Umweltfolgen ihrer Tätigkeit und sollte daher in diesem Bereich zu einem aktiven Konzept kommen.«

Die Teilnahme an dem EG-System der Öko-Audit-Verordnung [oft ungenau mit dem Kürzel »Öko-Audit« bezeichnet] ist für die Unternehmen freiwillig. Die Internationale Standardisierungsorganisation [ISO] und das Deutsche Institut für Normung [DIN] erarbeiteten seit 1993 die Normen ISO 14001 und folgende [ff.] für betriebliche Umweltmanagementsysteme und deren Prüfung. Die Aktivitäten der ISO zielten darauf ab, die positiven Ansätze des Öko-Audit-Systems weltweit zu übertragen. Beide Systeme [ISO 14001 ff. und Öko-Audit] weisen große Parallelen auf.
Die auditierten Unternehmen müssen eine Umwelterklärung schreiben, deren Wahrheitsgehalt von einem staatlich zugelassenen Umweltgutachter geprüft wird. Daraufhin erfolgt eine Eintragung in ein öffentliches Register. Eingetragene Unternehmen dürfen das Symbol der Verordnung zu werblichen Zwecken nutzen, jedoch nicht zur Produktwerbung, sondern nur zur Imagewerbung. Die Kosten dieser Arbeit sind leider nicht gering. Sie sind geeignet, kleine und mittlere Unternehmen von der Teilnahme am EG-System (Öko-Audit) abzuhalten.

Die angedachte Beschleunigung der Genehmigungsverfahren durch die Teilnahme am EG-System könnte den Unternehmen helfen, schneller den Marktzugang zu gewinnen und Kosten zu sparen. Wie in den USA werden die Banken künftig auch in Europa bei der Kreditvergabe an Unternehmen verstärkt darauf achten, ob der jeweilige Betrieb das Umweltaudit besitzt. Seit Mitte der achtziger Jahre werden die amerikanischen Banken für die Umwelthavarien ihrer Kreditnehmer zur Kasse gebeten, weil die Gerichte den Kreditinstituten eine Mitverantwortung für die Verwendung der Gelder zuschreiben. Die Folge davon war, daß die US-amerikanischen Banken begannen, das Analyseverfahren der Kreditwürdigkeit ihrer Kunden durch spezielle Prüfverfahren im Umweltschutz zu ergänzen. Das EG-Öko-Audit wird also auch von dieser Seite her eine gewichtige Aufwertung erfahren. Die bewerteten Unternehmen dürfen den Europakranz aus Sternen künftig in der Firmenwerbung nutzen.
Die EG-Öko-Audit-Verordnung legt keinen ökologischen Leistungsmaßstab fest. Sie ist passiv orientiert, beschränkt sich also auf die Einhaltung aller relevanten staatlichen Vorschriften und fordert eine Verpflichtung zur kontinuierlichen Verbesserung des Umweltschutzes im Betrieb, trifft aber keine Aussagen zum Ausgangszustand. Die Bewertung der Betriebe eines Unternehmens erfolgt für jeden Standort getrennt. Je nachdem, ob nur einer oder alle Standorte eines Unternehmens geprüft wurden, können unterschiedliche Logos verwendet werden.
Trotz fehlender ökologischer Leistungsmaßstäbe ist das Öko-Audit ein Fortschritt auf dem Weg der Kooperation zwischen staatlichem Umweltschutz und unternehmerischem Engagement. Dessen Kern ist die Einrichtung des Umweltmanagementsystems im Betrieb. Dazu gehört sowohl die betriebsinterne aktive Kontrolle und Befolgung von Umweltgesetzen, die Überwachung der Betriebssicherheit und des Umgangs mit umweltgefährdenden Stoffen, die Umweltinformation und -motivation der Mitarbeiter, Kunden, Lieferanten und der Öffentlichkeit als auch der Technologietransfer zur Lösung von Umweltfragen in Zusammenarbeit mit Forschungsinstituten.

Das Umweltmanagementsystem umfaßt alle betrieblichen Bereiche, die bisher nicht von Umweltgesetzen betroffen wurden. In der Form des Einkaufsmanagements nimmt es gewichtigen Einfluß auf die Integration des betrieblichen Umweltschutzes am Beginn des Produktionsprozesses. So werden in der Industrie etwa 50 Prozent der betrieblichen Gesamtkosten vom Einkauf beeinflußt [Materialkosten, Abschreibungen der Betriebsmittel, Entsorgung von Abfällen]. Der Wareneinsatz im Handel beträgt sogar 80 Prozent. Die Einkaufstätigkeit kann gezielt auf umweltfreundliche Roh-, Hilfs- und Betriebsstoffe, Werkzeuge, Kaufteile, Handelswaren und Dienstleistungen ausgerichtet werden. Der Einkauf stellt die Weichen für den Umweltschutz am Beginn der betrieblichen Aktivität.
Ein weiterer wesentlicher Aspekt ist die Einbeziehung des Umweltschutzes in die Produktentwicklung. Wird diese Verpflichtung des Umweltmanagementsystems ernstgenommen, so kann dies die Weichenstellung hin zu innovativen und ökologischen Produkten einleiten. Ein Schneeballeffekt wird davon erwartet, daß Unternehmen, die am EG-Audit-System teilnehmen, auf ihre Zulieferer und Unterauftragnehmer hinsichtlich des betrieblichen Umweltschutzes einwirken sollen. So kann von großen, auditierten Unternehmen ein Impuls an viele Mittelständler ausgehen.
Auch die öffentliche Verwaltung kann hier beispielgebend wirken. Über die Sachinvestitionen und den Sachaufwand von Bund, Ländern und Gemeinden wird jedes Jahr ein umweltrelevantes Beschaffungsvolumen von etwa 170 Milliarden DM eingesetzt. Der umweltbewußte Einsatz dieser Mittel kann einen beträchtlichen Nachfragesog auslösen. Die ersten Weichen in diese Richtung wurden bereits 1984 durch die Novellierung der Verdingungsordnung für Leistungen [VOL] gestellt. Die Vergabestellen sind nach Paragraph 4.8 der VOL/A verpflichtet, Marktsichtungen zu den Möglichkeiten einer umweltfreundlichen Dekkung des behördlichen Bedarfs zu erstellen. Die öffentliche Verwaltung wird auf der Grundlage von Behördenrundschreiben und von Richtlinien über umweltfreundliche Beschaffungsalter-

nativen und Bezugsadressen informiert. Dabei handelt es sich in der Regel um Produkte mit dem Blauen Engel. Eine Vielzahl von Broschüren des Umweltbundesamts, der Stiftung Warentest und Informationsschriften von Verbraucherverbänden und umweltberatenden Vereinigungen, wie zum Beispiel die 1985 gegründete »Aktionsgemeinschaft Umwelt, Gesundheit und Ernährung« (A.U.G.E) sowie »B.A.U.M. und future«, liegen dazu vor. Sie beraten Unternehmen über umweltfreundliche Möglichkeiten bei der Beschaffung und informieren private Haushalte über umweltschonende Verhaltensweisen.

Allen Umfragen zufolge wollen die meisten großen Industrieunternehmen am EG-Audit-System teilnehmen.[3] Da die Beteiligung am Öko-Audit für kleine und mittlere Unternehmen eine beträchtliche finanzielle Belastung darstellt, sollten diese durch zweckgebundene verbilligte Kredite der Europäischen Investitionsbank gezielt zur Teilnahme angeregt werden.

Im EG-Audit-System wird nur die stoffliche, energetische und organisatorische Ebene eines Betriebs bewertet. Trotz der Vorgaben für die Produktentwicklung sind die erzeugten Produkte selbst kein Kriterium für die erfolgreiche Teilnahme am EG-System. Vom Prinzip her könnte zum Beispiel auch ein Atomkraftwerk oder ein Hersteller von PVC ein EG-System-Logo bekommen.

Das Ergebnis des gesamten Prozesses wird durch den schon erwähnten Umweltgutachter überprüft. Die Prüfung muß spätestens alle drei Jahre erneuert werden. Die Unabhängigkeit der externen Umweltgutachter ist von entscheidender Bedeutung für die Qualität und die öffentliche Akzeptanz des gesamten Systems zum Öko-Audit.

Die Umweltgutachter werden nach dem deutschen Ausführungsgesetz von einer Gesellschaft bestellt, die von den großen Industrieverbänden ins Leben gerufen wird. Zu diesem Zweck wurde die Deutsche Akkreditierungs- und Umweltgutachterzulassungsgesellschaft mbH [DAU] vom Bundesverband der Deutschen Industrie, dem Deutschen Industrie- und Handelstag, dem Zentralverband des Deutschen Handwerks und dem Bundesverband

freier Berufe gegründet. Die Gesellschaft unterliegt selbst der Überwachung durch einen Gutachterausschuß.
Die Öko-Audit-Verordnung wird dazu beitragen, die Kooperation zwischen Umweltbehörden, Unternehmen und der Öffentlichkeit wesentlich zu verbessern, und die Betriebe dazu veranlassen, im praktischen Umweltschutz aktiv zu werden. Die bisherigen Erfahrungen der Wirtschaft zeigen, daß die Teilnahme am EG-Audit-System die Motivation sowohl des Managements als auch der Mitarbeiter für den Schutz der Umwelt fördert. Es trägt zur Verbesserung der ökologischen Sensibilität aller Beteiligten bei. Das Audit bedeutet zwar für die Wirtschaft einen zusätzlichen Aufwand, hilft den Betrieben aber, durch die Einsparung von Rohstoffen und Energieträgern sowie von Sondermüll und Giftstoffen Kosten zu sparen. Dadurch erhöhen sich die Wettbewerbschancen der Unternehmen.
Das Audit-System ist zwar nur ein kleiner Schritt auf dem europäischen Weg in die umwelt- und sozialverträgliche Marktwirtschaft – aber es ist ein Fortschritt. Das sollte allerdings nicht dazu führen, daß sich der Staat aus seiner Verantwortung in Fragen des Umweltschutzes verabschiedet. Er muß den politischen Rahmen vorgeben, um die Aktivitäten der Wirtschaft zu kanalisieren.

Der betriebliche Umweltschutz durchlief bisher drei Phasen: Nach der Einführung des umweltpolitischen Ordnungsrechts schossen sich die meisten Unternehmen zu Beginn der achtziger Jahre auf eine Strategie der passiven Abwehr ein.
Die Novellierung der Umweltschutzgesetze Mitte der achtziger Jahre führte aber dazu, daß sich die Anzahl der praktisch betroffenen Unternehmen erheblich vergrößerte. Zudem änderte sich das Kaufverhalten der Bürger. Das Umweltbewußtsein der Konsumenten schärfte sich. Die Einhaltung der Umweltbestimmungen in den Unternehmen wurde damit zu einem potentiellen Faktor der Unternehmensstrategie. Der Umweltschutz beeinflußte sowohl in Form der eingesparten Rohstoffe und Energieträger als auch in Form der Absatzsteigerung umweltfreundlicher Produkte den Betriebsgewinn, er begann sich zu rechnen. Sein Stel-

lenwert wechselte von einer lästigen staatlichen Forderung zu einer aktiven und gewinnbestimmenden Größe. Das war die Geburtsstunde des integrierten Umweltschutzes, der durch das Inkrafttreten des Kreislaufwirtschafts- und Abfallgesetzes [KrW-/AbfG] am 7. Oktober 1996 einen neuen Impuls erhielt.

Kreislaufwirtschafts- und Abfallgesetz [KrW-/AbfG]

Das KrW-/AbfG gleicht das deutsche Abfallrecht an den europäischen Standard an. Es kennt zum Beispiel den Begriff »Reststoffe« nicht mehr und unterscheidet nur noch Abfälle zur Verwertung oder Beseitigung. Alle Stoffe und Gegenstände, die nicht Produkte sind, gelten als Abfälle und unterliegen damit der abfallrechtlichen Überwachung gemäß § 40 KrW-/AbfG. Die Vorschriften des Gesetzes fördern laut § 2, Absatz 1, und § 4 folgende Hierarchie:

1. Vermeidung,
2. Verwertung und
3. Beseitigung von Abfällen.

Die Abfallvermeidung soll durch eine anlageninterne Kreislaufführung von Stoffen, eine abfallarme Produktgestaltung sowie durch die Förderung eines Konsumverhaltens erreicht werden, das auf den Erwerb abfall- und schadstoffarmer Produkte gerichtet ist (§ 4, Absatz 2). Damit werden vor allem die innerbetrieblichen Stoffkreisläufe – mit Auswirkungen auf die Märkte – berührt sowie eine Kreislaufwirtschaft angeregt. Abfälle sind so lange wie möglich im Wirtschaftskreislauf zu halten, um möglichst wenig davon beseitigen zu müssen. Deponieraum und Ressourcen sollen so geschont werden.
Die §§ 22–26 regeln die Produktverantwortung der Entwickler, Hersteller, Be- und Verarbeiter sowie Vertreiber von Erzeugnissen. Sie werden angehalten, die Produkte so zu gestalten, daß bei ihrer Herstellung und ihrem Gebrauch das Entstehen von Abfällen vermindert wird und die umweltverträgliche Verwertung und Beseitigung nach ihrem Verschleiß

sichergestellt ist. Diese Grundpflicht soll durch gesonderte, noch im Entwurf befindliche Rechtsverordnungen geregelt werden.
Die Verwertung hat Vorrang vor der Beseitigung von Abfällen, soweit dies technisch möglich, wirtschaftlich zumutbar und solange die Beseitigung nicht umweltverträglicher ist. Der thermischen Verwertung von Abfällen, das heißt ihrer Verbrennung, wird die gleiche Wertigkeit zuerkannt wie der stofflichen Verwertung, das heißt der Nutzung der werkstofflichen und rohstofflichen Eigenschaften der Abfälle. Als thermische Verwertung nach § 6 des Gesetzes wird eine Verbrennung aber nur dann anerkannt, wenn der feuerungstechnische Wirkungsgrad der Verbrennungsanlage höher als 75 Prozent, der Heizwert der Abfälle größer als 11 MJ/Kilogramm ist und die entstehende Wärme genutzt wird. Können diese Bedingungen nicht erfüllt werden und ist auch die Beseitigung der Abfälle nicht zulässig, so muß stofflich verwertet werden, oder die Verbrennung gilt als Entsorgung.
Sonderabfälle gelten nach dem Kreislaufwirtschafts- und Abfallgesetz als besonders überwachungsbedürftige Abfälle zur Beseitigung. Für sie sind Nachweisbücher zu führen und die Belege aufzubewahren. Alle anderen Abfälle gelten als überwachungsbedürftige Abfälle zur Beseitigung. Im Einzelfall kann die Behörde auch für sie eine Nachweisführung anordnen. Das trifft auch für die Verwertung der genannten Abfallarten zu.
Abfallerzeuger mit jährlich mehr als insgesamt zwei Tonnen Sonderabfällen oder 2000 Tonnen überwachungsbedürftigen Abfällen je Abfallschlüssel müssen nach §§ 19–21 KrW-/AbfG Abfallwirtschaftskonzepte und Abfallbilanzen für alle im Unternehmen anfallenden Abfälle aufstellen und auf Verlangen der Behörde vorlegen. Die Abfallbilanz ist erstmalig und jährlich ab dem 1. April 1998 jeweils für das vorhergehende Jahr zu erstellen. Das Abfallwirtschaftskonzept ist erstmalig am 31. Dezember 1999 für die folgenden fünf Jahre zu erstellen und alle fünf Jahre fortzuschreiben – soweit die Länder bis zum 7. Oktober 1996 nichts anderes bestimmt haben. Das Abfallwirtschaftskonzept enthält:

1. Angaben über Art, Menge und Verbleib der Abfälle,
2. die Darstellung von Vermeidungs-, Verwertungs- und Beseitigungsmaßnahmen,
3. Begründungen der Notwendigkeit der Abfallbeseitigung,

4. Darlegungen der vorgesehenen Entsorgungswege für die kommenden fünf Jahre,
5. gesonderte Darstellungen bei Exporten von Abfällen zur Verwertung oder Beseitigung.

Die fünfjährigen Abfallwirtschaftskonzepte enthalten die Sollvorgaben, die in den jährlichen Abfallbilanzen in einem Soll-Ist-Vergleich abgerechnet werden. Wer Abfallwirtschaftskonzepte aufstellen muß, muß sie auch jährlich in Abfallbilanzen abrechnen.
Abfallbilanzen enthalten Angaben über Art, Menge und Verbleib der verwerteten oder beseitigten besonders überwachungsbedürftigen Abfälle bzw. der überwachungsbedürftigen Abfälle. Nähere Bestimmungen sowie Ausnahmeregelungen werden in entsprechenden Verordnungen geregelt. Zu den am 7. Oktober 1996 in Kraft getretenen ergänzenden Verordnungen gehören:

1. die Verordnung zur Einführung des Europäischen Abfallkataloges,
2. die Abfallbestimmungsverordnungen (überwachungsbedürftige/besonders überwachungsbedürftige Abfälle),
3. die Nachweisverordnung,
4. die Verordnung zur Transportgenehmigung,
5. die Verordnung über Abfallwirtschaftskonzepte und Abfallbilanzen und
6. die Verordnung über Entsorgungsfachbetriebe und Richtlinie für die Tätigkeit und die Anerkennung von Entsorgergemeinschaften.

Der § 54 KrW-/AbfG regelt die Bestellung eines Betriebsbeauftragten für Abfall (Abfallbeauftragter), sofern dies in Hinblick auf Art oder Größe der Anlage notwendig ist. Die Notwendigkeit richtet sich sowohl nach der Art und Menge der in den Anlagen anfallenden zu verwertenden oder zu beseitigenden Abfälle als auch nach den zu erwartenden technischen Problemen, die bei der Vermeidung, Verwertung oder Beseitigung auftreten können. Der Abfallbeauftragte ist nach Ziffer 4 des § 55, Absatz 1 aufgerufen, auf die Entwicklung und Einführung umweltfreundlicher und abfallarmer Erzeugnisse – einschließlich der Verfahren zur Wiederverwendung, bzw. Verwertung – hinzuwirken oder auf die umweltverträgliche Beseitigung der Erzeugnisse nach Wegfall ihrer Nutzung.

Nach § 53, Absatz 1 des KrW-/AbfG besteht eine Mitteilungspflicht über die Betriebsorganisation für abfallrelevante Anlagen. Danach ist mitzuteilen, wer aus dem Vorstand oder der Geschäftsführung die speziellen Pflichten wahrnimmt, die sich aus dem neuen Gesetz ergeben. Absatz 2 dieses Paragraphen schreibt vor, daß die Betreiber einer genehmigungsbedürftigen Anlage im Sinne des § 4 Bundesimmissionsschutzgesetz oder der Beisitzer im Sinne des Kreislaufwirtschafts- und Abfallgesetzes [§ 26] der zuständigen Behörde mitzuteilen haben, auf welche Weise sichergestellt wird, daß die Vermeidung, Verwertung und umweltverträgliche Beseitigung von Abfällen umgesetzt werden.

Die ökologische Schwäche des Kreislaufwirtschafts- und Abfallgesetzes liegt unter anderem darin, daß die Definition, welche Abfälle als Sonderabfälle zu gelten haben, in Zukunft mehr in die Verantwortung der Produzenten dieser Abfälle gelegt wird. Außerdem wird das bisherige Einzelnachweisverfahren teilweise durch ein sogenanntes »privilegiertes« Sammelverfahren ersetzt. Hier besteht die Möglichkeit, daß nicht mehr alle Giftstoffe der Sammelfracht anhand der Begleitscheine identifizierbar sind. Unter der Hand werden sich folglich illegale Giftmüllentsorgungen häufen, ohne aufgedeckt zu werden.[4]

Die integrierte Umweltorientierung der Unternehmen führte häufig über die bloße Einhaltung gesetzlicher Auflagen hinaus und mündete vor allem in den zukunftsorientierten Branchen in ein aktives Umweltmanagementsystem.

In der Phase des Umweltmanagements kommt es zu einer Identifikation der betrieblichen Umweltrisiken. Diese Risiken sind meist kostenrelevant. Dazu gehören sowohl das Haftungsrecht, die Verschärfung der innerbetrieblichen Standards und die Verminderung der ökologischen Produktrisiken. Das Umwelt-Risiko-Management wird in Form der ökologischen Schwachstellenanalyse bzw. der Ökobilanz zu einem Bestandteil des Risk-Managements des Unternehmens.

Die Ökobilanz

Die Identifizierung der ökologischen Schwachstellen erfolgt in der Regel über eine Ökobilanz. Sie untergliedert sich, je nach Bilanzraum, in drei verschiedene Bilanzarten: die Betriebsbilanz, die Produktbilanz und die Prozeßbilanz.

Die Betriebsbilanz: Der Betrieb erscheint hier als »black box«. In der Betriebsbilanz werden alle Input-Stoffe und Energiemengen sowie alle Emissionen in Form von Abluft, Abwasser, Abfall und Lärm und auch die Endprodukte erfaßt.

Die Materialanalyse erfaßt alle Sachnummern der Produkte nach den Umweltwirkungen ihrer Inhaltsstoffe und Stoffgruppen. Umweltschädliche Stoffgruppen können so identifiziert und durch weniger bedenkliche Stoffe ausgetauscht werden.

Die Standortanalyse der Betriebsbilanz erfaßt die Flächennutzung des Unternehmens. Dazu gehört sowohl der Flächenbedarf und der Zustand der betrieblichen Bebauung als auch die Bestandssituation von Lagern. Außerdem werden die Altlasten, die infrastrukturelle Belastung durch den betrieblichen Fuhrpark, die Betriebsstoffe und nicht zuletzt das Inventar im Verwaltungsbereich einbezogen. Hier werden auch die Umweltbelastung durch den Kantinenbetrieb und durch die Haus- und Hofdienste aufgelistet. Die Standortbilanz ermöglicht es, die Lager- und Bestandsverwertungsrisiken durch die Verkleinerung der Bestellmengen zu verringern bzw. die sukzessive Umrüstung des Fuhrparks auf Fahrzeuge mit geringeren Lärm- und Abgasemissionen langfristig zu planen.

Die Produkt-Ökobilanz oder Produktlinienanalyse ermittelt die Umweltbelastungen der Produkte von der Wiege bis zur Bahre; was weit über den betrieblichen Rahmen hinausgeht. Dazu gehören sowohl die Wirkungen der Rohstoffentnahme auf die Umwelt als auch die Umweltprobleme, die bei der Entsorgung der verschlissenen Produkte auftreten können. Auf der Grundlage dieser Analyse kann sich herausstellen, daß erhebliche betriebswirtschaftliche Kosten durch reduzierte Sondermüllmengen, Abfallverwertung und durch das Recyclieren verbrauchter Produkte

eingespart werden können. Auch der Einkauf kann auf der Grundlage dieser Analyse dementsprechend umweltbewußt reagieren.
Die Prozeßbilanz untersucht die im Unternehmen eingesetzten Produktionsverfahren. Hier werden die Input- und Output-Flüsse der Materialien und Energieformen in der Reihenfolge der Fertigungsschritte und -bereiche analysiert. Die Prozeßbilanz gestattet es, die einzelnen Maschinen und Anlagen auf ihre Umweltrisiken hin zu checken. Der Vergleich von Emissions- und Abfallmengen verschiedener Anlagen kann zum Beispiel helfen, erhebliche Betriebskosten bei der Entsorgung einzusparen.

Die chancenorientierte Umweltstrategie

Die »lernende Organisation« in bezug auf das Risiko-Management im betrieblichen Umweltschutz ermöglichte es Pionierunternehmen, in die dritte Ebene der betrieblichen Umweltstrategie einzusteigen. Das ist die chancenorientierte Umweltstrategie. Dieser Schritt gelingt meist jenen Unternehmern, die sowohl unter dem objektiven Druck des umweltorientierten Wettbewerbs als auch unter dem subjektiven Leidensdruck, den die schleichende Umweltzerstörung verursacht, zu einer Umorientierung auf neue Marktsegmente gelangen. Die chancenorientierte Umweltstrategie führt in der Regel zur Entwicklung eines kontinuierlich ausgebauten Systems der Umweltsicherung in Form des Öko-Controlling. Das Öko-Controlling ist sehr aufwendig und umfaßt sowohl die Analyse als auch Planung, Steuerung und Kontrolle aller umweltrelevanten Aktivitäten. Die Umweltstrategie des Unternehmens erhält dadurch eine neue Qualität.
Die chancenorientierte Umweltstrategie ist eine innovative Strategie. Sie beschränkt sich nicht länger auf die betriebliche Reaktion in bezug auf die jeweiligen politischen und ökonomischen Anforderungen. Die innovative Strategie durchbricht die betriebliche Dimension. Die Unternehmen beginnen sich zu reorganisieren, um die sozialpolitischen Weichen für eine zukunfts-

orientierte Unternehmensstrategie selbst zu stellen. Diese Strategie verlangt das aktive Engagement der Unternehmen, um die politischen und ökonomischen Hemmnisse abzubauen, die einer Durchsetzung der innovativen Unternehmensstrategie entgegenstehen. Hier ist eine aktive politische Lobbyarbeit gefragt. Die Marktchancen der zukunftsorientierten Unternehmen wachsen zum Beispiel mit den Energie- und Rohstoffpreisen. Die Kreativität der Unternehmen ist die Quelle ihrer Gewinne. Die Anbieter von systemorientierten Haushaltsgeräten können zum Beispiel nur prosperieren, wenn die politischen Instrumente die Produzenten und Konsumenten zum Energiesparen anregen. Allein in der Bundesrepublik geht es um potentielle Jahresumsätze von über einer Billion Mark.

Zu den Unternehmensgruppen, die an einer politischen Weichenstellung für eine ökosoziale Marktwirtschaft interessiert sind, gehören die Produzenten und Vertreiber von Haushaltssystemen und von Solartechnologien, auch das baubiologisch orientierte Gewerbe, die Vertriebsunternehmen von Leasingsystemen, die extensive und vor allem die ökologisch orientierte Landwirtschaft sowie die Vielfalt der informationsverarbeitenden Branchen. Etwa 20 Prozent aller Unternehmen zählen gegenwärtig zu den potentiell ökologieorientierten Innovatoren.[5]

Verkauf: An der Nutzung verdienen

Die traditionelle Marktwirtschaft optimierte den Verkauf der Produkte. Je mehr Produkte die Unternehmen herstellen und verkaufen, desto größer ist ihr Umsatz, je größer der Umsatz, desto höher ist bei relativ gleichbleibenden Kosten der Profit. Die Orientierung auf die Maximierung der Verkaufszahlen führt aber automatisch zur Wegwerfgesellschaft. Die Hersteller und Vertreiber der Produkte sind in der Regel nicht daran interessiert, die Lebensdauer der Güter durch technische Innovationen oder durch einen kostenaufwendigen Service zu verlängern, sondern daran, daß sie nach der Garantiezeit kaputtgehen und die Reparatur nicht lohnt. Das Motto lautet: »totum pro parte«, das heißt, der Kunde muß statt des verschlissenen Teils das ganze Produkt kaufen. Die Billighersteller sind deshalb gut beraten, bereits beim Design ihrer Produkte eine Schwachstelle einzubauen. Der Staat unterstützt diese Verschwendung noch durch die staatliche Abfallentsorgung, die er sich selbst seit Ende des vorigen Jahrhunderts zur Pflicht gemacht hat. Produktverkauf und staatliche Abfallbeseitigung haben bislang die Hersteller und Vertreiber der Produkte von den Entsorgungspflichten entbunden. Die Kosten werden dem Kunden angelastet und letztlich auf den Staat abgewälzt. Daraus entstand die allgegenwärtige lineare Wirtschaftsstruktur: »*Produktion → Vertrieb → Konsum → Abfall*«.

Die Folge der Massenproduktion und des Massenvertriebs der Produkte sind regelmäßige Überbestände, die nicht absetzbar sind. Diese Nullprodukte füllen die Lagerhallen und kosten viel Geld. Sie sind totes Kapital. Totes Kapital ist eine Form der Zerstörung des gesellschaftlichen Reichtums. In den Nullprodukten wurde nicht nur fixes Kapital sinnlos vergeudet, sondern auch menschliche Arbeitskraft sowie die verbrauchten Energieträger und Rohstoffe.

Wegwerfprodukte sind eine weitere Form der Verschwendung gesellschaftlichen Reichtums. Ihr Nutzen liegt im einmaligen Gebrauch. Das mag zwar bei Spitalinstrumenten der Medizin noch sinnvoll sein. In der Regel funktioniert aber die halbe Wirtschaft nach dem Prinzip »Ex und Hopp«. Die Ressourcenproduktivität ist dabei verschwindend gering. Heute »überleben« nur etwa 5 Prozent der im Produktionsprozeß eingesetzten Primärenergie und Rohstoffe die ersten sechs Wochen nach der Produktfertigung.

Die Verteilung der Macht zwischen Anbietern und Nachfragern hat einen bedeutenden Einfluß auf die Nutzungsdauer der Produkte.

Bei Großsystemen wie zum Beispiel bei der Eisenbahn oder bei der Schiffahrt zwingt das Betreiberunternehmen den Hersteller zur Systemoptimierung des Produkts. Das ist deshalb möglich, weil die hohen Kosten für Anschaffung und Wartung des Großsystems den Betreiber in die Position des individuellen Geldgebers versetzt. Der Käufer zwingt den Hersteller, die Langlebigkeit des Produkts zu optimieren. Er erzwingt auch den Grad der Bedienungs- und Wartungsfreundlichkeit sowie die problemlose Instandsetzung des Systems.
Bei Kleinsystemen liegen die Machtverhältnisse umgekehrt. Der Hersteller erzwingt bei Funktionsstörungen nach der Garantiezeit den Neukauf des Produkts als Systemersatz. Dadurch maximiert er seinen Umsatz. Der Hersteller von Kleinsystemen kann in der Regel seine Betriebskosten je Stück durch die Maximierung des Produktionsvolumens senken, die er in der Regel durch aggressive Verkaufsstrategien zu erreichen sucht. Die Suggestivwerbung beim Vertrieb der Güter ist weniger auf die Produktinformation als auf die Einschränkung der Käufersouveränität angelegt. Da in der Regel alle diesbezüglichen Anbieter die gleiche Strategie verfolgen, hat der Nachfrager auch dann das Nachsehen, wenn er auf dem freien Markt zwischen verschiedenen Anbietern wählen kann.
Bereits Aristoteles wies im achten Kapitel des ersten Buchs seiner *Politik* darauf hin, daß der Reichtum weniger im Eigentum als mehr im Gebrauch der Güter liegt:

> »Der einzige und wahre Reichtum besteht in den Dingen, die zum Leben nützlich und notwendig sind. Ihre Menge hat eine absolute Grenze.«

Der Verkauf der Produktnutzung langlebiger Konsumgüter löst das volkswirtschaftliche »Kosten-Nutzen-Dilemma« des Produktverkaufs. Während der Verkaufspunkt [point of sale] seine magische Bedeutung verliert, gelangen die Lebenskosten des Produkts in den Blickpunkt der betriebswirtschaftlichen Rechnungsführung. Die Reduzierung der Lebenskosten führt zur

Systemoptimierung und zur Produkt- sowie Entsorgungshaftung durch den Hersteller, denn er ist nun selbst an der Optimierung der Nutzungseigenschaften seiner Güter bei gleichzeitiger Kostensenkung interessiert. Statt daß er seinen Gewinn aus möglichst vielen Produkteinheiten erzielt, lebt er nun vom möglichst häufigen Verkauf der Nutzung des Produkts. Dessen Kosten über die gesamte Lebenszeit wird er dadurch zu senken versuchen, daß sein Produkt lange hält und leicht repariert werden kann. Zugleich wird er seine Güter auf dem modernsten Stand der Technik halten und deshalb zur Modulbauweise übergehen. Auf diese Weise können sie schnell mit einem »Upgrade« versehen werden, ohne gleich das ganze Produkt vom Markt nehmen zu müssen. Und er wird sein Produkt so konzipieren, daß es optimal und vielseitig verwendbar ist. Die Steigerung der Nutzenseigenschaften erhöht nämlich seinen Gewinn, weil mehr Nutzen verkauft werden kann. Dadurch wächst der soziale Reichtum, obwohl der Naturverbrauch wegen der verringerten Stückzahlen der Güter rückläufig ist.

Der Verkauf der Produktnutzung initiiert also synergetische Effekte, durch die die Ressourcenproduktivität mindestens um den Faktor 10 erhöht werden kann. Die Wirtschaft wird bei dieser Marktstrategie die Produktlebensdauer optimieren. Die fünf Lebensphasen der Produkte: 1. Design, 2. Produktion, 3. Vertrieb, 4. Nutzung und 5. Entsorgung werden dann unter den Aspekten der Teiloptimierung der Betriebskosten, des Ressourcenverbrauchs, der Umweltverträglichkeit und der Arbeitsplatzbeschaffung neu durchdacht. Das gesamte Management erfährt unter dieser Marktstrategie eine entscheidende Umorientierung.

Der Schweizer Architekt Walter Stahel erarbeitet mit seinem Institut für Produktdauer-Forschung in Genf bereits seit Jahren Strategien zur Nutzungsdauerverlängerung der Produkte.[6] Solche Wirtschaftsstrategien sind eine entscheidende Voraussetzung für den Übergang von der Wegwerfgesellschaft in die Dienstleistungs- und Informationsgesellschaft.

Es gibt mindestens sechs Möglichkeiten, die Nutzungsdauer eines Gebrauchsguts zu verlängern:

- *die oftmalige Wiederverwendung;*
- *die Reparatur;*
- *die Grunderneuerung und Wiederinstandsetzung* bei der Generalüberholung;
- *die Modernisierung veralteter Teilelemente,* wobei die Austauschbarkeit der einzelnen Teile des Produkts gleich im Design als Modulkonstruktion berücksichtigt werden muß;
- *die Wiederverwendung intakter Produktteile* (oft sind das Gehäuseteil, das Grundgerüst oder wichtige Bauelemente eines verschlissenen Produkts noch tadellos in Ordnung; diese Teile können nach der Demontage des Produkts und der Aufarbeitung erneut in den nächsten Fertigungsprozeß einfließen, so daß die graue Energie, die in den wiederverwendeten Teilen steckt, im Prozeß des Remanufacturing erneut genutzt wird);
- *das stoffliche Recyclieren* von nicht mehr nutzbaren Teilen des Produkts verlängert die Nutzungszeit der Produktausgangsstoffe.

Die graue Energie, die in den Produktausgangsstoffen enthalten ist, wird insbesondere durch das Recyclieren genutzt. Als graue Energie bezeichnet man die Energiemenge, die nötig ist, um die jeweiligen Produkte herzustellen. Die Wiederverwendung der Produktausgangsstoffe erspart ihre Neuproduktion. Das führt zu einer beträchtlichen Einsparung von Energie.
Es werden zum Beispiel mehr als 50 Prozent der Energie gespart, wenn Stahl aus Schrott produziert wird statt aus Eisenerz. Zugleich wird die Luft- und Wasserverschmutzung um mehr als 75 Prozent gesenkt.[7] Genauso, wie die MIPS-Zahl (Material Input per Service Unit) den Materialaufwand je Produkteinheit angibt, läßt sich durch die ECUP-Zahl (Energy Capital per Unit of Performance) der Energieaufwand bestimmen. Die ECUP-Zahl ist besonders im Baugewerbe aufschlußreich. So übertrifft die ECUP-Zahl des Baustoffs Beton den Wert des Baustoffs Holz um zwei Zehnerpotenzen. Selbst die Verwendung von Stahl für die Masten von Hochspannungsleitungen ist wesentlich weniger energieaufwendig als Beton.

Die Tendenz der Nutzungsdaueroptimierung rechnet sich für die Wirtschaft auf dem gegenwärtigen Stand der technologischen Entwicklung nicht nur bei Großsystemen. Nachfüllbare Federhalter beispielsweise helfen gegenüber einem Patronenfüller Rohstoffe und Energien einzusparen.
Bei jedem einzelnen Teilprozeß der Nutzungsdauer-Verlängerungsschleifen wird der sonst übliche Kapital- und Naturverbrauch reduziert. Dafür steigt in der Regel der Anteil der Facharbeit. Die Teileinsparungen führen insgesamt zu einer Erhöhung der Ressourcenproduktivität, die den Faktor 10 erreichen und weit übertreffen kann.
Ein Patronenfüller kann zum Beispiel durch einen Einbausatz der Firma Pelikan leicht in einen Kolbenziehfüller verwandelt werden. Auch Tonerkartuschen für Drucker, um ein weiteres Beispiel zu nennen, sollten mit wenigen Handgriffen genauso nachfüllbar konstruiert werden wie die Handsprühflaschen von Ajax Glasrein oder die Nachfüllpacks für Honig-Milch-Shampoo der Basler Haar-Kosmetik GmbH.
Weniger Stoff- und Energieverbrauch und weniger Abfall bei gleichem Nutzen – das verlangt Kreativität, und es hilft Geld zu sparen. Das rechnet sich auch bei Büromöbeln, Kühlschränken, Beleuchtungsanlagen, Staubsaugern, Waschmaschinen, Autos, Heizungssystemen, Computern und so weiter. Sogar der Stiel von Zahnbürsten läßt sich wiederverwenden, wie die Zahnbürste mit dem auswechselbarem Bürstenkopf von Aronal öko-dent beweist.
Es gibt bereits viele kreative Beispiele intelligenter Lösungen in der Wirtschaft. Dazu zählen vor allem »Null-Optionen«. Sie bringen Nutzen ohne Ressourcenverbrauch und zusätzliche Kosten. So schmälert zum Beispiel die freiwillige Wiederverwendung von Handtüchern durch den Hotelgast nicht seinen Nutzen – aber es werden Waschgänge vermieden und der Umweltverbrauch reduziert. Außerdem verringern sich die Betriebskosten des Hotels.
In allen Phasen des Produktlebens können bei Produkten und Dienstleistungen sowohl Naturressourcen als auch Kapital und Arbeit eingespart werden – sozusagen von der Wiege bis zur

Bahre. Diese Phasen umfassen Rohstoffgewinnung, Fertigung, Vertrieb, Nutzung, Recycling und Entsorgung.
Besonders in der Fertigung lassen sich überraschende betriebswirtschaftliche Resultate erzielen. Dazu gehören sowohl der Ersatz giftiger Chemikalien oder Schwermetalle durch biologisch abbaubare Lösungsmittel und Schmierstoffe als auch der verstärkte Einsatz von Holz als Gehäusematerial.
Insgesamt sollten langlebige Konsumgüter so konstruiert sein, daß zum Beispiel Möbel ein zeitloses Design besitzen und durch Modetrends nicht vorzeitig entwertet werden können. Sie sollten resistent gegen Schäden sein. So läßt sich etwa bei Volksfesten unzerbrechliches Arcopal-Geschirr statt Wegwerfplaste einsetzen.
Die Modulbauweise vereinfacht die Demontage bei der Reparatur und der Wiederinstandsetzung von Geräten. So können beispielsweise das Mahlwerk und die Pumpe der automatischen Kaffeemaschine der Firma Jura einzeln demontiert werden. Die Instandsetzung ist somit möglich und erfordert nur einen minimalen Aufwand.
Reparieren und Nachrüsten langlebiger Konsumgüter erspart den Systemersatz. Dazu zählt nicht nur das Hochrüsten von PCs durch Komponententausch der in Modulbauweise gefertigten Hardware oder eine neue Software, dazu gehört auch das Nachrüsten von Maschinen durch sparsamere Motoren und sogar das mitwachsende Kinderfahrrad »Skippy«, das den Neukauf erspart. Dazu gehören auch die Nachisolierung von Gebäuden und der Ersatz von Fenstern und Türen. Die Demontage langlebiger Konsumgüter muß aber gleich bei der Planung mitgedacht werden. Wenn zum Beispiel Fensterrahmen erneuert werden müssen, dann macht es Sinn, sie zu demontieren, anstatt sie herauszubrechen. Die Ansätze für eine demontagegerechte Planung sind aber in der Bauindustrie noch sehr zaghaft. Erste Signale setzen die Qualitätsstandards zur Aufbereitung von Bauabfällen. Ein Zeichen in die richtige Richtung gibt auch die Basler Bauteilbörse. Hier entwickelt sich ein Markt für ausgebaute Türen und Fenster.

Beispiel Auto

Das Auto wird bekanntlich gleich beim Kaufakt vollständig bezahlt. Hinzu kommen die Kosten für Versicherung und Wartung. All diese Kosten fallen zumeist unabhängig davon an, ob das Auto bewegt wird oder nicht.

Wer sein Auto stehen läßt und mit der Bahn fährt, wirft sein Geld zum Fenster raus. Eine Bahnfahrt mit dem Inter-City-Express von Berlin nach Frankfurt/Main kostete im März 1996 hin und zurück (ohne BahnCard) in der 2. Klasse 359 DM. Die gleiche Strecke mit dem eigenen Auto zurückzulegen ist zwar relativ anstrengend, doch die Spritkosten betragen nur etwa 120 DM. Da kann selbst der Supersparpreis der Bahn nicht mithalten.

Das Problem liegt darin, daß das Auto als Produkt verkauft wird. Wenn die Nutzung des Autos genauso wie die Nutzung der Bahn verkauft würde, dann müßte der Hersteller oder Betreiber der Auto-Leasingfirma den Kaufpreis des Autos auf die gefahrenen Kilometer umschlagen und mit den Wartungskosten und Versicherungskosten zur Kilometerpauschale verrechnen. Dazu addieren sich noch die Kosten für den Treibstoff beim Kunden. Der Kilometerpreis liegt in diesem Fall etwa bei 0,50 DM. Das ist mehr als die Bahn je Kilometer verlangt. Den Kilometerpreis von 50 Pfennig bezahlt natürlich auch der private Besitzer des Pkw als Gesamtkostenpreis je Kilometer. Den größten Teil des Geldes hat er aber schon beim Kauf auf den Ladentisch geblättert. Wenn er danach noch die Bahn benutzt, dann zahlt er doppelt. Dieses volkswirtschaftliche Kosten-Nutzen-Dilemma des Produktverkaufs treibt den Naturverbrauch in die Höhe.

Werden langlebige Konsumgüter, wie Autos, als Produkte verkauft, dann ist auch die Nutzungszeit während der Lebensdauer wesentlich kürzer als beim Verkauf der Produktnutzung: Der private Pkw wird im Durchschnitt nur eine Stunde pro Tag bewegt.

Der gleiche Wagen im Pool einer Nutzergemeinschaft wird aber bereits zwei Stunden pro Tag bewegt. Es ist praktisch sehr unwahrscheinlich, daß alle Mitglieder der Gemeinschaft ständig zur gleichen Zeit die Autos beanspruchen. Nutzergemeinschaften

benötigen deshalb nur etwa die Hälfte der Fahrzeuge und folglich auch der Anschaffungskosten. Die gemeinsame Nutzung von Autos verringert die Kosten je Nutzer und erhöht die volkswirtschaftliche Ressourcenproduktivität.
Die organisatorische Hemmschwelle verhindert außerdem, daß Wege, die man bequem mit dem Fahrrad oder zu Fuß erledigen kann, mit dem Auto gefahren werden. Das ist nicht nur gesund, es entlastet auch die Straßen und die Umwelt.
Ein Auto-Pool von verschiedenen Fahrzeugtypen ermöglicht den Mitgliedern einer Nutzergemeinschaft, für jeden Nutzungszweck das geeignete Fahrzeug zur Verfügung zu haben. Die Nutzergemeinschaft besitzt in der Regel sowohl geräumige Limousinen für weite Fahrten als auch kleine Stadtautos. Hier stehen Kleintransporter und möglicherweise auch Wohnwagen zur Nutzung bereit. Die Nutzensvariabilität ist groß, und der jährliche Beitrag ist im Verhältnis zum individuellen Privatbesitz eines Pkw relativ klein. Nutzergemeinschaften von Autos gibt es mittlerweile schon in jeder größeren Stadt.

Beispiel Waschmaschine

Die gemeinsame Nutzung langlebiger Kosumgüter lohnt sich nicht nur bei fahrbaren Untersätzen. In den Küstenstaaten der USA haben sich zum Beispiel viele Nutzergemeinschaften von Waschmaschinen gebildet. Die gemeinsame Anschaffung einer robusten gemeinschaftlichen Waschmaschine, die 30 000 Waschgänge übersteht, kommt für den einzelnen Nutzer wesentlich billiger als kleine Geräte, die in der Regel nur 3000mal genutzt werden können. Die Abneigung der Bürger vor Kontakten mit ihren Nachbarn ist in den USA, wo das Bedürfnis nach Sozialkontakten in Form von Nachbarschaftshilfe und Bürgerinitiativen seit der Gründerzeit lebendig geblieben ist, nicht so ausgeprägt wie zum Beispiel in Deutschland.
Die finanziellen Vorteile von Nutzergemeinschaften einer Waschmaschine liegen nicht nur darin, daß die Mehrkosten zur An-

schaffung einer größeren Waschmaschine durch die längere Nutzungszeit überkompensiert werden. Sie sind vor allem darin zu sehen, daß sich bei der viel genutzten Anlage ein Warmwasseranschluß lohnt. Das vorgewärmte Waschwasser kann dem Nahwärmenetz entnommen oder in einer Solarkollektoranlage erzeugt werden. Die Kosten für eine solarthermische Anlage lassen sich im Selbstbau auf ein Minimum senken (siehe S. 55f.).
Die Nutzungsdauer von Waschmaschinen, Wäschetrocknern und Spülmaschinen kann ebenfalls durch Hochrüstung verlängert werden. Die V Zug AG entwickelte zum Beispiel das System »Zug Auge«, das der elektronischen Ortung von Gerätestörungen dient. So können die Kunden an Neuentwicklungen teilhaben, ohne gleich ein neues Gerät kaufen zu müssen. Durch die Nachrüstbarkeit der Haushaltsgeräte bindet der Hersteller seine Kunden an die Firma, und er baut den Service aus – ein Markenzeichen.

Beispiel Personal-Computer

Personal-Computer [PC] haben in deutschen Haushalten eine durchschnittliche »Lebensdauer« von etwa vier Jahren. Dann ist das System meistens schon »moralisch« verschlissen. Die Preise für PCs purzeln seit Jahren in den Keller, während Rechenleistung und Speicherkapazität ständig ansteigen. Die ausrangierten PCs sowie Radios, Fernseher, Videorecorder und so weiter ergeben allein in der Bundesrepublik Deutschland jährlich einen Elektronikschrottberg von etwa 1,5 Millionen Tonnen. Das ist teurer Sondermüll.
Im Jahr 1993 besaßen die Bundesbürger insgesamt 7,5 Millionen Personal-Computer. 1994 kamen noch 3,5 Millionen hinzu, und 1995 wurden weitere fünf Millionen PCs verkauft. Allein der Elektronikschrott von ausrangierten Computern betrug 1996 mehr als 120 000 Tonnen. Eine fachgerechte Entsorgung ist auf dem gegenwärtigen Stand der Technik kaum möglich. Der überwiegende Teil der elektronischen Bauteile landet zusammen mit dem ganzen Gerät auf den Mülldeponien. Dabei werden indirekt

auch die Naturgüter in Form von Metallen, Wasser und fossilen Brennstoffen, die zur Herstellung der Geräte verbraucht wurden, in wachsenden Dimensionen verschwendet. Gleichzeitig wird der knappe Deponieraum mit giftigem Sondermüll verfüllt.
Die Elektronikschrott-Verordnung, mit deren Erarbeitung die Bundesregierung 1992 begann, soll dieser Verschwendung von Naturgütern, Sachkapital und Arbeit entgegenwirken. Ihr Kern ist die Rücknahme- und Recyclierpflicht der elektronischen Geräte durch den Hersteller. Obwohl 1996 noch nicht gültig, reagierten die Hersteller der Geräte bereits im Vorfeld. Sie wiesen ihre Wissenschaftler und Techniker an, Produkte zu konstruieren, die schadstoffärmer und leichter zu demontieren sind.
Die amerikanische Umweltbehörde (EPA) verabschiedete bereits 1993 eine solche Verordnung, die zur Entwicklung eines besonders stromsparenden und recyclierbaren Computers führte. Solche »Green-PCs« sind durch den Energy Star und den Blauen Umweltengel gekennzeichnet. Jeder größere Anbieter führt sie heute im Programm. Der Green-PC ist gegenüber den Altgeräten zweifellos ein Fortschritt. Wer einen neuen PC benötigt, sollte sich einen Green-PC kaufen.
Die sofortige Umstellung vom bisher gebrauchten PC auf den Green-PC schadet allerdings mehr, als sie nützt. Die Einsparung des Umweltverbrauchs ist viel kleiner als der zusätzliche Aufwand zur Produktion des Neugeräts. Die gesamte Umweltbelastung der Produktion von PCs, ihres Transports und Verkaufs, ihrer Lebenszeit und der Entsorgung kann nur in einer umfassenden Ökobilanz aufgedeckt werden, die den gesamten Lebenszyklus des Produkts einbezieht.
Zwischen 70 und 80 Prozent des Abfallvolumens, das in den Lebensphasen eines PCs entsteht, kommen gar nicht beim Verbraucher an. Die Aufstellung einer Ökobilanz ist schon deshalb schwierig, weil die Ausschußrate bei der Chipproduktion in den Unternehmen top secret ist. Der Verbrauch von Chemikalien und von Strom hängt aber entscheidend davon ab, ob für jeden funktionstüchtigen Chip zwei, drei oder fünf unbrauchbare ausgesondert werden müssen.

Die folgenden Ausführungen stützen sich auf eine Studie des amerikanischen Fachverbands »Microelectronics and Computer Technology Corporation« [MCC], die 1993 veröffentlicht wurde.[8] Dieser Verband ist mit dem bundesdeutschen Zentralverband der Elektrotechnik- und Elektronikindustrie [ZVEI] zu vergleichen.

Die Studie der MCC wertete die Angaben folgender Unternehmen der US-Computerbranche aus: Texas Instruments, NEC und Motorola. Die Aussagekraft der Studie ist jedoch begrenzt. Ihre Ergebnisse dienen hier lediglich dazu, den Grad der Umweltbelastung durch den Produktverkauf von Personal-Computern anzudeuten.

Zur Herstellung eines PCs werden etwa 700 verschiedene Naturgüter in unterschiedlichen Mengen benötigt. Dazu gehört zum Beispiel Rohöl für die Kunststoffe und als Energieträger für die Prozeßabläufe. Außerdem sind Eisen und giftige Schwermetalle wie Blei, Quecksilber, Cadmium, Barium, Thallium, Nickel, Kupfer, Zink, Zinn und teilweise Gold zur Herstellung der Chips und der Leiterplatten nötig. Die Gewinnung dieser Produktionsausgangsstoffe in der notwendigen Reinheit verlangt wiederum große Mengen anderer Chemikalien und Energien.

Die Studie weist nur die Verbräuche aus, die zur unmittelbaren Herstellung eines PCs mit Monitor nötig sind. Der Stromverbrauch des Herstellungsprozesses wird mit 2315 kWh angegeben. Das entspricht etwa dem Jahresverbrauch eines Singlehaushalts in der Bundesrepublik Deutschland. Bei der Herstellung eines PCs werden außerdem 33 000 Liter Wasser verbraucht. Davon könnte ein Äthiopier mehr als 15 Jahre lang leben. Es werden 56 Millionen m^3 Luft belastet. Dieses Belastungsniveau verursacht ein Nigerianer erst nach etwa 30 Lebensjahren. Die energetischen Prozesse setzen mehr als drei Tonnen Kohlendioxyd frei.

Das Abfallvolumen, das bei der Produktion eines einzigen PC entsteht, umfaßt 320 kg. Das ist das Zwanzigfache seines Eigengewichts. Etwa 20 kg davon sind Sondermüll. Diese Abfallmengen entsprechen etwa der Jahresproduktion an Hausmüll eines Bundesbürgers. Die genannten Zahlenangaben beziehen sich aber lediglich auf die Herstellung des Innenlebens eines PCs. Die Naturverbräuche zur Herstellung der Produktionsausgangsstoffe sowie des Computergehäuses, der Tastatur, der Maus, des Diskettenlaufwerks und des Netzteils wurden hier nicht berücksichtigt. Es kann davon ausgegangen werden, daß sich dadurch der Gesamtverbrauch noch einmal verdoppelt.

Die in Deutschland längst überfällige Rücknahme- und Recyclierpflicht der PCs durch die Hersteller bzw. Vertreiber kann bei dem gegenwärtigen Produktionsvolumen die Problemlage kaum entspannen. Das Recycling ausrangierter PCs ist zwar umweltfreundlicher als ihre Entsorgung, doch auch dabei wird viel Energie verschwendet. Der Abfallberg wird nur geringfügig entlastet. **Das Unternehmen IBM** recycliert zum Beispiel nach eigenen Angaben fast 98 Prozent der schrottreifen PCs. Von den Leiterplatten gewinnt man aber lediglich das Kupfer, Silber und Gold zurück. Der überwiegende Teil der grauen Energie wird bei der Verbrennung in die Luft geblasen. Die Reststoffe in der Schlacke bilden Sondermüll. Das Glas der Bildröhren ist ebenfalls nicht weiterverwendbar, weil es mit giftigen Schwermetallen durchsetzt ist. Die Kunststoffe verlieren nach dem Umschmelzen ihre Qualität. Sie werden zu Schallschutzwänden, Parkbänken oder Blumenkästen verarbeitet [downcycling]. Die restlichen 5 bis 10 Prozent sind nicht verwertbar. Sie werden deponiert.

Das Recyclieren der ausgedienten PCs kann infolge der immer kürzeren Produktersatzzyklen und der wachsenden Produktmengen das Problem des explodierenden Umweltverbrauchs in dieser Branche nicht lösen. Auch der freiwillige Verzicht der potentiellen Konsumenten auf die Anschaffung eines eigenen PCs im Privathaushalt ist bei den sinkenden Preisen nicht zu erwarten.

In den meisten Fällen ist aber der komplette Austausch des Altgeräts weder in einem Haushalt noch im Büro nötig. Der neueste Stand der Technik kann für die häuslichen Schreibarbeiten oder am Arbeitsplatz für Textverarbeitung viel billiger durch den Austausch der Graphikkarte und des Monitors erreicht werden. Die einzelnen Komponenten müssen allerdings als Bausätze zueinander paßfähig sein. Der Kauf eines nachgerüsteten gebrauch-

ten PCs kommt den Kunden in der Regel um das Vierfache billiger. Der Verbrauch an Naturgütern wird dabei sogar um den Faktor 10 reduziert. Die herstellungsbedingten Umweltbelastungen werden bei der Nutzungsdauerverlängerung eines bereits im Gebrauch befindlichen PCs vermieden.
Die eingesparte Menge an Energie und an Rohstoffen wird bei einem kompletten Ersatz des Altgeräts durch einen Green-PC im Hausgebrauch erst nach etwa 100 Jahren erreicht. Und im gewerblichen Bereich rentiert sich dieser Ersatz erst nach zwanzig Jahren.
Der Kauf eines Green-PCs ist also nur im Verhältnis zum Kauf eines anderen Geräts umweltfreundlicher. Er hat zum Beispiel nur den halben Stromverbrauch. Der Ersatz eines funktionsfähigen Altgeräts durch einen Green-PC dagegen ist gegenüber der Aufrüstung des Altgeräts sowohl unwirtschaftlich als auch unökologisch.
Der Produktverkauf bei fallenden Verkaufspreisen zwingt Hersteller und Vertreiber von PCs zu immer kürzeren Produktersatzzyklen und steigenden Verkaufszahlen. Würden die Produzenten die Produktnutzung verkaufen, wären sie selbst an der Langlebigkeit und Modernisierungsfähigkeit ihrer Geräte interessiert. Sie müßten die Serviceleistung ausbauen und die Geräte so konstruieren, daß sie sowohl eine größere Nutzungsvariabilität haben als auch leichter reparierbar sind.
Ein Schritt in diese Richtung sind die bereits heute üblichen Steck- und Klappverschlüsse. Die Möglichkeit, Prozessor, Memory und Harddisks zu wechseln, existiert bei den meisten Systemen seit etwa sechs Jahren. Die Anwender können den Schritt zur Windows Software oder zum Pentium-Prozessor machen, indem sie ihren PC nachrüsten. Der Einspareffekt an Rohstoffen und Energieaufwand ist im Verhältnis zur Neuanschaffung enorm. Nachrüsten lohnt sich auch in Hinblick auf die Kosten.
Auf der Grundlage der Modulbauweise können die PCs auf den modernsten Stand der Technik gebracht werden, ohne das gesamte System zu ersetzen. Diese Möglichkeit wird aber aus Absatzgründen noch nicht ausreichend von Industrie und Vertrieb

genutzt. Nur PC-Freaks haben in der Regel die Fachkenntnisse, ihre Systeme durch Module zu verbessern. Die graue Energie, die bei der Produktion der Geräte verausgabt wurde, bleibt dann erhalten. Der Naturverbrauch der Branche könnte bei einem systematischen Ausbau der Hochrüstung um den Faktor 10 bis 20 verringert werden.
Der Ausbau und die Nachrüstung von Computersystemen ist für die Nutzer von Groß- und Mittelsystemen die Regel. Hier haben die Hersteller ein Interesse an der Langlebigkeit. Die Betreiber oder Dienstleister zwingen sie dazu. Wenn der Hersteller von EDV-Hardware den Kunden durch ein Outsourcing seiner EDV-Abteilungen Dienstleistungen verkauft, ist er an der Langlebigkeit seiner Anlagen selbst interessiert. Er wird zum Dienstleister und organisiert die Wiederverwendung, Nachrüstung, Instandsetzung und Erneuerung der Geräte.
Die Tendenz der Wirtschaft zum Verkauf der Produktnutzung würde ganze Dienstleistungspakete nach sich ziehen. Das schafft Arbeitsplätze für Mechaniker und den Dienst am Kunden.
Die Tendenz zu dieser Entwicklung bahnt sich heute bereits an. Der Absatz ist bei vielen Produkten infolge der Marktsättigung nur noch durch die Kombination des Produktverkaufs mit entsprechenden Serviceleistungen möglich. Das ist aber bereits der Einstieg in die Dienstleistungsgesellschaft.
Der nächste Schritt auf diesem Weg ist der Verkauf der Produktnutzung. Der Systemhersteller und -vertreiber bleibt Eigentümer des Produkts und verkauft dessen Nutzung. Er arbeitet als Dienstleistungsunternehmen dann am kostengünstigsten, wenn er die Nutzung der Produkte möglichst oft verkaufen kann und dabei kaum Reparaturen anfallen. Das private Wirtschaftsinteresse ist in diesem Fall identisch mit dem volkswirtschaftlichen Gewinn.
Daran sollte auch die Politik interessiert sein. Ein ordnungsrechtliches Gebot zum Nutzungsverkauf langlebiger Konsumgüter würde die Entwicklung der Industriegesellschaft zu einer Dienstleistungsgesellschaft wesentlich beschleunigen. Das »Nebenprodukt« dieser gesellschaftlichen Entwicklung wäre nicht nur eine

gewaltige Gewinnexplosion sowie die Verbesserung der Konkurrenzfähigkeit auf den Märkten, sondern auch der Wirtschaftsstandort wird infolge der unternehmerischen Kreativität gestärkt. Die enorme Erhöhung der Ressourcenproduktivität führt außerdem zu einer bedeutenden Senkung des Naturverbrauchs. Das ist wiederum die Voraussetzung für die Produktivität der nächsten Wirtschaftsgeneration.
Wenn dagegen die wirtschaftspolitischen Weichen weiter den Raubbau des natürlichen Kapitals der Erde begünstigen, dann beschleunigt sich der Raubbau an der Natur noch. Dieser Zusammenhang wird besonders bei Großinvestitionen im Energiebereich deutlich. Der Zubau von fossilen oder kernenergetischen Kraftwerken zwingt bekanntlich die Energieversorgungsunternehmen, alles dafür zu tun, daß die Energienachfrage nicht zurückgeht. Ein Sinken der Energienachfrage wäre gleichbedeutend mit einer enormen Kapitalvernichtung. Die großen Energieversorger sind deshalb in der Regel Gegner von Energiesparprogrammen. Doch es gibt, wie gezeigt, bereits einige weiße unter den vielen schwarzen Schafen.

Versorgung mit Energie: Strategien der Wende

Das Energiesubventionskartell

Die Energieversorgung liegt in den meisten Industriestaaten in den Händen monopolistisch strukturierter Energieunternehmen. Auch das deutsche Energiewirtschaftsgesetz von 1935 garantierte bisher dem jeweiligen Energieversorgungsunternehmen das alleinige Recht, innerhalb seines Versorgungsgebiets Strom zu verkaufen. Im Gegenzug ist der Stromversorger verpflichtet, die Kundenansprüche zu sichern.
Nach Paragraph 1 dieses immer noch gültigen Gesetzes untersteht die deutsche Energiewirtschaft der »Aufsicht des Reiches«.

Der weitere Text bezieht sich folgerichtig auf die Befugnisse des Reichswirtschaftsministers und auf das damalige Reichsenteignungsgesetz. Das Gesetz wurde vor mehr als sechzig Jahren unter den staatskapitalistischen Bedingungen des Hitlerfaschismus verabschiedet, um sogenannte »volkswirtschaftlich schädliche Auswirkungen des Wettbewerbs zu verhindern«. Es ist schon erstaunlich, daß es die bundesdeutschen Energieversorger bis in die Gegenwart geschafft haben, diese Gesetzesmumie am Leben zu erhalten. Der energiepolitische Hintergrund erklärt dagegen alles. Die Stromversorgungsunternehmen erzeugen etwa 85 Prozent des deutschen Stroms. Sie besitzen das 40 000 km lange nationale Hochspannungsnetz und verfügen außerdem über die Kohlevorkommen. Damit ist die mächtigste einheimische Energieressource im Eigentum der Stromversorger.

Der deutsche Steuerzahler subventioniert den teuren Steinkohlenbergbau in jedem Jahr mit etwa zehn Milliarden Mark. Einstmals eingerichtet, um die Energieversorgung des Landes zu sichern, wurden zuletzt zwei Drittel der Subventionen dazu genutzt, den Preis der Kraftwerkskohle zu verringern. Jede Tonne heimischer Kohle wurde 1994 mit 172 Mark gestützt, damit ihr Preis auf das Niveau der Importkohle sackte. Die Subventionierung jedes Arbeitsplatzes im Steinkohlenbergbau betrug damit fast 90 000 Mark im Jahr, weit mehr als der Jahresverdienst der meisten Kohlekumpel.

Der größte Teil der Subventionsgelder für die Verbrennung der teuren deutschen Steinkohle wurde über den Kohlepfennig, also durch Zahlungen der Stromverbraucher an die Stromerzeuger aufgebracht. Seit einem Grundsatzurteil des Bundesverfassungsgerichts ist das aber verfassungswidrig. Deshalb fand die Bundesregierung eine andere Lösung. Sie zahlte fortan einen Festbeitrag an Subventionsmitteln aus Steuergeldern in Höhe von 7,5 Milliarden Mark direkt an den Bergbau. Hinzu kommen noch rund acht Milliarden Mark für Koks-Kohle-Beihilfen, die jeweils in den Jahren 1995, 1996 und 1997 ausgeteilt wurden. Der Strompreis wurde so künstlich verringert. Gegen diese riesigen Subventionen hat die Solarenergie keine Chance.

Die energiepolitischen Weichen sind in der Bundesrepublik Deutschland bis weit ins nächste Jahrhundert für den Verbrauch fossiler Brennstoffe gestellt. Die Subventionen dafür reißen ein gewaltiges Loch in den Staatshaushalt. Die staatliche Neuverschuldung des Bundes stieg von 2,5 Prozent im Jahr 1994 auf 3,5 Prozent 1995. Während die absoluten Staatsschulden der Bundesrepublik 1994 »nur« 50,4 Prozent der Wirtschaftsleistung dieses Jahres ausmachten, stieg die Schuldenlast 1996 auf etwa 62 Prozent. Damit hat die BRD die Beitrittsbedingung in die geplante Währungsunion zum 1. Januar 1999 um zwei Prozentpunkte überschritten. Der wachsende Schuldenberg wird bei der vorherrschenden politischen Pattsituation zu weiteren Steuererhöhungen führen, die wiederum die internationale Wettbewerbsfähigkeit der deutschen Wirtschaft reduzieren.
Es ist ein Gordischer Knoten, der an Ort und Stelle zerschlagen werden muß. Die Lösung des Problems verlangt eine mutige politische Entscheidung.
Mit Hilfe von Subventionen werden zwar die annähernd 100 000 Arbeitsplätze im Kohlenbergbau erhalten, doch der Verlust an Arbeitsplätzen in der übrigen Wirtschaft ist durch die Wegrationalisierung der Arbeit infolge billiger Energie wesentlich größer. Würden die Subventionsmittel in ein nationales Programm zur Ressourceneinsparung und Förderung alternativer Energieformen gelenkt, könnten bei vorsichtiger Schätzung innerhalb von fünf Jahren eine halbe Million neuer Arbeitsplätze in einer zukunfts- und exportorientierten Wirtschaft entstehen.
Das CO_2-Reduktionsziel der Bundesrepublik rückt durch die jüngste energiepolitische Rahmensetzung in weite Ferne. Man kann nicht auf der einen Seite die absolute Emission des Treibhausgases Kohlendioxyd bis zum Jahr 2005 um 25 Prozent senken wollen, gleichzeitig aber den Verbrauch von Kohle durch Subventionen künstlich verbilligen und außerdem noch dem Kohlenbergbau großzügige Absatzzusagen von 35 Millionen Tonnen für die Verstromung und 15 Millionen Tonnen für die Verhüttung geben. Wirtschaftliche Mumien mit politischer Macht am Sterben zu hindern und im Interesse veralteter Technologien der keimen-

den jungen Solar- und Dienstleistungswirtschaft die Lebenskraft auszusaugen zahlt sich für die Gesellschaft nicht aus.
Die ersatzlose Streichung der Kohlesubventionen ist längst überfällig. Das darf allerdings nicht dazu führen, daß dann die billige australische Importkohle verbrannt wird. Deshalb ist eine Doppelstrategie nötig: Auf der einen Seite müssen die bisherigen Subventionen zur sozialen und wirtschaftlichen Umstrukturierung der Kohlereviere an Ruhr und Saar sowie in der Lausitz genutzt werden. Mit den Subventionsgeldern könnte eine zukunftsorientierte Wirtschaftsstruktur entstehen. Wenn nur fünf Milliarden Mark fünf Jahre lang sowohl in die Solarindustrie als auch für Umschulungsmaßnahmen der ehemaligen Kumpel fließen, dann steht die Branche auf eigenen Füßen. Auf der anderen Seite muß eine Energiesteuer für alle fossilen Brennstoffe und für Kernenergie erhoben werden, um die negativen externen Effekte dieser Energieträger in den Marktpreis zu integrieren und den sparsamen Umgang mit Naturressourcen zu fördern.
Das sozial taube und naturblinde Steuersystem muß aufkommensneutral reorganisiert werden. Die Mühe und die Kreativität der Arbeit und des Kapitals sollten belohnt, der Naturverbrauch muß bestraft werden.
In den tagespolitischen Entscheidungen der einzelnen Bundesministerien wäre eine bessere Koordination wünschenswert. Während das Wirtschaftsministerium den Kohleverbrauch durch massive Subventionen fördert, versucht das Umweltministerium die proklamierten Reduktionsziele der Regierung doch noch irgendwie umzusetzen. Zu Beginn des Jahres 1996 hat die Umweltministerin Angela Merkel zwölf von neunzehn Industrieverbänden die Zusage abgerungen, die CO_2-Emissionen bis zum Jahr 2005 nicht nur pro Wertschöpfungseinheit, sondern auch absolut zu senken. Dieses Versprechen ist der Industrie relativ leichtgefallen. Die Hälfte des Reduktionsziels wurde bereits durch wirtschaftliche Zusammenbrüche in den neuen Bundesländern erreicht, und der Aufschwung Ost ist nicht in Sicht.
Die Novellierung des Energiewirtschaftsgesetzes, wie sie die SPD 1990 vorschlug, wäre ein Schritt in die richtige Richtung.[9] Der

Vorschlag hatte die wirtschaftspolitische Neuorientierung der Energieversorgungsunternehmen zum Inhalt. Die Energieversorger sollten sich zu Energiedienstleistungsunternehmen entwickeln. So war vorgesehen, daß vor jedem Neubau von Energieanlagen alle Möglichkeiten zur Energieeinsparung ausgenutzt werden sollen. Der Einsatz von Kraft-Wärme-Kopplung mit Nah- und Fernwärmeausbau sollte forciert und die erneuerbaren Energieformen besonders gefördert werden. Außerdem sollten lineare Stromtarife der Bestrafung des Stromsparens ein Ende bereiten. Vor allem sollte das Verhältnis zwischen den Grund- und Arbeitspreisen bei den Stromtarifen neu gestaltet werden. Die Realisierung dieses Vorschlags scheiterte jedoch an der Regierungsmehrheit im Bundestag. Seitdem ist auch in der SPD eine bemerkenswerte Funkstille in der Energiefrage eingetreten.

Das bisherige Energiewirtschaftsgesetz kümmert sich nur um die stetige und billige Stromversorgung bis zum Kunden. Was mit der Energie hinter dem Zähler passiert, ist nicht von Belang. Den Energieversorgern kann es deshalb nur recht sein, wenn die energetische Effizienz der elektrischen Heizungssysteme, der Motoren, der Beleuchtungskörper, der Kühlschränke, der Waschmaschinen und so weiter gering bleibt. Die Erhöhung des energetischen Nutzens würde ihren Absatz nur verringern. Der Stromverkauf ist eine Form des Produktverkaufs.

Der Übergang zum Verkauf der Produktnutzung bedeutet dagegen auf dem Energiemarkt den Verkauf einer Energiedienstleistung. Damit läßt sich viel Geld verdienen, wie die jüngste Entwicklung auf dem Energiemarkt in den USA beweist (dazu ausführlich S. 266–269). Wirtschaftliche Voraussetzung dafür war, daß die Stromversorger ihre Investitionen in die Stromeinsparungen genauso auf den Strompreis umschlagen konnten wie Investitionen in neue Kraftwerke. Die wirtschaftspolitischen Weichen in diese Richtung wurden von den Aufsichtsbehörden [Public Utility Commissions] im Bundesstaat Kalifornien gestellt. Durch Einsparinvestitionen waren die Energieunternehmen in der Lage, die Reservekapazitäten der Stromversorgung in den Spitzenbelastungszeiten zu minimieren.

In der Bundesrepublik Deutschland dagegen konzentrieren die Strom-Goliaths nach wie vor die Stromerzeugung, den Betrieb des Verbundnetzes und die Stromverteilung in ihren Händen.
Die kartellartige Struktur der deutschen Energieindustrie garantierte bisher den Energieversorgungsunternehmen überdurchschnittliche Gewinne. Diese Unternehmen schalten erstens mit sogenannten Demarkationsverträgen die Konkurrenz untereinander aus und sichern sich zweitens in Konzessionsverträgen mit den Gemeinden auf der Grundlage von Gebühren das Exklusivrecht zur Stromlieferung.
Die Stadtwerke sind für die großen Regionalversorger nicht weiter gefährlich. Sie stellen aber ein Ärgernis dar, das es in deren Augen möglichst schnell zu beseitigen gilt, denn sie verkaufen den Strom vor Ort. Gerade hier lassen sich aber die größten Profite erzielen. Deshalb kaufen die kapitalkräftigen Stromkonzerne gern in Finanznot geratenen Städten die Stadtwerke ab. In München, Erlangen, Dortmund, Hamburg und Berlin wird dieser Verkauf vorbereitet. Mit den Gewinnen aus dem Stromverkauf können sich die Stromriesen das leisten.
Der Einigungsvertrag machte es außerdem möglich, daß die Stadtwerke in den neuen Bundesländern von den großen Stromversorgern fast kostenlos übernommen wurden. Nur 164 Gemeinden entgingen der flächendeckenden Enteignung und konnten durch eine gewonnene Verfassungsklage ihr Tafelsilber retten.
Im Zuge der deutschen Einigung wurde im Ostteil des Landes auch ein Sonder-Bergrecht eingeführt. Die Gemeinden haben seitdem kein Mitspracherecht mehr bei der Erteilung von Abbaugenehmigungen. Dabei geht es vor allem um Braunkohle, Sand und Kies. Der Abbau der Rohstoffe ist »bergfrei«. »Bergfreiheit« bedeutet, daß die Bergämter ohne Beteiligung der Grundeigentümer und Kommunen die Genehmigung zum Abbau der Bodenschätze geben dürfen. Damit soll bei ungeklärten Eigentumsverhältnissen die schnelle Versorgung der Wirtschaft mit Baustoffen garantiert werden.
In der Praxis erwies sich dieses »Bergrecht« als sehr nachteilig für die Eigentümer und die Gemeinden, auf deren Grund und Boden

sich Rohstofflagerstätten befinden. Die neuen Bundesländer versuchen seitdem vergeblich, eine Angleichung an das »Westrecht« zu erreichen, um bei Abbaugenehmigungen wenigstens ein Mitspracherecht zu erhalten.

Die Rechnung der großen Stromversorgungskonzerne ist relativ einfach: Je größer die Kraftwerke gebaut werden, desto niedriger sind die Stromerstellungskosten. Je niedriger die Stromerstellungskosten sind, desto höher ist die Gewinnspanne. Die Einsparung von Strom und der Konkurrenzstrom aus alternativen Energieformen könnten die Auslastung der bereits gebauten Kraftwerke gefährden. Eine geringere Auslastung oder ein Rückbau ist gleichbedeutend mit frühzeitiger Kapitalentwertung. Die Kosten für den ständig wachsenden Naturverbrauch brauchen die Stromgiganten dagegen nicht zu bezahlen.

Wer sich aus diesem System ausklinken will, braucht viel Geld und die Kraft der Gemeinde Schönau im Schwarzwald.

Der Atomstrom und die Gemeinde Schönau im Schwarzwald

Ein Paradebeispiel dafür, wie die verkrusteten Energiestrukturen in Deutschland den sozialen Fortschritt auf dem Energiemarkt zu blockieren versuchen, ist die Gemeinde Schönau im Schwarzwald.

In Schönau leben 2600 Menschen. Die Bürger des Städtchens entwickelten umfassende Aktivitäten zur Energieeinsparung, um einen Beitrag zur Reduktion des Verbrauchs fossiler Brennstoffe und vor allem der Kernenergie zu leisten. Der Stromsparwettbewerb wurde innerhalb der Gemeinde symbolisch um einen Einkaufsgutschein und eine Bahn-Card geführt. Der Strombedarf verringerte sich zwar beträchtlich, doch der Reststrom kam noch immer aus der Steckdose. Die Bürger wußten, daß ein Teil davon aus den Atomkraftwerken der Schweiz geliefert wurde. Sie wollten aber keinen Atomstrom.

Auf Initiative des Landarztes Michael Sladek und seiner Mitstreiter kauften sich die Bürger kleine »Blockheizkraftwerke«. Das hört sich zwar gewaltig an, ist aber sehr einfach. Das Kernstück der Anlage besteht

aus einem kleinen Gasmotor zur Stromerzeugung. In Kombination mit einem Wärmespeicher nutzt das System die eingesetzte Primärenergie wesentlich besser aus als die großen Kondensationskraftwerke.
Die kleinen Kraft-Wärme-Anlagen produzierten so viel Strom, daß der Verkauf der Stromüberschüsse notwendig wurde. Doch genau das war nach dem Energiewirtschaftsgesetz verboten. Das dortige Stromverteilungsunternehmen verweigerte dem unerwünschten Konkurrenten die Einspeisung des privat erzeugten Stroms ins Netz. Die Schönauer wollten aus Gründen der Rentabilität dieselben Konditionen, die auch den Windenergieanlagen gewährt werden. Schließlich sahen sie sich gezwungen, dem Kraftübertragungswerk in Rheinfelden das etwa 20 Kilometer lange Stromnetz zusammen mit den Transformatorstationen für acht Milliarden Mark abzukaufen. In einem Bürgerentscheid sprachen sich die Schönauer dennoch für eine eigene Stromversorgung aus.
Das war eine mutige, aber auch eine sehr kostenaufwendige Initiative – ein Weg für besonders motivierte Bürger, aber keine Landstraße für die Allgemeinheit. Der bundesweite Einsatz von kleinen Blockheizkraftwerken könnte zusammen mit der Solarenergie die von der Bundesregierung verkündete Reduzierung der Emissionen von Kohlendioxyd um 25 Prozent bis zum Jahre 2005 relativ schnell erreichen. Wirtschaftspolitische Voraussetzung dafür wäre aber die Aufhebung der monopolistischen Struktur im Energiebereich und der Zugang der Konkurrenz zum Stromnetz. Die Politik ist im Zugzwang.

Die Befreiung des Strommarkts

Die Entflechtung der heiligen Dreieinigkeit des Stromkartells ist die Voraussetzung für jede grundlegende Lösung des Energieverschwendungsproblems in Deutschland.
Erstens sollte die Energieverteilung von der Energieerzeugung getrennt werden. Der Energiemarkt muß sich der Konkurrenz öffnen. Erst dann rechnet sich die Energieeinsparung. Die Verteilungsunternehmen müßten dann den Strom selbst kaufen. Damit wird die Konkurrenz zwischen den Erzeugern möglich. Dazu zählt auch die direkte und indirekte Nutzung der Solarenergie.

Der Energiepark für die Abdeckung der Spitzenbelastungszeiten wird unter dieser Bedingung zum Risikokapital. Das Risiko ließe sich durch Energieeinsparung in Form einer Minimalkostenplanung verringern.
Zweitens muß der Zugang zum nationalen Netz für alle Konkurrenten auf dem Energiemarkt offen sein.
Drittens muß die Abnahmegarantie für die großen Energieerzeuger aufgehoben werden. Damit sind sie gezwungen, Überkapazitäten und Fehlinvestitionen zu vermeiden.
Viertens müssen die Kosten für die Energieeinsparung auf die Energierechnung umgelegt werden können. Damit hätten sowohl die Energieerzeuger als auch die Energieverteiler ein Interesse an der Einsparung von Energie. Die Energieunternehmen haben dann einen Anreiz, sich zu Energiedienstleistungsunternehmen zu entwickeln.
Fünftens müssen die alternativen Energieformen durch die Befreiung von Abgaben sowie durch Preisgarantien so lange bevorzugt behandelt werden, bis sie infolge der Massenproduktion und des wissenschaftlich-technischen Fortschritts konkurrenzfähig geworden sind. Diese Vorzugsbedingungen sollten in der energetischen »Wendezeit« nicht nur der Solarenergie eingeräumt werden, sondern auch für Kraft-Wärme-Kopplungen gelten.

Ein gemeinnütziger Verband unter staatlicher Aufsicht sollte das energetische Gesamtsystem überwachen. Dieser Verband sollte föderal organisiert sein, eine dezentrale Struktur haben und auch die Interessen der verschiedenen Wirtschaftsgruppen zum Ausdruck kommen lassen. In der Funktion eines Stromhändlers tritt er gegenüber privaten Netzbetreibern und Nachfragern als Verhandlungspartner auf. Außerdem kontrolliert er die Belastung des nationalen und regionalen Stromnetzes und handelt die Strompreise aus.
Die Grundzüge einer Energierechtsreform wurden von der Europäischen Kommission bereits vor Jahren erarbeitet. Ihre Umsetzung jedoch wurde bisher erfolgreich von der einheitlichen Front der Stromversorger verhindert.

Die energiepolitische Aufgabe stellt sich in der Bundesrepublik gleich zweifach. Auf der einen Seite müssen das Energiekartell aufgelöst und der marktwirtschaftliche Wettbewerb durch den freien Zugang der Wettbewerber zum Stromnetz garantiert werden. Als Folge davon würden allerdings die Strompreise sinken. Das würde aber die Stromnachfrage beleben und der Stromverschwendung Vorschub leisten. Deshalb müssen gleichzeitig die negativen externen Effekte sowie die Reproduktionskosten des Naturverbrauchs in den Energiepreis einbezogen werden. Erst dadurch werden die alternativen Energieformen auf dem Markt konkurrenzfähig, und der Boom des Energiesparens kann einsetzen.

Der Anteil der regenerativen Energieformen (direkte und indirekte Formen) am Gesamtenergieverbrauch ist in den einzelnen Industriestaaten sehr unterschiedlich. Bezogen auf das Jahr 1990 bildet Deutschland in dieser Hinsicht unter den europäischen Industrienationen das absolute Schlußlicht. Die deutschen Stromerzeuger schirmen sich durch ihre Lobbyarbeit vor den Solarstrom-Davids ab. Solarstrom soll sich in Deutschland nicht lohnen.

Sogar im Atomstromland Frankreich betrug der Anteil der Solarenergie am nationalen Gesamtverbrauch immerhin 6 Prozent. Die Solarenergie deckte in den USA 7 Prozent des gesamten Strombedarfs. In Deutschland waren es dagegen nur 2 Prozent. Der Anteil der regenerativen Energie lag in Portugal bei 15 Prozent und in der Schweiz bei 17 Prozent. In Österreich ist die Sensibilität der Bevölkerung für die Nutzung der Solarenergie besonders hoch. Die alternativen Energieformen waren hier mit 24 Prozent am Gesamtenergieverbrauch des Landes beteiligt.

Der Strompreis hat eine Schlüsselfunktion für die Weiterentwicklung des ökosozialen Fortschritts. Die Strompreistarife für die Haushalte werden bekanntlich durch staatliche Aufsichtsbehörden genehmigt, während die großen Industriekunden ihre Strompreise mit den Stromversorgungsunternehmen direkt aushandeln. Die Folge dieser industriellen Regelung sind Billigtarife für große Stromabnehmer.

Der Verband der Industriellen Energie- und Kraftwirtschaft (VIK), in dem die großen Stromabnehmer Deutschlands organisiert sind, kämpfte jahrelang für die Liberalisierung des europäischen Strommarkts. Ein großer Industriebetrieb bezahlt in Deutschland einen Strompreis von 13,02 Pfennig je kWh, wenn er mehr als 50 Millionen Kilowattstunden [kWh] jährlich verbraucht. Im atomaren Frankreich beträgt der Strompreis für ein Unternehmen vergleichbarer Größenordnung sogar nur 9,47 Pfennig je kWh. In den Genuß dieser niedrigen Strompreise wollen die deutschen Großverbraucher im Zuge der europäischen Wettbewerbsharmonisierung auch kommen.
Die europäischen Energieminister einigten sich im Juni 1996 nach jahrelangem Ringen auf eine Liberalisierungsregelung des europäischen Energiemarkts: Wer viel Strom verbraucht, erhält Vorzugspreise. Ab 1997 dürfen sich industrielle Großabnehmer von mehr als 40 Millionen Kilowattstunden im Jahr ihre Stromlieferanten europaweit selbst aussuchen. Stromabnehmer von 20 Millionen kWh sind dazu erst ab dem Jahre 2000 berechtigt. Im Jahr 2003 wird dann der Strommarkt für industrielle Verbraucher ab 9 Millionen kWh Strom freigegeben.
Die nationalen Stromerzeuger gewährten schon immer den Großverbrauchern Rabatt. Mit der neuen Regelung dürfen sich die kilowattfressenden Wirtschaftsgiganten auch noch die billigsten Rosinen aus dem »Stromkuchen« Europas herauspicken. In diesen Genuß kommen allerdings nur ein Drittel der Stromkunden. Die anderen verbrauchen zu wenig.
Der Preisunterschied zwischen den deutschen und den französischen Stromversorgungsunternehmen betrug 1996 immerhin etwa 20 Prozent je kWh. An der Osloer Strombörse wurde im März 1996 die Kilowattstunde sogar nur mit 5,1 Pfennig gehandelt. In den Genuß billiger Strompreise kommt deshalb nur die Großindustrie. Für die kleinen und mittelständischen Unternehmen sowie für die Haushalte bleibt dagegen bis ins erste Jahrzehnt des kommenden Jahrhunderts alles beim alten. Sie verbrauchen zu wenig Strom, und das kommt sie nach wie vor teuer zu stehen.
Je mehr Strom verbraucht wird, desto niedriger sind die Strom-

preise. Wenn ein umweltbewußtes Unternehmen seinen Stromverbrauch reduziert, dann steigt sein Strompreis je kWh. Ein solches Unternehmen kann auch nicht damit drohen, zur Konkurrenz zu gehen. Es verbraucht ja zu wenig. Für die umweltbewußten Davids ändert sich also auch nach der Liberalisierung des europäischen Strommarkts nichts.

Die deutsche Großindustrie spekuliert auf den billigen französischen Atomstrom. Diese Rechnung wird aber nicht aufgehen. Das französische Staatsunternehmen EdF ist bekanntlich nationalen wirtschaftspolitischen Zielen verpflichtet. Warum sollte der französische Staat daran interessiert sein, der deutschen Wirtschaft künftig verstärkt subventionierten Billigstrom zu verkaufen, wenn dadurch die französischen Konkurrenzvorteile untergraben werden? Aus diesem Grund wurde in Artikel 3 der Europäischen Richtlinie festgeschrieben, daß die Marktöffnung dann außer Kraft gesetzt werden kann, wenn »gemeinschaftliche Verpflichtungen« der Elektrizitätsunternehmen gefährdet sind. Das wäre beim staatlichen Stromunternehmen EdF der Fall. Die EdF will in Zukunft ihre Stromexporte sogar noch reduzieren.

Die Öffnung des europäischen Strommarkts wird sich vorerst weitgehend im Inland der jeweiligen Länder abspielen.

Nach der Bahnreform und der Postreform soll das Strommonopol als letztes politisch sanktioniertes Wirtschaftsmonopol auch in Deutschland gebrochen werden. Doch die deutsche Energierechtsnovelle ist halbherzig.

Der Bonner Wirtschaftsminister legte 1996 einen Plan vor, um bis zum Jahr 1997 die monopolartige Struktur der Strombranche schrittweise zu reformieren. Die deutschen Stromversorger haben diesen Plan begrüßt. Lediglich auf lokaler Ebene soll die Stromverteilung marktwirtschaftlich etwas gelockert werden. Die Verfügung über das nationale Stromnetz aber verbleibt weiter in den Händen der Stromgiganten. Damit bliebe alles beim alten, denn die Neueinsteiger können durch Billigtarife der alteingesessenen Stromversorger totkonkurriert werden, oder es werden einfach die Verträge zur Einspeisevergütung in das Netz blockiert.

Zum Klub der neun großen Stromversorger gehören in Deutsch-

land unter anderem RWE, Preußen-Elektra und die Bayernwerke. Ihr Wirkungsbereich war bisher durch Demarkationsverträge regional exakt voneinander getrennt. Die Energieversorgungsunternehmen nutzten ihre regionale Monopolstellung zur gegenseitigen Abstimmung ihrer Energiepolitik. So geschehen zum Beispiel im Vorfeld der Verabschiedung des Stromeinspeisungsgesetzes für alternative Energie. In einer internen Absprache wurde beschlossen, die nach dem Gesetz zu zahlenden Vergütungen nur unter Vorbehalt zu leisten. Im stillen Einvernehmen mit den großen Stromversorgern vergeben auch Kreditinstitute ihr Kapital nur sehr zögerlich für alternative Technologien. Der Deutsche Bundestag hat dieses Verhalten der Energieversorger einstimmig verurteilt.[10]
Die deutsche Energierechtsnovelle sieht zwar die Abschaffung der Demarkationsverträge vor, doch die Monopolstellung der regionalen Stromversorger bleibt auf Grund ihrer Verfügungsgewalt über das Stromnetz erhalten. Daß das Stromleitungsnetz unangetastet im Besitz der großen Stromversorger bleibt, bestätigt indirekt die weitere Existenz ihres Strommonopols. Die Länder, Städte und Gemeinden dürfen zwar die Kabelverlegung auf ihren Grundstücken nicht mehr verbieten. Doch der Bau von Parallelleitungen ist für einen privaten Konkurrenten viel zu teuer. Die großdimensionierte Produktion und Verteilung von Strom erfordert schon vom Wesen der Sache her immer eine monopolartige Struktur.
Auf dem Strommarkt kann sich der Wettbewerb nur dann entwickeln, wenn das vorhandene Stromnetz von jedem genutzt werden kann. Das Netz gehört aber nach wie vor den alteingesessenen Stromgiganten. Das Kartellamt und die Gerichte werden die Kastanien nicht aus dem Feuer holen können, die der Wirtschaftsminister mit seiner Energierechtsnovelle dort liegenließ, um sich nicht die Finger zu verbrennen.
Ein potentieller Stromanbieter muß mit dem jeweiligen Eigentümer des Stromnetzes nicht nur einen Vertrag abschließen, durch den der Eigentümer des Netzes seinem Konkurrenten erlaubt, daß der ihm die Stromkunden abjagt. Der Neueinsteiger muß bei

schwankender Nachfrage und gleicher Lieferungsleistung auch noch Verträge zur Bereitstellung von Zusatzstrom und Reservestrom durch den Netzinhaber abschließen, falls der Abnehmer in Spitzenzeiten mehr Strom benötigt, als der jeweilige Konkurrent gerade einspeist. Er muß außerdem noch Verträge zur Abnahme des Überschußstroms durch den Netzbetreiber abschließen, falls der jeweilige Kunde gerade weniger Strom benötigt, als durch den zusätzlichen Stromlieferanten gerade eingespeist wird. Der Wettbewerber ist also auf den alteingesessenen Gebietsversorger angewiesen, um den Kundenwünschen stets gerecht zu werden. Das natürliche Monopol der zentralen Energieversorgung zeigt sich gerade in diesen Vertragssystemen. Die alten Gebietsversorger, die auch die Netzbetreiber sind, sitzen am längeren Hebel. Solange der Netzzugang nicht im Gesetz geregelt ist und die Durchleitungsbedingungen nicht festgelegt werden, kann das Strommonopol der Kernfossil-Goliaths nicht aufgebrochen werden. Deshalb haben die Energieriesen auch der Energierechtsnovelle zugestimmt. Der Pelz sollte gewaschen werden, ohne ihn naß zu machen. Genau diese Schwachstelle verhindert den Wettbewerb, dem sich das neue Gesetz verbal verpflichtet fühlt.
Die Umsetzung des Gesetzes führt zu einer weiteren Konzentration der Energieversorgung. Insbesondere die Stadtwerke werden ihre lukrativen Großabnehmer verlieren. Ihre umweltfreundlichen Kraft-Wärme-Anlagen werden sich unter dem Konkurrenzdruck von großen Billiganbietern nicht mehr rechnen. Solange die Strompreise nicht die Reproduktionskosten des Umweltverbrauchs der Stromerzeugung beinhalten, sind Technologien und wirtschaftliche Strategien zur Einsparung des Naturverbrauchs unrentabel. Das neue Energierecht erlaubt den Kernfossil-Goliaths, jederzeit in die Stromversorgungsgebiete der Stadtwerke einzubrechen, um sich die »großen Fische« selbst an Land zu ziehen. Kraft-Wärme-Anlagen lohnen aber nur in der Einheit von Strom- und Wärme-Produktion. Wenn der Stromverkauf im Versorgungsgebiet der Stadtwerke entfällt, wird der Wärmeverkauf für die Kunden zu teuer.
Auch wenn der große Wurf mit der Energierechtsnovelle nicht

gelungen ist, ergeben sich daraus doch immerhin kleine Vorteile für den Umweltschutz. Für Industriebetriebe lohnt sich jetzt der Bau von Wärme-Kraft-Anlagen sowie die Kraftnutzung von industrieller Abwärme. Das Gesetz ermöglicht nämlich den Verkauf des überschüssigen Stroms an Dritte. Damit sind höhere Preise zu erzielen als die acht bis neun Pfennig, mit denen bisher die Stromkonzerne die potentiellen Stromeinspeiser abgespeist haben.
Der moderate Konkurrenzdruck des künftigen Strommarkts führte bereits bei einigen Energiekonzernen zu einer größeren Orientierung auf Kundenwünsche und Einspareffekte. So entwickelte das RWE zum Beispiel ein Interesse an der Stromeinsparung beim Kunden. Bis auf wenige Ausnahmen sind diesem geflügelten Gesetz seine Umweltfedern aber weitgehend ausgerupft worden, und die Schwingen des Wettbewerbs wurden gestutzt. Es ist ein Kompromiß, der mehr schlecht als recht ist.
Es gibt zwei Wege, um das Energiemonopol aufzubrechen. Der erste Weg besteht darin, das Leitungsnetz für Strom in die öffentliche Hand zu legen und damit gemeinnützig zu machen. Dadurch werden zugleich die größten Steine vom zweiten Weg geräumt. Der zweite Weg besteht in der Energieeinsparung und Dezentralisierung der Energieversorgung. Mit der heute verfügbaren Wärmetechnik, mit effizienten Elektromotoren und Beleuchtungskörpern sowie mit treibstoffsparenden Verbrennungsmotoren könnten bei uns mehr als 40 Prozent der Primärenergie eingespart werden. Laut einer Untersuchung der Klima-Enquetekommission des Bundestages könnten jedes Jahr Energiekosten im Umfang von 100 Milliarden Mark vermieden werden.

Dänemarks neue Energiepolitik

Die zentralisierte Form der Stromerzeugung und -verteilung führt fast automatisch zur Monopolbildung. Das Energiemonopol galt deshalb in der Politik lange Zeit als ein »natürliches Monopol«. Mittlerweile aber hat sich diese Zeit überlebt. In Europa ist einiges in Bewegung geraten. Norwegen, Schweden, Finnland

und Dänemark haben in den vergangenen Jahren ihre Stromwirtschaft weitgehend liberalisiert und die Struktur ihrer Energieversorgung den modernen Erfordernissen angepaßt. Die Einführung einer Umweltsteuer in Schweden, Dänemark und den Niederlanden wurde durch Kürzungen und sogar Streichungen bei der Einkommensteuer kompensiert. Schweden zum Beispiel ging den Schritt zur Energiesteuer 1993. Die Kohlendioxyd-Steuer beträgt hier 80 Mark je Tonne. Trotz dieser Umsteuerung stehen die Unternehmen des Landes insgesamt besser da als vorher.
In Dänemark wurde der erste Schritt zu einer Energiewende bereits vor 20 Jahren getan. Dieser Schritt fiel den Dänen relativ leicht, denn der Gesetzgeber hatte den Energieversorgungsunternehmen schon immer verboten, Gewinne durch den Stromverkauf zu erzielen. Die Stromversorger mußten sowohl die Gewinne als auch die Kosten infolge des Neubaus von Kraftwerken vollständig auf die Strompreise der Kunden umlegen. Außerdem wurde 1977 das dänische Elektrizitäts-Versorgungs-Gesetz (Electricity Supply Law) verabschiedet. Fortan mußten die Energieversorger den Bau von neuen Kraftwerken vom Energieministerium genehmigen lassen.
Die dänische Besonderheit auf dem Energiesektor besteht darin, daß sich die Energieversorgungsunternehmen größtenteils in der Hand der Kommunen befinden, die sie versorgen.
Die Irankrise im Winter 1978/79 verursachte bekanntlich den zweiten sprunghaften Anstieg des Ölpreises. Darauf reagierte die dänische Regierung mit einem umfassenden Energieplan. Die Nutzung der Kernenergie wurde auf Grund des großen Widerstands in der Bevölkerung vom Gesetzgeber immer wieder verschoben. 1985 entschied sich die Regierung schließlich, ganz auf die Kernenergie zu verzichten und sich statt dessen auf die Erschließung der Erdgasvorkommen in der Nordsee zu orientieren. Die dänischen Stromversorgungsunternehmen wurden 1986 verpflichtet, das Erdgas in dezentralen Kraft-Wärme-Anlagen mit einer Gesamtleistung von 450 MW zu nutzen. Seitdem liefern die Stromerzeuger den Haushalten sowohl Strom als auch Wärme.[11]
Die Stromabnehmer müssen zwar die Kosten für die umwelt-

freundlichen Energiewandler in Form der Energiepreise bezahlen, doch die hohe Effizienz der Elektrizitätswerke kompensiert diese Kosten wieder. So kostete die Kilowattstunde für gewerbliche Kunden 1994 nur umgerechnet 10,21 Pfennig.
Die Stromnachfrager wurden durch neue staatliche Bestimmungen angehalten, den Strom nicht mehr für Heizzwecke einzusetzen. Seit 1988 sind elektrische Heizsysteme in Neubauten gänzlich verboten. Ein Jahr später erließ das Energieministerium eine Richtlinie, nach der die Energieversorger keine weiteren Kohlekraftwerke mehr bauen durften. Die Haushalte erhielten gleichzeitig zinsgünstige Kredite zur Verbesserung der Hausisolierung. Ergänzend wurden die gesetzlichen Bestimmungen zur thermischen Isolierung von Neubauten verschärft.
Bereits 1977 wurden Abgaben auf die Nutzung von Öl und Elektrizität für die Haushalte erhoben. Die Industrie wurde von dieser Abgabenregelung zunächst ausgenommen, um ihre Wettbewerbsfähigkeit nicht zu untergraben. Nach dem Fall der Ölpreise 1982 wurden die Energieabgaben ständig angehoben und auch auf die Kohle ausgedehnt. Dagegen blieben Erdgas und erneuerbare Energieformen abgabenfrei.
Der Plan »Energie 2000«,[12] den die dänische Regierung 1990 verabschiedete, sieht vor, die Kohlendioxydemissionen bis zum Jahr 2005 um bis zu 20 Prozent gegenüber dem Jahr 1988 zu senken. Diese Entscheidung war die praktische Reaktion auf den Toronto-Klimagipfel des Jahres 1988. Auf dieser Konferenz empfahl die internationale Gemeinschaft, die Emissionen von Kohlendioxyd bis zum Jahr 2000 einzufrieren und in den folgenden fünf Jahren um 20 Prozent zu reduzieren. Als damals einziges Land der Erde nahm Dänemark diese Empfehlungen auch praktisch ernst und zog entsprechende nationale Konsequenzen.
Im einzelnen sah der Plan auf der Angebotsseite vor, Erdgas überall im Land verfügbar zu machen und die Versorgung der Wohngebiete durch Fernwärmesysteme zu garantieren. Zweitens sollten Kraft-Wärme-Anlagen gebaut werden, um den Wirkungsgrad zu erhöhen und die Emission von Kohlendioxyd je Energieeinheit zu senken. Drittens wurde beschlossen, die Nut-

zung erneuerbarer Energieformen massiv zu fördern. Im Plan »Energie 2000« wurde ausdrücklich darauf hingewiesen, daß ein hoher Energiepreis das entscheidende Mittel zur nachhaltigen Energieeinsparung und zur Erhöhung der Energieeffizienz ist.
Der Gedanke des Umweltschutzes wurde in den Vordergrund der Energiepolitik gestellt. Neu war im Plan »Energie 2000« vor allem die Einführung einer Steuer für Kohlendioxyd und für Schwefeldioxyd. Außerdem sollte auch der Energieverbrauch der Industrie für nicht erneuerbare Brennstoffe besteuert werden.[13]
Die Umsetzung des Plans wurde zunächst durch den Wahlsieg der Konservativen Partei behindert. Das änderte sich 1993, nachdem die Sozialdemokraten die erste Mehrheitskoalition seit 20 Jahren etablieren konnten. Noch im gleichen Jahr begann man, die Beschlüsse von 1990 zügig umzusetzen.
Das gesamte Steuersystem wurde sozial und ökologisch umgestaltet. In dem Maße, wie die Kohlendioxydsteuer für die Haushalte und die Industrie stufenweise eingeführt wurde, wurde die Lohn- und Einkommensteuer gesenkt. Die Stromversorger sind seit 1995 ihrer Aufgabe als alleinige Stromversorger enthoben, der Strommarkt wurde liberalisiert. Seit dieser Zeit wird die ökosoziale Steuerreform schrittweise durchgesetzt.
1996 belief sich die Kohlendioxydsteuer für energieintensive Branchen auf fünf dänische Kronen/t CO_2 mit einer jährlichen Steigerungsrate von weiteren fünf Kronen bis zum Jahr 2000. Das Energiesparen wird dagegen durch eine Verringerung des Steuersatzes belohnt. Weniger energieintensive Industriezweige zahlen zu der bereits existierenden Steuer von 50 Kronen/t CO_2 jährlich einen Steigerungssatz von zehn Kronen bis zum Jahr 2000.
Die Energiesteuer für die Raumheizung lag 1996 bei 200 Kronen/t CO_2. Dieser Steuersatz wird bis 1998 auf 600 Kronen/t CO_2 angehoben. Dann sollen die Steuersätze fossiler Brennstoffe für Heizzwecke in den Haushalten und in der Industrie etwa gleich groß sein.
Die Industrie kann bis zu 30 Prozent der vom Staat eingenommenen Steuergelder für Maßnahmen zur Energieeinsparung in Anspruch nehmen. Außerdem stellt der Staat insgesamt 30 Mil-

lionen Kronen zur Verfügung, damit die Haushalte, die noch alte elektrische Heizungssysteme nutzen, auf umweltfreundliche Heizsysteme umsteigen.

Eine Vielzahl neuer dezentraler Kraft-Wärme-Anlagen wurde in Dänemark in Betrieb genommen. Erdgas wird sowohl in kleinen Gasmotoren genutzt als auch in größeren kombinierten Gas-Turbinen-Anlagen. Die Mehrzahl dieser neuen Anlagen ist im Besitz der Kommunen. Die von den Gemeinden betriebenen Wärmeanlagen wurden schrittweise auf die kombinierte Kraft-Wärme-Produktion umgestellt. Bis zum Jahr 2005 soll die Kapazität der dezentral errichteten Kombi-Anlagen von derzeit 500 MW um weitere 1500 MW ansteigen.

Die Windkraft wird in Dänemark seit 1993 besonders gefördert. Die Regierung schloß mit den dänischen Energieversorgungsunternehmen bereits 1985 ein Abkommen zum Bau von Windkraftanlagen mit einer Stromleistung von 100 MW. Das gesteckte Ziel der Wind-Stromerzeugung sollte bis 1991 erreicht werden. Der Vertrag wurde aber bereits 1987 eingelöst. 1990 wurde daraufhin ein zweites Programm mit der gleichen Gesamtleistung aufgelegt. Auch dieses Abkommen wurde vorzeitig erfüllt.[14]

Die dänischen Windkraftanlagen produzierten bereits im Januar 1995 Strom in einer Gesamtkapazität von 540 MW. Die Stromversorger betreiben etwa 26 Prozent dieser Anlagen, die restlichen 74 Prozent sind in privater Hand. Insgesamt deckte die Windenergie 1995 etwa 3,5 Prozent des Gesamtstrombedarfs. Der Energieplan-2000 sieht vor, die Kapazität der Windenergie bis zum Jahr 2005 auf 1500 MW Stromleistung auszubauen. Damit würde Dänemark etwa 10 Prozent seines Gesamtenergiebedarfs aus der Windenergie beziehen. Jedes Jahr sollen Windkraftanlagen mit einer Gesamtkapazität von etwa 100 MW dazukommen.

Der Energie- und Umweltminister setzt sich vehement für die praktische Umsetzung dieser Zielstellung ein. Die dänischen Windkraftanlagen sind im Vergleich zu Kohle- oder Ölkraftanlagen konkurrenzfähig. Der Erzeugungspreis für eine Kilowattstunde Windenergie liegt in windgünstigen Lagen bei 0,35 Kronen/kWh. Fossil erzeugter Strom benötigt dazu im Vergleich etwa 0,45 Kronen/kWh.[15] Auf Grund seiner politischen Weitsicht und der nationalen Förderung hat sich Dänemark zu einem führenden Weltexporteur für Windkraftanlagen entwickelt.

Die Nutzung der Bioenergie soll in Dänemark bis zum Jahr 2000 auf den Durchsatz von 1,2 Millionen Tonnen Stroh und 0,2 Millionen Tonnen Holzschnipsel jährlich gesteigert werden.

Den Plan der Energiezukunft Dänemarks erarbeitete die Regierung 1996 im Hinblick auf die Herausbildung des gemeinsamen Europäischen Energiemarkts. Die Hauptsorge gilt der Entwicklung des Energiepreises. Dabei ist vorgesehen, das Land durch den Ausbau erneuerbarer Energieformen schrittweise von der ungewissen Zukunft fossiler Energieträger in einer politisch instabilen Welt unabhängig zu machen. Auch die Erdgasvorkommen in der Nordsee sind begrenzt, und bekanntermaßen verstärkt die Nutzung von Erdgas ebenfalls den Treibhauseffekt.

Bei der Förderung und dem Transport von Erdgas gelangt je nach dem technischen Zustand der Geräte ein Teil der bewirtschafteten Menge unverbrannt in die Erdatmosphäre. Hinzu kommen noch die unverbrannten Bestandteile schlecht geführter Verbrennungsanlagen und Geräte. Erdgas besteht fast ausschließlich aus Methan. Die Treibhauswirkung von Methan ist vierzigmal größer als die von Kohlendioxyd. Die Erdgasverluste in den maroden Pipelines und Apparaturen in den ehemaligen Ostblockländern sind enorm – in den GUS-Staaten mehr als 6 Prozent der bewirtschafteten Menge. Deutschland deckt seinen Gasbedarf zu über 30 Prozent mit russischem Erdgas. Von der Wiege bis zur Bahre, das heißt von der Förderung über den Transport bis zur Verbrennung in Deutschland, trägt wahrscheinlich die Nutzung russischen Erdgases stärker zum Treibhauseffekt bei als der Einsatz deutscher Steinkohle.

Die Energiepolitik Dänemarks beweist, daß auch in der Europäischen Union ein Land im Alleingang einen großen Schritt auf dem Weg in eine nachhaltige Energiezukunft machen kann. Verglichen mit Dänemark ist Deutschland ein energiepolitischer Dauerschläfer. Die Bundesrepublik kann sogar noch von einigen

Bundesstaaten der USA lernen, obwohl die USA zu den größten Energieverschwendern der westlichen Welt zählen.
Das World Watch Institute in Washington wies in seinem Jahresbericht Anfang 1996 darauf hin, daß die weltweite Besteuerung unweltschädigender Industrien und Güter die privaten Haushalte und Unternehmen der Welt um eine Billion Dollar entlasten würde. Nach Auffassung des Instituts sollten vor allem solche Produkte besteuert werden, die zur Klimaerwärmung, Erschöpfung des Grundwassers, Anhäufung von Müll, Verseuchung der Meere, Reduzierung des bebaubaren Farmlandes und zum Abbau der Regenwälder beitragen. Allein der Autoverkehr in den USA verursacht danach jährlich einen Schaden von mindestens 300 Milliarden Dollar, berücksichtigt man die Kosten der in Staus vertanen Zeit, der Klimaerwärmung und der militärischen Präsenz am Golf zur Sicherung der Ölreserven. Der Benzinpreis müßte sich verdreifachen, wenn das Verursacherprinzip durchgesetzt werden soll. Die weltweiten Abgaben der Einkommensteuer könnten der Studie zufolge um 600 Milliarden Dollar gesenkt werden, wenn eine internationale Kohlesteuer von 100 Dollar pro Tonne Kohle erhoben wird. Im Jahresbericht des World Watch Institute werden die Zuschüsse im deutschen Steinkohlenbergbau als verfehlte Steuerpolitik gekennzeichnet. Wenn sich der schlafende deutsche Riese genauso wie Schweden [80 Mark Kohlendioxydsteuer je Tonne CO_2] oder die Niederlande [4,50 Mark Kohlendioxydsteuer je Tonne CO_2] zu einer Ökosteuer entschließen könnte, hätte das Signalwirkung auch über Europa hinaus.

Initiativen zur energiepolitischen Wende

Die Energiewende verlangt auch in Deutschland eine politische Weichenstellung. Die notwendigen Eckpunkte zur Durchsetzung der längst überfälligen Wirtschaftsentwicklung wurden 1995 durch Hermann Scheer,[16] den Präsidenten der European Solar Energy Association EUROSOLAR, vorgelegt. EUROSOLAR fordert in seinem Solarprogramm folgende praktische Initiativen:

»**1.** Ökologische Energie-Initiativen in der Europäischen Union:

- Die Schaffung eines Europäischen Binnenmarktes für leitungsgebundene Energieträger muß von folgenden Grundbedingungen abhängig gemacht werden: eine höhere Besteuerung von atomarer und fossiler Energie; die Sicherstellung einer Kostengestehungstransparenz bei Strom aus herkömmlichen Energien, um alle Subventionen erfassen zu können; die unternehmerische Entflechtung von Stromproduktion und Stromtransport; eine Europäische Einspeiserichtlinie für Strom aus erneuerbaren Energien.
- Die Ergänzung der Europäischen Energiecharta, die zu einer weiteren Markterleichterung für konventionelle Energien führt, um ein Protokoll für erneuerbare Energien. Das Europäische Parlament und die nationalen Parlamente werden aufgefordert, die Ratifizierung der Europäischen Energiecharta von einem solchen Protokoll und der vorherigen Entscheidung für eine Europäische Energiesteuer abhängig zu machen.
- Die Einrichtung einer Europäischen Agentur für erneuerbare Energien unter Federführung der Generaldirektion für Energie, in der alle Solarenergieaktivitäten der Europäischen Union – von der Forschung und Entwicklung bis zur Demonstration und zu Markteinführungsprogrammen – koordiniert werden.
- Die volle Konzentration der Fördermaßnahmen der Europäischen Union auf erneuerbare Energien und Förderung der Energieeffizienz.
- Ein neuer Anlauf für eine gemeinsame Europäische Besteuerung herkömmlicher Energien unter Berücksichtigung der Erfahrungen bisher gescheiterter Anläufe. Wir fordern deshalb den Ministerrat, die Europäische Kommission und das Europäische Parlament auf, die Frage einer Ersetzung der bisherigen Mehrwertsteuer durch eine Energiebesteuerung in der Höhe der bisherigen Mehrwertsteueraufkommen in den Mittelpunkt weiterer Überlegungen zu stellen.

2. Gesetzgeberische Initiativen für Deutschland

- Ein neues Energiewirtschaftsgesetz mit den Eckpunkten: unternehmerische Entflechtung von Stromproduktion und Stromtransport; Bildung von Stromverteilungspools in den einzelnen Bundesländern mit freier Preisbildung nach marktwirtschaftlichen Gesichtspunkten und nach Kriterien linearer und zeitvariabler Tarifgestaltung.

- Die Ausweitung des Stromeinspeisungsgesetzes unter Einbeziehung der Kraft-Wärme-Kopplung. Strom aus erneuerbaren Energien und aus Kraft-Wärme-Kopplung muß prinzipiell einen privilegierten Marktzugang haben, für den so lange gesetzlich garantierte Preise gewährleistet sein müssen, wie die gesellschaftlichen Folgekosten konventionellen Energieeinsatzes nicht durch die Energiesteuer erfaßt sind. Für Strom aus Solarzellen fordern wir eine zeitlich befristete kostengerechte Einspeisevergütung, bis der Preis für diesen Strom nach zeitvariablen Berechnungskriterien den Durchschnittspreis anderer Energieträger erreicht hat. Um diese Schwelle rasch erreichen zu können, fordern wir ergänzend ein 100 000-Dächer- und Fassadenprogramm. Eine Veränderung der Tarife für Windstrom muß nach regionaler Windhäufigkeit differenzieren.
- Ein neuer Anlauf für eine für die Allgemeinheit belastungsneutrale Verteuerung der konventionellen Energien. Dafür fordern wir Bundestag, Bundesrat und Bundesregierung auf, statt weiter ergebnislos über die ökologische Steuerreform zu debattieren, das Konzept eines ›Bonus-Malus-Systems‹ als ernsthafte Alternative in Angriff zu nehmen, nach dem auf herkömmliche Energien ergänzend zu den Energiesteuern eine zusätzliche Abgabe erhoben wird, deren Gesamtsumme an die Allgemeinheit nach einem pro-Kopf-Schlüssel zurückgegeben wird. Daraus ergeben sich finanzielle Vorteile für alle, die Energie effizient einsetzen und auf erneuerbare Energien umstellen, und finanzielle Nachteile für überproportionalen Energieverbrauch.
- Die Beseitigung folgender administrativer Hemmnisse gegenüber erneuerbaren Energien: die Hervorhebung erneuerbarer Energien im Naturschutzrecht als prinzipielles Element des Naturschutzes und der Wegfall von Ausgleichs- und Ersatzmaßnahmen für Anlagen erneuerbarer Energien; die Privile-

gierung erneuerbarer Energien im Baugesetzbuch für Anlagen im Außenbereich; die Anhebung der Regelobergrenze für Wasserrechte von 30 auf 60 Jahre; die Erlaubnis, benachbarte Abnehmer mit erneuerbarer Energie und aus Kraft-Wärme-Kopplung beliefern zu können; die Aufnahme des CO_2-Kriteriums in das Emissionsschutzrecht, um den Einsatz von Bio-Kraftstoffen zu erleichtern.

- Der Abbau von Subventionen für herkömmliche Energieträger, insbesondere die Aufhebung der Steuerbefreiung für Flugtreibstoffe und der Mineralölsteuerbefreiung für mineralöl- und gasverarbeitende Betriebe. Die Gas/Öl-Betriebsbeihilfe für die Landwirtschaft ist durch ein Förderprogramm für den Einsatz von Bio-Kraftstoffen zu ersetzen.
- Die Förderung erneuerbarer Energien in der Baugesetzgebung durch die gesetzliche Verpflichtung einer Südausrichtung und für solare Brauchwassererwärmung.
- Die vollständige Umorientierung der Entwicklungshilfe im Bereich der Energieversorgung auf erneuerbare Energien und Initiativen für die Errichtung einer Internationalen Solarenergie-Agentur.
- Die Gründung einer Deutschen Solarenergie-Agentur, in der die Initiativen der Bundesregierung ressortübergreifend koordiniert werden sollen.
- Für die bestehenden Gebäude soll ein Energiesanierungsprogramm nach dem Vorbild des früheren Altbausanierungsprogramms errichtet werden. Dazu muß die steuerliche Abschreibungsmöglichkeit wieder eingeführt werden. Investitionen für erneuerbare Energien sollen von der Mehrwertsteuer befreit werden.
- Die Einsetzung eines Exportausschusses für erneuerbare Energien. In der Entwicklungspolitik werden die Finanzierungen herkömmlicher Energieanlagen zugunsten erneuerbarer Energien eingestellt. Bei Hermes-Bürgschaften haben erneuerbare Energien Vorrang. Die deutschen Vertreter in internationalen Entwicklungsbanken werden angewiesen, erneuerbaren Energien Vorrang bei der Kreditvergabe zu geben.

- Die Mittel zur Kohlefinanzierung werden künftig den Bergbauunternehmen direkt überwiesen. Diese werden verpflichtet, einen jährlich wachsenden Anteil dieser Mittel auch wahlweise für Diversifizierungs-Investitionen im Bereich der Produktion von Technologien zur Energieeffizienz und für erneuerbare Energien zu verwenden.
- Der Bau neuer Kondensationskraftwerke in Deutschland muß von dem vorherigen überprüfbaren Nachweis abhängig gemacht werden, daß alle Maßnahmen zur Energieeffizienzsteigerung nach dem Least-Cost-Planungsprinzip ausgereizt sind und die verbleibende Versorgungsleistung nicht durch dezentrale Versorgungsalternativen erbracht werden kann.
- Im Energiewirtschaftsgesetz ist zu verankern, daß bis zum Jahr 2010 sämtliche Stromversorgungsunternehmen mindestens 10 Prozent ihres Stroms aus erneuerbaren Energien (ohne Berücksichtigung des Einsatzes von Großwasserkraftwerken) anbieten müssen, damit neben einer Mobilisierung privater Betreiber auch die jetzigen Stromerzeuger zu einer Anstrengung verpflichtet werden.«[17]

Mehr Wettbewerb im Strommarkt ist ein Gebot der Zeit, denn er führt zu mehr Arbeitsplätzen und zur Einsparung von Primärenergie sowie von Schademissionen – eine dreifache Rendite. Die Blockheizkraftwerks-Träger- und Betreibergesellschaft mbH Berlin [BTB] zeigt, wie es gemacht werden kann. Mit Unterstützung der Berliner Senatsumweltverwaltung und des Europäischen Regionalfonds wurde sie 1990 zur maßgeschneiderten und umweltfreundlichen Energieversorgung der Stadt gegründet. Fünf Jahre später erzielte die BTB mit hundert Mitarbeitern einen Umsatz von 37 Millionen Mark. Das Unternehmen finanziert und errichtet ökologisch und energiewirtschaftlich vorteilhafte Blockheizkraftwerke. In Kombination mit dem Wärmeverkauf kann mit dieser Technik der Strompreis der großen Energieerzeuger unterboten werden. Die Blockheizkraftwerks-Träger- und Betreibergesellschaft hat sich in nur sechs Jahren zum zweitgrößten Fernwärmelieferanten von Berlin gemausert. An acht

Berliner Standorten hat sie umweltfreundliche Energiewandlersysteme errichtet. So betreibt die BTB zum Beispiel seit Juni 1993 bei der Melitta Papierfabrik GmbH & Co. KG ein Blockheizkraftwerk, das Strom und Prozeßwärme für die Produktion bereitstellt und zudem das Fabrikgebäude beheizt. Dadurch spart das Unternehmen jährlich 350 000 Mark ein. Die künftigen Unternehmensfelder der BTB werden über Blockheizkraftwerke hinaus gehen. Solartechnologien in Form von Wärmekollektoren, Photovoltaikanlagen, Windkraftanlagen sowie die Verstromung von Bauholzabfällen sind geplant.[18]

Strategie: Least-Cost-Planning [LCP]

Das Zauberwort zur überdurchschnittlichen Erhöhung der Unternehmensgewinne heißt »Least-Cost-Planning« [LCP] oder Minimalkostenplanung. Die Energieversorger mutieren infolge dieser Managementstrategie zu Unternehmen der Energiedienstleistung. Das Prinzip der wirtschaftlichen Metamorphose eines Energieversorgungsunternehmens zu einem Energiedienstleister ist einfach. Die Unternehmen verdienen nicht mehr in erster Linie am Verkauf von Energie, sondern am Verkauf der Energiedienstleistung.
Die individuellen Nachfrager kaufen Energie nicht mehr als Produkt, sondern dessen Nutzung in Form eines warmen Hauses, heller Räume und eines kalten Kühlschranks. In der tagtäglichen Wirklichkeit interessiert sie auch nicht der Strom an sich, sondern die Dienstleistung, die mit Hilfe des Stroms erzeugt werden kann. Wenn das Energieversorgungsunternehmen nicht mehr die Energie als Produkt verkauft, sondern deren Nutzen bzw. Komfort, dann ist es daran interessiert, den Energieverbrauch je Dienstleistung zu verringern. Im Falle des Nutzungsverkaufs von Strom wird es für die Dienstleistung bezahlt. Der Energieverbrauch des Kunden wird dann für das Unternehmen zu einer Kostenfrage. Diese Betriebskosten gilt es je Dienstleistungseinheit zu senken.

Das Dienstleistungsunternehmen wird auch bei Neuinvestitionen sorgfältig überlegen, ob es neue Megakraftwerke baut oder in die Energieeinsparung investiert. Investitionen in die Energieeinsparung kosten in der Regel beim heutigen Stand der Technik weniger als der Zubau von neuen Kraftwerken. Voraussetzung zur schnellen Umsetzung dieser Möglichkeit ist allerdings eine richtige energiepolitische Weichenstellung.

Das System der Minimalkostenplanung [Least-Cost-Planning (LCP)] wurde in den USA für die leitungsgebundene Energiewirtschaft entwickelt. Das Angebot an Strom, Gas oder Wärme wird nach dem LCP-Konzept erst dann erweitert, nachdem alle Möglichkeiten zur Energieeinsparung ausgeschöpft sind. Die Kunden in der Industrie und in den Haushalten brauchen also nicht auf die Energiedienstleistung zu verzichten. Im Gegenteil! Sie sparen Energiekosten durch die Beratung und die Kredite, die das Energieunternehmen für die Anschaffung besonders energiesparender Antriebssysteme und Dampfkessel oder für stromsparende Kühlschränke, Waschmaschinen und Beleuchtungskörper bereitstellt.

Das Energieunternehmen bleibt im Besitz der neu installierten Heizungskörper und Beleuchtungssysteme. Es übernimmt deshalb auch deren technische Wartung. Die Kosten für Investition und Wartung werden durch die eingesparte Nutzenergie bezahlt. Der Nutzen des Systems besteht in den eingesparten Kosten, die sich das Energiedienstleistungsunternehmen mit dem Kunden teilt: 15 Prozent erhält das Energieunternehmen, 85 Prozent spart der Kunde bei der Stromrechnung. Der große Gewinner ist allerdings die Umwelt, denn der Umweltverbrauch wird durch die nicht verbrauchten Naturgüter beträchtlich reduziert, ohne die Konsumbedürfnisse der Kunden oder das Geschäftsinteresse des Energieunternehmens anzutasten. Alle Beteiligten sind die Gewinner.

Das LCP-Konzept ist die folgerichtige Weiterführung der Gewinnerzielung durch eingesparte Umweltschäden in Form von Zertifikaten auf Stoff- und Energieemissionen [siehe S. 278f.]. Das LCP-Konzept minimiert nicht nur die Kosten von der Bereitstellung der Energie bis zum Zähler des Kunden. Es verringert auch die Kosten für die Bereitstellung der Energiedienstleistung, also das, was nach dem Zähler mit der Energie passiert. Das Energieunternehmen verdient erstens direkt an der Energieeinsparung des Kunden, und es vermeidet zweitens kostspielige Investitionen zur Deckung des ständig wachsenden Spitzenbedarfs. Das Unternehmen erhält dadurch ein neues Standbein.

Nachdem sich das LCP-Konzept in den USA bewährt hatte, begann die Idee auch in Europa Fuß zu fassen. Die Europäische Union fördert seit 1992 die Minimalkostenplanung im Energiebereich durch ein SAVE-Programm. Daran beteiligten sich zum Beispiel die Städte Erfurt, Mannheim und Dessau, Hannover und Saarbrücken. Auch die Vereinigung Deutscher Elektrizitätswerke [VDEW] ist daran beteiligt, ein Leitmodell des Least-Cost-Planning-Konzepts zu entwickeln. Der Nachholbedarf und die Einsparmöglichkeiten sind in Deutschland enorm: Die konsequente Umsetzung des LCP-Konzepts würde zum Beispiel den Zubau von neuen Kraftwerken überflüssig machen.

Der Stromverbrauch der deutschen Haushalte steigt seit Jahren ständig an. Heizungs- und Kühlsysteme sind hier die größten Energiefresser. Sie verbrauchen im Durchschnitt aller privaten Haushalte fast 1400 Petajoule [10^{15} Joule] im Jahr. Das Warmwasser benötigt etwa 240 Petajoule, Kühlschränke und Gefriertruhen setzen zusammen 65 Petajoule frei. Kochen verbraucht 42, die Raumbeleuchtung 36 und die Waschmaschine 26 Petajoule im Jahr, Fernsehgeräte und Radioapparate etwa 16 Petajoule. Selbst die Geschirrspülmaschinen setzen zusammen mit den Kaffeemaschinen, Bügeleisen und Staubsaugern noch 17 Petajoule pro Jahr frei.[19]

Bei der Anschaffung dieser Haushaltsgeräte bzw. der Heizungssysteme lassen sich die Kunden meist nur vom Anschaffungspreis leiten. Der Stromverbrauch der Geräte wird kaum ins Kalkül gezogen. Die durchschnittliche Lebenszeit von Kühlschränken, Kühltruhen und Waschmaschinen beträgt aber 15 Jahre. Energiefresser verbrauchen in ihrer ganzen Lebenszeit viel mehr Strom als effizientere Geräte, die meist nicht viel teurer sind. Der

Mehrverbrauch bzw. die Einsparung macht sich in der Haushaltskasse aber nur in kleinen Schritten bemerkbar.
Haushalte rechnen meist nur mit kurzfristigen Amortisationszeiten von ein bis zwei Jahren. Sie kaufen sich in der Regel auch dann keine effizienteren Geräte, wenn die Stromeinsparung in der Lebenszeit dieser Geräte fast die Anschaffungskosten ausmacht. Die Stromversorger rechnen dagegen mit Amortisationszeiten von bis zu 30 Jahren. Für sie kann sich eine Investition in die Energieeinsparung lohnen, wenn dadurch kostenaufwendigere Investitionen unnötig werden.
Grünes Licht für diese Entwicklung muß allerdings die staatliche Tarifaufsichtsbehörde geben. Dazu müssen die Einsparinvestitionen von den Stromversorgern auf die Energiepreise umgeschlagen werden können. Hier muß die Energiepolitik noch ihre Hausaufgaben machen.

Projekte der Minimalkostenplanung

Projekte der Minimalkostenplanung führen in der Bundesrepublik vor allem kommunale Energieversorgungsunternehmen durch. Die Stadtwerke in Kassel, Saarbrücken, Hannover und die HEAG im Darmstadt gewähren zum Beispiel Prämien an Haushalte für den Kauf effizienter Geräte und Stromsparlampen.
Das »Saarbrücker Zukunftskonzept Energie« beinhaltete einen Wärme-Atlas, um den Energiebedarf der Stadt zu ermitteln. Der Wärme-Atlas bildete den Wegweiser für die Planer, die so einen Überblick über die regionale Verteilung des innerstädtischen Wärmebedarfs erhielten. Der zweite Schritt bestand in der Erstellung einer Prognose des künftigen Raumwärmebedarfs.
Der dritte Schritt führte zur Integration des Abwärmepotentials im Versorgungsgebiet der Stadtwerke. Dabei wurde das Bedarfspotential auf der Grundlage einer ökologischen Prioritätenliste den Dienstleistungspotentialen zugeordnet.
Die Rangfolge der Prioritäten sah an erster Stelle die Ausschöpfung des

Einsparpotentials vor. An zweiter Stelle stand die optimale Ausnutzung der Kraft-Wärme-Kopplung zur Einspeisung von Fernwärme sowie der Ausbau alternativer Energieformen. In einem vierten Schritt wurden schließlich die Vorranggebiete für die einzelnen leitungsgebundenen Energiearten ausgewiesen.
Dieser konzeptionellen Phase folgte eine operative Phase. Das Konzept wurde hier in die Teilbereiche Beschaffung, Distribution und Kommunikation untergliedert und dementsprechend umgesetzt. Zur strategischen Umsetzung der Konzeption wurde der Weg einer behutsamen Überzeugungsarbeit der Konsumenten unter der Lenkungswirkung von Marktmitteln gewählt. Dabei wurden sowohl die ökologische und ökonomische als auch die soziale Verträglichkeit der jeweiligen Maßnahmen berücksichtigt.
Die Energie-Dienstleistungen reichten von Beratungs- und Service- bis zu Finanzierungshilfen. Es wurden individuelle Computerprogramme für Haus und Heizung erarbeitet und Wärmepässe mit den Energieverbrauchskennwerten der jeweiligen Wohnungen erstellt. Die Verrechnung des Wärme-Direkt-Service erfolgte direkt auf der Grundlage eines linearen Wärmepreises. Die Vielzahl der Maßnahmen reichte von einer kostenlosen Energieberatung und Kundenseminaren zum Energie- und Wassersparen bis zu Mitmach-Darlehen im Umfang von 20 000 DM zu günstigen Konditionen. Es wurden Energie-Spar-Prämien bis zu 2000 DM gezahlt. Das Saarbrückener Photovoltaikprogramm »1000 kW Sonnenstrom« vergütete jede eingespeiste Kilowattstunde mit 25 Pfennig. Die Einsparquote das Gesamtprogramms wird auf etwa 20 Prozent geschätzt.
Die Stadtwerke in Hannover investierten in das Pilotprojekt der Minimalkostenplanung 1992 insgesamt 5,5 Millionen DM. Daran waren sechs Industriekunden und Kleinverbraucher beteiligt. Das Ziel des Projekts bestand in der systematischen Auslotung der Möglichkeiten zur Energieeinsparung und der Erarbeitung von Vorschlägen zur Schaffung gesetzlicher Rahmenbedingungen. Insgesamt lagen die Ausgaben der deutschen Energieunternehmen für Projekte der Minimalkostenplanung noch unter einem Prozent der Erlöse aus dem Stromverkauf. Dagegen investieren besonders engagierte Energieunternehmen in den USA bereits 8 Prozent ihrer Erlöse in die Stromeinsparung.

Strategie: Contracting-Systeme

Die verschwenderische Freisetzung gebundener Energie ist die entscheidende Ursache für die weltweit wachsenden Umweltschäden. Etwa 25 Prozent aller Kohlendioxydemissionen lassen sich allein durch effizientere Heizanlagen und Gebäudeisolierungen einsparen. Die dafür notwendigen Investitionen amortisieren sich als eingesparte Kosten spätestens in einem Zeitraum von acht bis zehn Jahren. Auf diesem Gebiet kann ein gewaltiger Markt erschlossen werden. Der Bedarf ist riesig.
In Deutschland werden zum Beispiel jedes Jahr etwa 45 Millionen Quadratmeter Wohnraum saniert. Die sanierungsbedürftigen Gebäude sind in der Regel Altbauten. Der Wärmebedarf pro Quadratmeter liegt hier bei 200 kWh Heizenergie. Im Vergleich dazu benötigen Neubauten nur etwa 120 kWh/m^2 im Jahr. Bei den gegenwärtigen Preisen für Heizenergie liegt der optimale ökonomische Gewinn als Verhältnis zwischen den investierten Kosten zu Beginn der Sanierungsmaßnahme und dem eingesparten Aufwand im Lauf einer Amortisationszeit von acht Jahren bei etwa 60 kWh/m^2 und Jahr.
Private Haushalte tätigen meist nur dann eine größere Investition in die Energieeinsparung, wenn dadurch der Lebenskomfort wesentlich steigt und sich die Kosten innerhalb eines Jahres bezahlt machen. In der Wirtschaft rechnet man mit Amortisationszeiten von vier bis fünf Jahren. Da das Betriebskapital in der Regel knapp ist, wird bei konkurrierenden Investitionen auf die Kapitalanlage in die Energieeinsparung meist verzichtet. Die Erweiterung der Produktion, der Absatz oder die Werbung haben im Überlebenskampf der Unternehmen oft Vorrang.
Dieses Problem läßt sich produktiv lösen. Innovative Pionierunternehmen der mittelständischen Wirtschaft haben auf der Suche nach neuen gewinnträchtigen Kapitalanlagen einen Weg gefunden. Dieser Weg heißt »Contracting«. Contracting ist der Verkauf der Produktnutzung, zum Beispiel in Form von warmen Räumen für private Haushalte oder von Prozeßenergie für soziale Einrichtungen bzw. für die Unternehmen der Wirtschaft.

Im Contracting-System werden Dienstleistungen an Dritte verkauft. Die Vertragspartner schließen beispielsweise Nutzungsverträge über die ganzjährige Versorgung von Gebäuden mit Raumwärme. Das können Verträge zwischen Handwerksbetrieben bzw. Stadtwerken mit Hauseigentümern oder Mietern sein. Auf diesem Gebiet eröffnen sich große Marktchancen für Neueinsteiger. Mieter, Eigenheimbesitzer oder Wirtschaftsunternehmen brauchen eigentlich keine Heizungs- oder Kühlanlagen, sondern Raum- bzw. Prozeßwärme oder -kälte. Diese Dienstleistungen werden auf dem gegenwärtigen Markt selten angeboten.
Ein Dienstleistungsunternehmen kann aber Raumwärme oder andere Formen von Nutzenergie kostengünstiger anbieten, als es den Selbsterzeugern möglich ist. Das Dienstleistungsunternehmen verfügt nämlich nicht nur über das verfahrenstechnische Know-how. Es erhält auch als Einkäufer von größeren Stückzahlen der jeweiligen Wärme- oder Kälteanlagen bei den Herstellern günstigere Konditionen. Die Betriebskosten des Wärme- oder Kälte-Dienstleistungsunternehmens sind deshalb kleiner als die Kosten, die die Nutzer der Anlagen investieren müßten.
Die potentielle Nachfrage nach solchen Dienstleistungen ist gewaltig. Der mögliche Umsatz beträgt im Raum der Europäischen Union etwa 140 Milliarden Mark im Jahr. Davon wurden 1992 nur etwa 0,2 Prozent realisiert. In Deutschland beläuft sich der potentielle Bedarf ohne den Wohnungssektor auf etwa zehn Milliarden Mark.[20]
Hier eröffnet sich ein gewaltiges wirtschaftliches Potential. Pionierunternehmen können sich eine goldene Nase verdienen. Die Erschließung dieser Quelle wirtschaftlichen Reichtums kann nicht nur neue Arbeitsplätze schaffen, sondern gleichzeitig die Umweltbelastungen drastisch reduzieren. Dafür sind nicht einmal Energiepreissteigerungen nötig.
Die Stadtwerke führten in Deutschland die ersten größeren Contracting-Projekte durch. Der Bau von Kraft-Wärme-Anlagen oder von Kraft-Kälte-Anlagen bietet sich gerade für diese Stromversorger an. Sie können nämlich dadurch eine doppelte Rendite einfahren: Erstens reduzieren sie ihre Umweltbelastung durch die Er-

höhung des Wirkungsgrads der Primärenergie von 35 Prozent in herkömmlichen Anlagen auf fast 80 Prozent in Gas-Dampf-Kraftanlagen mit Wärmekopplung. Und die erhöhte Stromproduktion aus den gleichen Anteilen der Primärenergie verbessert zweitens die Betriebsbilanz. Der zusätzliche Verkauf der Wärme an kommunale Einrichtungen, an Betriebe oder private Haushalte erhöht die Rentabilität und damit die Gewinnspanne der Unternehmen. Einige Stadtwerke gründeten dafür Tochterunternehmen, die bei den Wärme- oder Kältenachfragern die Installation, den Betrieb und die Wartung der gesamten wärmetechnischen oder lichttechnischen Anlagen übernehmen. Diese Entwicklung nahm zum Beispiel bei den Stadtwerken in Paderborn, in Bad Hersfeld und in Rottweil konkrete Gestalt an. Die Stadtwerke lieferten Raumwärme und warmes Wasser an industrielle Kunden, an kommunale Einrichtungen und an private Wohnungskomplexe in einer Mindestgröße von drei Wohneinheiten. Abgerechnet wird der tatsächliche Wärmeverbrauch, der sich durch Wärmezähler problemlos ermitteln läßt. Die Installierung, die Wartung und die Instandhaltung der wärmetechnischen Anlagen liegen in der Hand des jeweiligen Dienstleistungsunternehmens. Die abgeschlossenen Verträge laufen in der Regel über 15 bis 20 Jahre.
Auch die Energiesparpartnerschaft Berlin beruht auf diesem Prinzip. Sie wurde auf Grund des Senatsbeschlusses vom 4. 4. 1995 ins Leben gerufen und beinhaltet die öffentliche Ausschreibung von Energiedienstleistungen zur Versorgung einer angemessenen Zahl von Gebäuden der Bezirke, von Körperschaften und des Landesverwaltungsamts. Dabei werden hochrentable mit weniger lukrativen Energiesparinvestitionen in Form eines Gebäudepools für eine bestimmte Laufzeit auf einen externen Energiesparpartner übertragen. Das Projektmanagement übernahm die Berliner Energieagentur GmbH und die KommunalConsult GmbH. Die Leistungen finanzieren sich durch die erzielten Einsparungen. Das Land Berlin ist an den Einsparungen beteiligt, soweit ein bestimmtes Sparpotential überschritten wird. Der Gewinn liegt in der Differenz zwischen den Gesamtkosten der Energiesparinvestitionen und der verkauften Nutzenergie.

Der Stromvertrag Stadt Frankfurt am Main/Preussen-Elektra

Die Stadt Frankfurt am Main schloß mit dem Stromgiganten Preussen-Elektra einen neuen Stromvertrag ab, als der alte Vertrag auslief. In dem neuen Abkommen verpflichtete sich Preussen-Elektra zur Ausschöpfung der Strom-Sparpotentiale in Frankfurt am Main. Die Stadtväter hatten nämlich damit gedroht, den neuen Vertrag mit einem anderen Stromversorger abzuschließen. Außerdem befindet sich die Stadt in der glücklichen Lage, eigene Stadtwerke zur Teilversorgung zu besitzen.

Frankfurt ist aber genauso verschuldet wie fast alle deutschen Städte. Preussen-Elektra sollte deshalb die notwendigen Investitionen zur Energieeinsparung selbst bezahlen, die sich dann über die Einsparung des Energiebedarfs bezahlt machen würden. So wurden zum Beispiel in den städtischen Gebäuden neue Heizungsanlagen installiert. Auch die Schwimmbäder wurden saniert. Die kommunalen Einrichtungen bezahlten ihre Rechnung durch die Kosteneinsparung, das heißt, sie hatten keinen Mehraufwand. Während ihr Energieverbrauch sank, bezahlten sie die Energierechnungen in alter Höhe so lange weiter, bis die Investitionen der Preussen-Elektra plus Gewinnspanne beglichen waren. In diesem Vertrag wurde auch der Bau von Warmwasseranlagen, Kraft-Wärme-Kopplungen und die Nutzung erneuerbarer Energieformen vereinbart. Bis zum Jahr 2010 will die Stadt ihre Emissionen an Kohlendioxyd gegenüber dem Jahr 1987 um 50 Prozent reduzieren.

Vom Prinzip her können auch kleine Handwerksbetriebe solche Contracting-Abschlüsse tätigen. Es kommt dabei nur darauf an, eine Dienstleistung billiger zu erstellen und anzubieten, als es der jeweilige Nachfrager vermag. Wenn die Kostendifferenz so groß ist, daß ein Dienstleistungsunternehmen davon leben kann, läßt sich die potentielle Marktlücke schließen.

Dennoch gibt es schwerwiegende Gründe dafür, daß der große Entwicklungsboom von Contracting-Projekten nur sehr langsam in Gang kommt. Das größte Hemmnis sind die relativ niedrigen

Energiepreise. Dadurch sind die Gewinnspannen zu klein bzw. die Amortisationszeiten zu lang.

Auf dem Wohnungsmarkt gibt es das Investor-Nutzer-Dilemma. Der Hauseigentümer darf nach dem deutschen Miethöhengesetz zwar die Kosten für Primärenergie auf den Mietpreis umlegen, wenn er die Heizungen selbst betreibt. Er hat aber keinen Gewinn davon, wenn er die Heizkosten für die Mieter durch eine bessere Wärmedämmung der Außenwände senkt. Hier ist der Gesetzgeber genauso gefragt wie in dem folgenden Beispiel.

Wenn der Hauseigentümer eine Contracting-Firma mit der Energieversorgung seiner Häuser beauftragt, dann könnte sich zum Beispiel eine bessere Wärmedämmung für das Dienstleistungsunternehmen auf lange Sicht rechnen. Das Baugesetzbuch legt aber in Paragraph 946 fest, daß die vom Dienstleistungsunternehmen gebaute Wärmedämmung der Außenfassade in den Besitz des Gebäudeeigentümers übergeht, obwohl der nicht an den Kosten beteiligt war. Im Fall von Zahlungsschwierigkeiten des Auftraggebers kann das Dienstleistungsunternehmen schwerlich die Gebäudedämmung wieder abreißen. Auch hier müssen gesetzliche Regelungen erst noch gefunden werden.

Die Marktposition der Energieverbraucher wird durch Contracting-Projekte eindeutig gestärkt. Sie kaufen die Produktnutzung. Das Risiko liegt auf der Seite des Dienstleistungsunternehmens, das die Produktnutzung verkauft. Dieses Risiko muß auch bei der steuerlichen Abschreibungsmöglichkeit vom Finanzamt anerkannt werden. Die Anerkennung der Eigentumsrechte des Dienstleistungsunternehmens an der Wärmedämmung oder an den neuen Zentralheizungsanlagen, die in die Häuser eingebaut werden, ist eine wesentliche Voraussetzung für die Entwicklung des sozialen Fortschritts.

Nicht zuletzt gilt es auch, die jahrzehntelang gewachsenen Gewohnheiten der Nutzer zu verändern. Für die potentiellen Nachfrager nach einer Energiedienstleistung existierte bis vor kurzem das Energiesparthema überhaupt nicht. Hier müssen eingeschliffene Denkgewohnheiten verändert werden. Die Gewohnheit der Energieverschwendung ist das größte Hindernis auf dem Weg in eine Dienstleistungsgesellschaft. Eine gestaffelte und schrittweise Anhebung der Energiepreise würde den Umdenkungsprozeß wesentlich beschleunigen. Der Energiepreis ist und bleibt der Schlüssel, der die Tür zu einer sozial und ökologisch nachhaltigen Gesellschaft aufschließt.

Die Privatisierung des Umweltverbrauchs

Mit Schäden läßt sich handeln: Emissionszertifikate

Nur bei privaten Gütern bildet sich ein Marktpreis. Umweltgüter sind jedoch keine privaten Güter, sondern öffentliche Güter und haben keinen Marktpreis. Das führt zu einer Fehlinformation und in deren Folge zum Fehlverhalten der Wirtschaftssubjekte. Der naturblinde Markt zwingt sie geradezu zur kollektiven Unvernunft. Der ordnungsrechtliche Eingriff des Staates durch Verbote und Gebote kann nur die Extreme dieser Unvernunft bekämpfen. Die Kosten dieser Politik stehen aber in keinem Verhältnis zu ihrem Nutzen.

Der Einsatz direkter marktwirtschaftlicher Instrumente ergibt ein wesentlich besseres volkswirtschaftliches Kosten-Nutzen-Verhältnis. Die ökonomische Effizienz ist dann gegeben, wenn die privaten Verursacher umweltbelastender Aktivitäten durch die politischen Rahmenvorgaben mit »Schattenpreisen« konfrontiert werden, die ökologische Restriktionen erzwingen. Der Ökonom Holger Bonus führt dazu aus:

> »Die Vitalität einer Marktwirtschaft erklärt sich daraus, daß sich die (an sich unbekannten) Schattenpreise knapper Güter und Faktoren in ihr als Marktpreise niederschlagen, so daß die Märkte geräumt werden, die subjektive Wertschätzung der produzierten Güter durch die Konsumenten transparent wird

und dem Aspekt der wirtschaftlichen Verantwortung dadurch Rechnung getragen wird, daß jedermann bestrebt ist, die Kosten niedrig und dadurch die unvermeidlichen Verzichte Dritter gering zu halten.«[21]

Öffentliche Umweltgüter können zwar knapp sein, doch die Möglichkeit der Selbstbedienung verhindert die Bildung von Schattenpreisen auf dem Markt. Das Instrumentarium umweltökonomischer Instrumente bietet dem Staat zwei Wege zur Lösung dieses Problems an:

1. **Mit einer Umweltsonderabgabe** kann er versuchen, den unbekannten Schattenpreis des Marktes durch eine staatliche Entscheidung zu ersetzen. Dieses Verfahren führt zur Preislösung des Umweltverbrauchs. Jedoch ist kaum zu erwarten, daß die behördliche Entscheidung zum Zeitpunkt der Einführung der Sonderabgabe den unbekannten Schattenpreis zufällig trifft. Außerdem ändert sich der Schattenpreis ständig infolge veränderter Knappheiten von Umweltgütern. Weil die Umweltsonderabgabe die Schwankungen des Marktpreises aber nicht nachvollziehen kann, ist ihre ökologische Treffsicherheit außerordentlich unsicher. Die Preislösung müßte also eine bestimmte Preisvariabilität erlauben. Die relative Variabilität ist bei einer Umweltsteuer gegeben (siehe S. 303).
2. **Mit der Ausgabe von Umweltschadenszertifikaten** läßt sich der Schattenpreis finden und ökologisch treffsicher einsetzen. Bei dieser »harten« umweltpolitischen Mengenlösung begrenzt die Umweltbehörde den absoluten Umfang des Umweltverbrauchs von Naturgütern bezogen auf eine bestimmte Zeitspanne in einem konkreten Wirtschaftsgebiet. Indem die privaten Anbieter und Nachfrager den Marktpreis bestimmter Mengen von Umweltgütern je nach dem Grad der Knappheit selbst aushandeln, pegelt sich der Preis nach dem altbewährten Prinzip von Angebot und Nachfrage ein. Die regionalen Marktpreise sind die gesuchten Schattenpreise für eine politisch begrenzte Menge des zulässigen Umweltverbrauchs. Die

politische Mengenbegrenzung garantiert die ökologische Treffsicherheit. Der Schattenpreis, der durch Angebot und Nachfrage gefunden wurde, garantiert dagegen die ökonomische Effizienz des Verfahrens, denn die Wirtschaftssubjekte können selbst die für sie kostengünstigste Lösung finden.

Handelbare Umweltzertifikate dienen der US-amerikanischen Umweltpolitik seit Ende der siebziger Jahre als marktwirtschaftliche Instrumente zur Durchsetzung des Verursacherprinzips in der Wirtschaft. Das sind »Umweltverschmutzungs-Berechtigungsscheine«, die anteilmäßig an die Unternehmen verteilt oder in einer Versteigerung feilgeboten wurden. Fortan darf das jeweilige Unternehmen nur so viel umweltschädliche Stoffe emittieren, wie ihm die von ihm erworbenen Zertifikate zugestehen. Wer seine Produktion erweitern will, muß entweder im eigenen Unternehmen Emissionen einsparen, oder er muß andere Unternehmen in demselben Produktionsgebiet veranlassen, weniger Schadstoffe zu emittieren.
Die Emissionszertifikate wurden damit handelbar. Angebot und Nachfrage bestimmten den Preis der absolut limitierten Zertifikate. Die Einsparung der Emissionen durch Produktionsumstellungen, technologische Entwicklungen bzw. betriebsbedingte Weiterentwicklung des umwelttechnischen Fortschritts wurde zu einer Quelle des Betriebsgewinns. Die Emissionszertifikate erhielten einen Marktwert. Nach der Festlegung der absoluten Emissionshöchstmenge umweltbelastender Stoffe überließ man es dem Markt, den entsprechenden Preis zu finden. Das ist der harte Weg im Umweltschutz. Er begrenzt die absolute Höchstmenge der Umweltverschmutzung. Umweltzertifikate sind deshalb ökologisch treffsicher und ökonomisch effizient.
Der gedankliche Schritt von der Gewinnerhöhung durch die Einsparung von Emissionszertifikaten bis zur Gewinnerzielung durch das System der Minimalkostenplanung war deshalb in den USA wesentlich kleiner als in der Bundesrepublik Deutschland.
Die Abneigung gegen den Einsatz von Umweltzertifikaten in den Ländern der Europäischen Union hat sowohl traditionelle politi-

sche als auch psychologische Gründe. Eine der entscheidenden Ursachen liegt zum Beispiel in der Bundesrepublik in der Tradition des Ordnungsrechts und der Organisationsstruktur der Ministerialbürokratie. Das System der Umweltzertifikate ist relativ übersichtlich. Dagegen stellt das umweltpolitische Ordnungsrecht der Bundesrepublik einen Dschungel von Gesetzen und Durchführungsbestimmungen dar. Das Ordnungsrecht schafft viele sichere Arbeitsplätze für die Umweltbeamten in den Behörden. Außerdem sind hochbezahlte Umweltexperten in Unternehmen und Institutionen notwendig, um sich in dem komplizierten Geflecht von Umweltbestimmungen zurechtzufinden. Die vielen Umweltexperten würden alle arbeitslos werden, wenn sich diese Organisationsform des Umweltschutzes ändern sollte.
Die harte Lösung der Einführung von Umweltzertifikaten wäre andererseits auch für die Unternehmen eine große wirtschaftliche Belastung. Die Einhaltung der absoluten Obergrenze von Emissionszertifikaten stellt hohe Anforderungen an die wissenschaftlich-technische und betriebswirtschaftliche Organisation der Unternehmen. Das deutsche Ordnungsrecht ist dagegen von einem Netz von Ausnahmeregelungen überzogen. Für fast jede gesetzliche Bestimmung gibt es eine Ausnahmeregel. Das Ordnungsrecht ist deshalb kaum in der Lage, die ökologischen Notwendigkeiten durchzusetzen. Die prinzipielle Schwäche dieses umweltpolitischen Instruments wird bislang durch einen großen Teil der Wirtschaft gern in Kauf genommen.
Mit Hilfe von Umweltzertifikaten lassen sich dagegen viel höhere ökologische Anforderungen durchsetzen. Sie zwingen die Unternehmen, kreativ zu sein. Die ökonomische Effizienz von Umweltzertifikaten liegt um etwa 100 Prozent über der von Umweltauflagen. Emissionszertifikate wecken das unternehmerische Interesse an der Weiterentwicklung des umwelttechnischen Fortschritts. Die Einhaltung der vorgeschriebenen Emissionsmengen muß allerdings ständig überwacht werden. Dieser bürokratische Aufwand ist relativ hoch. Das ist auch die entscheidende Schwachstelle der harten Mengenlösung. Es gibt aber noch ein weiteres marktkonformes Instrument, die Unternehmen zur Ein-

schänkung ihres Umweltverbrauchs zu veranlassen: die Preislösung.
Bei der »weichen« Preislösung von Umweltabgaben wird der Preis je Teilmenge des Umweltverbrauchs politisch festgelegt. Bei diesem Lösungsansatz entscheiden die Wirtschaftssubjekte dann selbst, wieviel Umweltverbrauch sie sich bei dem politisch vorgegebenen Preis leisten können. Diese Lösungsvariante gestattet allerdings keine ökologische Treffsicherheit zur absoluten Reduzierung des Umweltverbrauchs. Die Preishöhe des Umweltverbrauchs übernimmt hier die Lenkungswirkung zur Schadensreduzierung. Wenn die politischen Entscheidungsträger die Preishöhe zu niedrig ansetzen, dann ist infolge einer großen Elastizität der Nachfrage die Lenkungswirkung verschwindend gering. In diesem Fall sollte politisch nachgeregelt werden. Umweltpolitische Preislösungen können sowohl Sonderabgaben als auch Steuern sein.

Das Standortproblem Deutschlands

»Wer den Standort Deutschland schlechtredet, schreckt Investoren ab«, warnte Bundeskanzler Helmut Kohl zur Jahreswende 1995/96 die Unternehmer. Der Präsident des Bundesverbands der Deutschen Industrie [BDI] Hans-Olaf Henkel ist anderer Ansicht. Die Lohnnebenkosten in Deutschland sind ihm viel zu hoch. Und der Präsident des Deutschen Industrie- und Handelstages [DIHT] Hans Peter Stihl klagt eine Absenkung des Rentenniveaus um 25 Prozent ein. Arbeitgeberpräsident Klaus Murmann findet, daß wir uns Überflüssiges nicht mehr leisten können und deshalb eine Neuregelung der Lohnfortzahlung im Krankheitsfall für Arbeitnehmer brauchen – die 1996 Gesetzeskraft erlangte. Für Thomas Bentz gar, den Präsidenten der Arbeitsgemeinschaft Selbständiger Unternehmer [ASU], gibt es offenbar keine Grenzen mehr dafür, was die Politiker vom Eigentum ihrer Bürger nehmen können und was nicht.[22]
Tatsächlich durchbrach die durchschnittliche Abgabenbelastung

von Löhnen/Gehältern in Deutschland bereits 1993 die Schallmauer von 50 Prozent. Die direkten und indirekten Steuern und Abgaben, einschließlich der Arbeitgeberbeiträge zur Sozialversicherung, werden 1997 etwa 54 Prozent erreichen. Die Arbeitgeberverbände beklagen sich über die hohen Lohn- und Lohnnebenkosten sowie über das Gestrüpp der Umweltgesetze und die Höhe der Umweltauflagen und -abgaben. Die Gewerkschaften stöhnen unter den Folgen der Rationalisierungswellen und des schrittweisen Sozialabbaus. Eherne Tarifverträge werden noch während ihrer Laufzeit einseitig gekündigt – nichts scheint mehr sicher zu sein vor dem Rationalisierungsdruck der Wirtschaft und dem Zugriff des Fiskus. Die Beiträge zu den Sozialkassen kletterten 1996 auf 41,1 Prozent vom Bruttolohn der Arbeitnehmer – so hoch wie nie zuvor. Auch die oberen Bemessungsgrenzen der Beitragssätze stiegen immer weiter an.

Das soziale System verschlingt in Deutschland über eine Billion Mark jährlich. In den öffentlichen Haushalten wachsen die Schuldenberge in astronomische Höhen, so daß allein die jährliche Zinslast bald einen dreistelligen Milliardenbetrag erreichen kann.

Obwohl die Außenhandelsbilanz der Bundesrepublik immer noch gut ist, ist dieses Aushängeschild der deutschen Wirtschaft nicht mehr so unangefochten wie noch vor Jahren. An dem Weltmarktvolumen für Umwelttechnik in Höhe von knapp 600 Milliarden Mark war die deutsche Wirtschaft jahrelang mit rund 21 Prozent beteiligt. 1996 haben die USA die deutschen Unternehmen von diesem Spitzenplatz verdrängt. Die Umwelttechnik bestimmt zwar nicht das Exportvolumen Deutschlands, aber der Trend ist besorgniserregend.

Helmut Kaiser, einer der führenden Unternehmensberater der Umweltbranche, sieht den wichtigsten Grund für diesen Wandel in den Fördermitteln in Milliardenhöhe, die die Regierung der Vereinigten Staaten ihrer Umwelttechnik-Industrie in Form von zweck- und liefergebundenen Krediten für Abnehmerländer zur Verfügung stellt.[23] Die amerikanische, japanische und australische Konkurrenz orientiert sich zunehmend auf integrierte Umweltschutztechnologien. Anstatt Kompostierungs- oder Kläranlagen endlos weiterzuentwickeln, werden intelligente Lösungen wie zum Beispiel Vergärungsanlagen für Abwasser und Abfall verkauft. Hier wird Nutzenergie produziert statt verbraucht.

Das japanische Zukunftsministerium hat Umwelttechnologien längst als eine Zukunftstechnologie der nächsten zwanzig Jahre definiert und entsprechende strategische Förderprogramme aufgelegt. Vor diesem Hintergrund bedarf es schon besonderer Anstrengungen der deutschen Politik, um den Spitzenplatz für Deutschland wiederzuerobern. Dazu ist allerdings eine Umorientierung von der End-of-the-pipe-Technologie, die durch das Ordnungsrecht gefördert wird, zu einer integrierten Technologie notwendig. Intelligente Lösungen, die schon am Beginn des Produktionsprozesses den Ressourcenverbrauch und damit auch die Abfallproduktion verringern, brauchen einen wirtschaftspolitischen Rahmen, der durch eine sinnvolle Kombination von Auflagen, Sonderabgaben und vor allem Umweltsteuern geprägt wird.

Bei einem Welt-Bruttosozialprodukt von rund 20 000 Milliarden US-Dollar wird der gegenwärtige Aufwand zur Behebung von Umwelt- und Gesundheitsschäden auf fast 25 Prozent geschätzt.[24] Allein daraus ergeben sich gewaltige Zukunftsmärkte.

Eine kluge nationale und regionale Wirtschafts- und Industriepolitik orientiert sich zwar am Weltmarkt, doch sie paßt sich diesem nicht sklavisch an. Es gilt hier vor allem, Zukunftstrends rechtzeitig zu erkennen und dafür innenpolitisch die Weichen zu stellen. Risikomärkte müssen angemessen zurückgeschrumpft und Effizienzmärkte gefördert werden. Es ist ein Gesetz der Zeit, daß die Effizienzmärkte von gestern zu den Risikomärkten von heute und den Verlustmärkten von morgen werden. Wenn die energie- und ressourcenintensive Weltindustrieproduktion die globalen Umweltprobleme hervorgebracht hat, dann braucht man kein Prophet zu sein, um zu wissen, daß diese Form des Wirtschaftswachstums keine Zukunft mehr hat. Folglich müssen die entsprechenden Branchen ökonomisch und sozial verträglich umorientiert werden. Zu den Zukunftsmärkten gehören dagegen Dienst-

leistungen, die einen nachfrageorientierten Nutzen im Verbund mit den entsprechenden Produkten verkaufen – also integrierte Systemlösungen statt technologischer Einzellösungen. Im Verhältnis zum reinen Produktverkauf sollten diese Pakete die Naturressourcen schonen und die sozialen Ressourcen entwickeln. Die Märkte einer nachhaltigen Zukunft beruhen nicht auf der Ausplünderung der Naturreichtümer einer Nation durch eine andere, sondern auf gegenseitigem ökosozialen Vorteil.
Hat Deutschland die Umorientierung seiner Wirtschaft bisher weitgehend verschlafen? Man war schließlich der Exportweltmeister und stellt auch heute noch in zahlreichen Branchen Spitzenprodukte her. Die vermeintliche Stärke droht sich jedoch durch die Stagnation überkommener wirtschaftlicher Strukturen in eine Schwäche zu verwandeln. In Deutschland dominieren zu 40 Prozent weiterhin die Industriearbeitsplätze. Dagegen wurden die Gleise zur Dienstleistungsgesellschaft in den USA, in Japan und in einigen europäischen Ländern schon lange gelegt. Die Statistiken dieser Länder sprechen eine klare Sprache.
In Deutschland dagegen wurden immer wieder die alten Wirtschaftsstrukturen finanzpolitisch gefördert. Deshalb schlägt die Rationalisierungswelle hierzulande gegenwärtig viel härter zu als in vergleichbaren anderen Ländern. Energie- und arbeitsintensive Massengüter können heute in aufstrebenden Entwicklungsländern wesentlich kostengünstiger produziert werden. Deshalb läßt sich die Auslagerung dieser Produktionszweige auch nicht durch den schrittweisen Sozialabbau stoppen. Dagegen erfordert der Nutzensverkauf von Produkten mit den dazugehörenden Dienstleistungspaketen in der Regel hohe Qualifikationsgrade. Dienstleistungsarbeitsplätze fallen üblicherweise dort an, wo sie genutzt werden. Die Auslagerung einer dienstleistungsorientierten Wirtschaft ist folglich schlecht möglich.
Zur Beurteilung des Wirtschaftsstandorts Deutschland sollte nicht erster Linie das Wohl und Wehe des Industriestandorts herangezogen werden. Investitionen in hochmobile Produktionsfaktoren zur Erhaltung des Industriestandorts sind nicht standorttreu. Die politische Förderung dieser Investitionen schwächt den

Wirtschaftsstandort, statt ihn zu fördern. Deutschland darf nicht zum Spielball der globalen Märkte gemacht werden. Es sollte vielmehr die Spielregeln mitbestimmen. Deshalb darf sich die Politik nicht nur mit den tagespolitischen Anpassungszwängen beschäftigen. Von der Hand in der Mund zu leben ist keine Leistung. Von Wirtschaftspolitikern verlangt man etwas mehr Weitsicht.

Der Zukunftsstandort Deutschland wird vor allem durch Investitionen in die Qualifikation der Arbeitnehmerschaft, in die Infrastruktur, in Forschung und Entwicklung, das heißt in wenig und nicht mobile Produktionsfaktoren gestärkt. Die Investitionsförderprogramme sollten nach diesen Kriterien gesichtet werden, um die Entwicklung der deutschen Dienstleistungsgesellschaft im globalen Wettbewerb zu fördern und durch eine Regionalisierung der Ver- und Entsorgung der Bevölkerung mit Gütern des täglichen Bedarfs zu ergänzen. Beides schafft Arbeitsplätze.

Die Zukunftsmärkte liegen in den Bereichen ressourcensparender Verfahren der Industrie im Verbund mit Dienstleistungspaketen, die auf Konsumentenwünsche abgestimmt sind. Dazu gehören auch die Biotechnologie sowie alle Formen der Solartechnologien. Auf diesem Gebiet ist Deutschland, verglichen mit seinen nordischen Nachbarn, fast noch ein Entwicklungsland.

Die Stärke des Wirtschaftsstandorts Deutschlands besteht nach wie vor in der Tradition seines kreativen Unternehmertums, der gut ausgebildeten und disziplinierten Arbeitnehmerschaft, der sozialen Sicherheit von Kapital und Arbeit und nicht zuletzt der relativ hohen Qualität der Umweltmedien Luft, Wasser und Boden.

Die Wirtschaftspolitik sollte sich nicht zum Willensvollstrecker der Tagesinteressen überkommener Branchen machen, sondern den Weg in die Zukunft weisen und dafür den wirtschaftspolitischen Rahmen setzen. Dazu ist aber mehr nötig als die jährliche Zahlenjongliererei, um immer größere Löcher im Bundeshaushalt zu stopfen. Geld ist überall auf der Welt knapp. Jeder hätte gern mehr. Es kommt darauf an, das Wenige zukunftsfähig und gewinnträchtig einzusetzen. Die ständige Verteuerung der Ar-

beit, die permanente Beschneidung der Kaufkraft der Konsumenten, die Schröpfung der Investitionskraft der Unternehmer bei gleichzeitiger Subventionierung des Naturverbrauchs sind der falsche Weg. Eine solche Wirtschaftspolitik schadet mehr, als sie nützt. Sie verwendet die Steuergelder zum Schaden der Gemeinschaft, indem sie die offensichtlichen Risikomärkte der energie- und ressourcenintensiven Industrie durch immer neue Milliardensubventionen an der Umorientierung hindert.
Die Internationalisierung der Produktion und der Geldkapitalmärkte ist eine Tatsache, der sich auch die deutsche Wirtschaft stellen muß. Die Frage ist aber, wie – durch bedingungslose Anpassung oder durch Mitbestimmung der Spielregeln? Die bedingungslose Anpassung in Form des Wettlaufs um die geringsten Löhne führt zum Verlust aller Vorzüge, die den Wirtschaftsstandort ausmachen. Dieses Wettrennen können weder die Deutschen noch die westlichen Industriestaaten gewinnen. Infolge der ständig wachsenden Massenarbeitslosigkeit bei gleichzeitiger Subventionierung der Nicht-Erwerbstätigkeit blutet der deutsche Sozialstaat finanziell besonders schnell aus. Den Lohnwettbewerb mit China, Indonesien, Singapur und Malaysia können wir nicht gewinnen. Auch das Lohnniveau von Polen und Tschechien kann der deutsche Arbeitnehmer nicht akzeptieren. Der wirtschaftliche Erfolg Deutschlands läßt sich auch nicht durch eine inflexible Massenproduktion fortsetzen.
In innovativen Dienstleistungspaketen, die kundenspezifische Formen des Nutzens von Produkten verkaufen, liegt eine Zukunft der deutschen Wirtschaft. Das können zum Beispiel Systemlösungen von Dienstleistungen im Energie- oder Transportsektor sein. Dazu gehören zukunftsorientierte Formen der Landbewirtschaftung wie auch integrierte Umwelttechnologien im Paket mit ganzen Produktionsanlagen.
Die einseitige Fixierung auf die Kosten macht die Wirtschaft blind für die zweite Seite des Marktes. Die Verkaufsfähigkeit eines Guts wird nicht allein durch seine Kosten bestimmt, sondern durch das Verhältnis der Kosten zum Nutzen. In der Kostenkalkulation ist die deutsche Wirtschaft geübt. In der nutzens-

orientierten Verkaufsstrategie gibt es allerdings noch erheblichen Nachholbedarf.

Gefragt ist heute eine politische Rahmensetzung zur Förderung nutzenorientierter Systemlösungen in allen Bereichen der Wirtschaft. In der Tendenz der politischen Rahmensetzung muß sich die Einsparung von Ressourcen mehr rechnen als ihre zusätzliche Bereitstellung.

Der Energiepreis ist die volkswirtschaftliche Weiche, um den ökonomischen Zug auf das zukunftsfähige Gleis zu fahren. Die Öffnung des Energiemarkts bei gleichzeitiger Primärenergieabgabe für nichterneuerbare Energieträger führt zu einem Konkurrenzdruck zwischen Energieerzeugung und Energieeinsparung. Hier sind intelligente Lösungen erforderlich, um sparsame Kühlschränke, Staubsauger, Autos und so weiter zu entwickeln. Perspektivisch tut sich ein riesiger Absatzmarkt im In- und Ausland dafür auf. Die Aufgabe der Wirtschaftspolitik ist es, die Davids der Zukunftsbranchen vor Kernfossil-Goliaths zu schützen und den Goliaths neue Perspektiven zu eröffnen.

Die Kunst der Politik besteht darin, die tendenzielle Entwicklung der Alltagsprobleme zu erkennen und Vorsorge zu ihrer perspektivischen Lösung zu treffen. Die Abschottung der Märkte bringt für keine Seite langfristig Vorteile. Zukunftsfähig ist dagegen in der Regel alles, was den Wettbewerb fördert. Das Alltagsbewußtsein der Politik sollte folglich nicht Selbstzweck sein, sondern Mittel zum Zweck des Aufspürens und der schrittweisen Lösung von Tendenzen, die sich heute anbahnen, morgen strukturbestimmend werden und übermorgen das Wohl und Wehe eines Landes bestimmen. Unter diesem Blickwinkel ist es unerläßlich, die Einbindung Deutschlands in die Europäische Wirtschaftsunion durch die Währungsunion zu vervollständigen. Mit der Währungsunion entfallen die Wechselkursschwankungen. Die immensen Kursbewegungen der letzten Jahre führten zu einer starken Aufwertung der D-Mark im Verhältnis zu den anderen europäischen Währungen. Die Arbeitskosten in Deutschland sind auf diese Weise allein währungsbedingt um rund 20 Prozent angestiegen. Das führte in der verarbeitenden Industrie in den

letzten Jahren zu Verlusten von mehr als 3 Prozent der Marktanteile. Der Mittelstand war davon besonders betroffen. Ohne ein klares »Ja« zur Währungsunion 1999 kann in Deutschland keine zukunftsfähige Standortpolitik betrieben werden.
Die Wirtschafts- und Währungsunion führt allerdings nur dann zu echten Gewinnen innerhalb der Gemeinschaft, wenn sie durch die Umweltunion ergänzt wird. Kontraproduktiv ist es, wenn die deutsche Tagespolitik ökosoziale Entwicklungswege in Europa blockiert und eine zukunftsorientierte Europäische Umweltunion mit der Forderung nach einer Ideallösung zu verhindern sucht. Die Europäische Kommission, die mit der Erarbeitung eines europaweiten Ökosteuerkonzepts betraut wurde, sitzt gegenwärtig bereits an der dritten Vorlage. Nachdem der erste große Entwurf den Mitgliedsstaaten zu gewagt erschien, scheiterte die zweite Vorlage an der vorgesehenen Freiwilligkeit der Einführung der Ökosteuer in den einzelnen EU-Staaten. Deutschland bestand darauf, daß nach einer Übergangszeit zu einem obligatorischen EU-Ökosteuersystem übergegangen wird. Doch gerade das will Englands Tory-Regierung verhindern. Veränderungen des Steuersystems müssen bekanntlich in der Europäischen Union einstimmig beschlossen werden. Doch ehe sich alle Mitgliedsstaaten einig sind, gibt es entweder unmittelbar existenzbedrohende Umweltprobleme in Europa, oder es wird der kleinste gemeinsame Nenner gesucht. Der wird aber den Namen »Ökosteuer« nicht mehr verdienen.
Sowohl im nationalen wie im europäischen Rahmen herrscht dringender Handlungsbedarf. Beim Treffen der Finanzminister der Europäischen Union im Herbst 1995 waren immerhin schon zehn Länder bereit, einen spanischen Gesetzentwurf zur Energiesteuer zu akzeptieren.
1996 nahmen 17 junge Abgeordnete im Bonner Bundestag öffentlich zugunsten einer ökologischen Steuerreform Stellung. Die parlamentarischen Youngster mit Vertretern von CDU, SPD, Bündnis 90/Die Grünen und FDP, unterstützt von Vertretern des BUND und des Bundes Junger Unternehmer, bildeten eine große Ökosteuerkoalition. Hermann Gröhe, einer der sieben unterzeichnenden CDU-Abgeordneten, sagte dazu: »Wir sind eine

Generation, die Dampf machen will für den Klimaschutz und gegen die überall tätigen Verhinderungsstrategen.« Konkret stellten die 17 Abgeordneten drei Forderungen:

1. eine allmählich ansteigende Energiesteuer, eventuell erweitert um eine CO_2-Komponente,
2. die schrittweise Anhebung der Mineralölsteuer sowie eine ökologische Umgestaltung der Kfz-Steuer je nach Spritverbrauch und Abgaswerten, Autobahngebühren für Lkw und die Umwandlung der Kilometerpauschale in eine Entfernungspauschale, damit Rad-, Bus- und Bahnfahrer nicht länger benachteiligt sind, und
3. den Abbau umweltbelastender Subventionen wie zum Beispiel die Streichung der Steuerbefreiung für Flugbenzin.

»Sollte sich eine derartige Steuer nicht in kürzester Zeit EU-weit durchsetzen lassen, halten wir eine nationale Vorreiterrolle Deutschlands für dringend geboten«, erklärten die 17 Abgeordneten der Bonner Ökosteuerkoalition.[25]

Das Konzept einer ökologischen Steuerreform stellte Hubert Weinzierl, der Vorsitzende des Bundes für Umwelt und Naturschutz Deutschland [BUND], im November 1995 in Bonn vor. Es sieht eine umfassende Primärenergiesteuer vor, die alle nicht-regenerierbaren Energieträger entsprechend ihrem Energiegehalt und die Kernenergie einschließt. So sollen der Rohstoffverbrauch und die Emissionen gesenkt werden. Damit im Lauf der ersten zehn Jahre der Primärenergieverbrauch um mindestens 25 Prozent verringert wird, ist für das erste Jahr eine Energiesteuer von einem Pfennig pro Kilowattstunde (2,78 Mark/Gigajoule) vorgesehen. Diese Abgabe soll schrittweise bis zum zehnten Jahr auf sieben Pfennig steigen. Der Spritpreis soll jährlich um 35 Pfennig steigen, bis er im zehnten Jahr fünf Mark erreicht. Die Staatseinnahmen würden sich von 57 Milliarden Mark in der Anfangsphase auf 350 Milliarden im zehnten Jahr erhöhen. Diese Mehreinnahmen sollen über die Senkung der Sozialbeiträge an die Verbraucher zurückerstattet werden. Davon verspricht sich der

BUND eine spürbare Entlastung auf dem Arbeitsmarkt. Ökologisch schädliche Subventionen sollen ersatzlos gestrichen werden. Es ist vorgesehen, die so eingesparten Mittel zum Ausgleich der Mehrbelastung bei Rentnern und Studenten einzusetzen.
Rainer König, Leiter der Unternehmenskommunikation der AEG Hausgeräte GmbH, rechnete die Auswirkungen des BUND-Modells für sein Unternehmen durch. Er kam auf Mehrkosten bei Energie in Höhe von jährlich 3,8 Millionen Mark. Die Entlastung der Lohnnebenkosten führt aber zu Einsparungen in Höhe von 8,3 Millionen Mark. Für die AEG Hausgeräte GmbH ein gutes Geschäft.
Den Kernfossil-Goliaths, also den großen Stromanbietern und -abnehmern, war die Energiesteuer schon immer ein Dorn im Auge. Als die Idee von den zwei Dividenden geboren wurde, hieß es, sie sei zwar interessant, doch unausgegoren. Als die Idee immer größere gesellschaftliche Akzeptanz gewann, versuchte man sie zu zerpflücken. Als sich die Ökosteuer in den Grundsatzerklärungen der Parteien wiederfand, wurde es für die Kernfossil-Goliaths langsam gefährlich. Sie bliesen zum politischen Sturmangriff auf das ungeliebte Kind. Das dafür notwendige wissenschaftliche Gutachten fand sich in der Studie des Essener Rheinisch-Westfälischen Instituts für Wirtschaftsforschung [RWI], die 1996 veröffentlicht wurde.
Diese Studie geht davon aus, daß eine pauschale Energiesteuer ohne Ausnahmeregelungen für energieintensive Branchen zu Verlagerungen der umwelt- und energieintensiven Produktion ins Ausland und damit zum Verlust von Arbeitsplätzen führt. Insbesondere die chemische Grundstoffproduktion, die Eisen- und Stahlerzeugung, die energieintensiven Teile der Primärmetall-Erzeugung und der Zementproduktion sowie die Holzschliff-, Pappen-, Papier- und Zellstoffproduktion sind dann akut gefährdet. Dieser Schluß liegt nahe. Die Senkung der Lohnnebenkosten durch eine ökologische Steuerreform wird allein nicht ausreichen, um die von der 94er Studie des Deutschen Instituts für Wirtschaftsforschung [DIW] prognostizierten 500 000 zusätzlichen Arbeitsplätze zu schaffen [siehe S. 310–313].

Der Knackpunkt in beiden Studien ist die pauschale Energiesteuer ohne Ausnahmeregelungen für energieintensive Branchen. Dänemark hat gezeigt, wie es gemacht werden muß. Um den Zukunftsstandort Deutschland auch für energieintensive Branchen zu erhalten, sind Ausnahmeregelungen notwendig.

Die Energieabgabe energieintensiver Branchen sollte deshalb nicht die Form einer Steuer haben, sondern vielmehr eine Sonderabgabe sein. Sonderabgaben können aufkommensneutral in der jeweiligen Branche auf die einzelnen Unternehmen rückverteilt werden. Aufkommensneutral heißt, daß die Energieabgaben der einzelnen Unternehmen in einem bracheninternen Energie-Fonds gesammelt werden und daß der gesamte Fonds am Ende des Wirtschaftsjahres an die Unternehmen der jeweiligen Branche zurückverteilt wird.

Die Rückverteilung darf allerdings nicht im Maßstab der Abgabenhöhe der einzelnen Unternehmen erfolgen, sondern bezogen auf ihren Umsatz und die Zahl ihrer Beschäftigten. Der Umsatz und die Zahl der Beschäftigten sollte jeweils zu 50 Prozent bei der Rückvergütung berücksichtigt werden. Die Energieabgaben der Unternehmen werden also in einem Sonderfonds gesammelt und dann unabhängig von den eingezahlten Abgaben an die einzelnen Unternehmen so rückerstattet, daß sich sowohl innerbetriebliche Anstrengungen zum Energiesparen als auch die Schaffung von Arbeitsplätzen für die Unternehmen rechnen. Unternehmen mit einem geringen Energieverbrauch, vielen Beschäftigten und einem hohen Jahresumsatz werden belohnt. Wer dagegen mit Energie schludert und statt dessen Arbeitskräfte wegrationalisiert, wird zur Kasse gebeten. Die Konkurrenz innerhalb der Branche wird folglich einen innovativen Druck erzeugen, um die Energieabgaben zu minimieren und die Rückerstattungen zu maximieren. Das erhöht die Konkurrenzfähigkeit der jeweiligen Unternehmen, und es verbessert die Beschäftigungssituation und somit das soziale Klima.

Der Zwang zum Energiesparen schafft innerhalb der Branche einen Innovationsdruck zur Anwendung integrierter Umwelttechnologie, und er führt gleichzeitig zur Schaffung von Arbeitsplätzen. Unter dieser wirtschaftspolitischen Voraussetzung bleibt Deutschland auch für die energieintensiven Goliaths als Zukunftsstandort erhalten. Ihre Wettbewerbssituation auf dem Weltmarkt verbessert sich außerdem infolge des brancheninternen Innovationsdrucks.

Die Kernfossil-Goliaths und ihre Gewerkschaften sind jedoch gegenwärtig von der Diskussion um eine Energiesteuer so verschreckt, daß sie ihre geballte Kraft in die Lobbyarbeit zur Verhinderung jeglicher Form einer Energieabgabe legen. So tut sich auch die Bonner Regierungskoalition in dieser Frage schwer. Noch 1995 verkündeten manche Koalitionspolitiker die Notwendigkeit einer ökonomischen und ökologischen Neuorientierung. Im Herbst 1966 verabschiedeten sie sich jedoch von der Idee der ökologischen Steuerreform. Dennoch soll 1998/99 eine »große Steuerreform« in Angriff genommen werden.

Der Steuerreformvorschlag sieht rein rechnerisch eine Nettosteuerentlastung von 30 Milliarden Mark vor. Das soziale Zuckerbrot für Geringverdiener besteht in der Anhebung des Grundfreibetrags auf 13 014 Mark (bisher 12 095 Mark). Der Eingangssteuersatz soll auf 15 Prozent gesenkt werden (bisher 25,9 Prozent). Ab 18 035 Mark steigt dann der Steuersatz sprunghaft auf 22,5 Prozent an, um danach mit linear-progressivem Verlauf bei 39 Prozent für jährliche Einkommen ab 90 017 Mark (statt 53 Prozent bei 120 000 Mark) zu verbleiben. Spitzeneinkommen erhalten damit ein großes Steuergeschenk, das sich allerdings durch den Wegfall bisheriger Steuersparmodelle und steuersparender Kapitalanlagen (Schiffsbeteiligungen, Immobilienfonds usw.) verringert.

Die steuerliche Entlastung kleiner und mittlerer Einkommen wird wahrscheinlich durch den Wegfall von Steuerbefreiungen für Nacht-, Feiertags- und Sonntagsarbeiten sowie des Kurzarbeiter-, Schlechtwetter- und Krankengelds und der Kleider-, Geburts- und Heiratsbeihilfen usw. überkompensiert.

Es ist damit zu rechnen, daß sich durch diese »Jahrhundertreform« die Kluft zwischen Arm und Reich noch weiter auftut und der Sozialstaat erheblich demontiert wird, denn auch die

Lohnersatzleistungen (Arbeitslosengeld und -hilfe) sollen besteuert werden. Die Kaufkraft konsumorientierter Bevölkerungsschichten wird sinken, zumal eine Erhöhung der Mehrwertsteuer sowohl zur Gegenfinanzierung der absehbaren Steuerverluste als auch zur Finanzierung des Rentenreformvorschlags angedacht ist. Bürger mit Einkommen unter 12 095 Mark drohen dadurch ins soziale Aus gedrängt zu werden.
Die Regierungskoalition hofft auf größere Steuereinnahmen infolge reformbedinger Wachstumsschübe der Wirtschaft von jährlich 0,5 Prozent. Diverse Steuersenkungen sollen hier der Impulsgeber sein. Die steuerliche Entlastung der Wirtschaft wird aber weitgehend durch den Wegfall bisher üblicher Steuerabschreibungs- und Rückstellungsmodelle kompensiert.
Die Lohnnebenkosten werden durch den Steuerreformvorschlag nicht gesenkt. Die hohen Kosten des Faktors Arbeit führen deshalb auch weiterhin zu verstärkten Rationalisierungsinvestitionen. Im Februar 1997 waren bereits 4,66 Millionen Menschen arbeitslos gemeldet – deutscher Rekord seit 1933.
Die angedachte Rentenreform wird diese Entwicklungstendenz noch beschleunigen. Die geringfügige Entlastung der Lohnnebenkosten durch die Einführung einer steuerfinanzierten Familienkasse zur Bezahlung des Erziehungsgeldes und anderer Leistungen sowie die Absenkung des Rentenanspruchniveaus von derzeit 71 Prozent auf 64 Prozent im Jahr 2030 kann nur verhindern, daß dieser Teil der Sozialkosten künftig auf über 25 Prozent des Bruttoverdienstes der Arbeitnehmer anwächst und damit die Lohnnebenkosten der Unternehmer noch mehr belastet. Da der Steuerreformvorschlag auch höhere Sozialrenten und die Lebensversicherungen zu besteuern beabsichtigt, ist ein zusätzlicher Kaufkraftschwund konsumorientierter Nachfrager vorprogrammiert. Unter dem Reform-Strich wird weder das naturblinde Auge der Marktwirtschaft geöffnet noch das sozial taube Gehör geheilt.
Doch bevor das letzte Wort über das neue Steuer- und Rentenpaket gesprochen wird, müssen diese Reformvorschläge noch diverse Ausschüsse sowie den Bundesrat und den Bundestag pas-

sieren. Es bleibt zu hoffen, daß auf diesem Weg noch eine ökosoziale Richtungsänderung eingebracht werden kann.
Die Steuer- und Rentenreformvorschläge orientieren sich an alten wirtschaftspolitischen Denkmustern, doch damit lassen sich die gravierenden wirtschaftlichen Probleme nicht mehr lösen. Ohne eine grundlegende ökosoziale Neuorientierung der deutschen Wirtschaft führt der wirtschaftliche Wettbewerb unvermeidlich zum ökonomischen Suizid. Die bedingungslose Orientierung der nationalen Wirtschaftspolitik am naturblinden und sozialtauben Weltmarkt ist der falsche Weg. Das Lohngefälle der Bundesrepublik ist nicht nur zu den Staaten Südostasiens, sondern bereits zu Osteuropa so gewaltig, daß Deutschland bei annähernd gleicher Technologie im kommenden Jahrhundert eine Position nach der anderen verlieren wird. Der Präsident des Wuppertal-Instituts, Ernst Ulrich von Weizsäcker, wies unter Bezugnahme auf die RWI- und DIW-Studien den Lösungsweg:

> »Es kommt darauf an, im Bereich Energieeffizienz und Kreislaufwirtschaft neue Stellen zu schaffen. Eine Verteuerung von Energie und Material beim Endverbraucher bei gleichzeitiger Senkung der Arbeitsnebenkosten leistet das. Die Erneuerung der Autoflotte, der Beleuchtungskörper, der Hausgeräte, die ökologische Sanierung des Hausbestandes – das sind doch phantastische Nachrichten für die Industrie und den Bausektor, der gerade am Boden liegt.«[26]

Die ökosoziale Steuerreform

Steuern sind für die Bürger das, was für den Stier das rote Tuch ist. Die Steuerbelastung ist in Deutschland bereits über das wirtschaftliche Maß des Erträglichen hinaus gewachsen. Eine weitere Steuererhöhung ist den Bürgern kaum zuzumuten. Da Steuern aber Abgaben an den Staatshaushalt sind, für die der Staat keine konkrete Gegenleistung zu erbringen braucht, kann die Einführung von Umweltsteuern durch die Senkung anderer Steuern neutralisiert werden. Genau darin besteht die Chance dieser Preislösung im Umweltschutz. Die Staatsquote, das heißt die Belastung der Bürger, bleibt konstant, wenn die Einführung der einen Steuer durch die Reduzierung anderer Steuern ausgeglichen wird.

Die ökologische Steuerreform beruht auf dieser Idee. Der Sinn dieser Reform besteht darin, nur solche gesellschaftlichen Aktivitäten zu besteuern, die sozial oder ökologisch schädlich sind.

Das bisherige Steuersystem bestraft häufig sozial erwünschte Handlungen. Auf der anderen Seite werden ökologisch unerwünschte Handlungen nicht besteuert. Im Gegenteil! Sie werden teilweise sogar noch durch Subventionen belohnt.

Das gegenwärtige Steuersystem steht auf dem Kopf. Es hat sozial und ökologisch schädliche Auswirkungen. Das Steuersystem muß endlich auf die Füße der ökosozialen Realität gestellt werden.

Die Steuerreform kann aber nur gelingen, wenn der Staat an Stelle der alten Steuerbasen neue belastungsfähige Steuerquellen erschließt. Die Sicherung der Staatseinnahmen ist eine wesentliche politische Voraussetzung, um die alten Steuern durch neue ersetzen zu können. Die Ökosteuerbasen müssen so robust sein, daß auch nach einer Anpassungsreaktion der Wirtschaftssubjekte der Steuerfluß nicht versiegt, denn schließlich braucht der Staat Geld für die Regulierung des sozialen Lebens, und der Finanzhaushalt des Staates muß gesichert sein.

Eine Steuer erhöht die Kosten der besteuerten Tätigkeit und senkt umgekehrt den privaten Gewinn der Wirtschaftssubjekte. Mit der Steuer übt der Staat also eine soziale Lenkungswirkung aus, der die Wirtschaftssubjekte mit Ausweichreaktionen begegnen, indem sie die besteuerte Tätigkeit einschränken. Der Staat muß sich deshalb gut überlegen, welche Aktivitäten er durch eine Steuer behindern will und welche nicht.

Die Idee einer ökologisch orientierten Steuerreform wurde bereits in den zwanziger Jahren von dem britischen Ökonomen Arthur Cecil Pigou entwickelt. Er beschäftigte sich mit den externen sozialen Kosten, die durch den privaten Verbrauch öffentlicher Güter entstehen. Die Aufgabe bestand für ihn darin, durch eine Steuer die externen sozialen Kosten der Gesellschaft dem privaten Verbraucher öffentlicher Güter anzulasten. Dadurch sollten die externen Effekte internalisiert, das heißt, in den Güterpreis einbezogen werden.

Hans Christian Binswanger entwickelte 1979 in seiner Forschungsarbeit *Wege aus der Wohlstandsfalle* die Idee der Besteuerung des Naturverbrauchs weiter. Vier Jahre später trat er mit dem Vorschlag an die Öffentlichkeit, die Lenkungswirkung des Steuersystems um die ökologische Komponente zu erweitern, ohne die Steuerlast der Bürger zu erhöhen: der Kerngedanke einer ökologischen Steuerreform. In den ersten Jahren wurde diese Idee als intellektuelle Spinnerei abgetan. Mit der Zeit fand die einfache Logik der Verteuerung [Bestrafung] des Naturverbrauchs bei gleichzeitiger Steuerentlastung [Belohnung] der Aktivitäten von Arbeit und Kapital immer mehr Anhänger.

Ernst Ulrich von Weizsäcker ist einer der unermüdlichsten Kämpfer für die praktische Durchsetzung der ökologischen Steuerreform.[27] Er ist der Präsident des 1991 gegründeten Wuppertal-Instituts für Klima, Umwelt, Energie.

Der Begriff der ökologischen Steuerreform zielt sowohl auf die Besteuerung des Naturverbrauchs als auch auf die steuerliche Entlastung der Arbeit und des Kapitals. Beide Produktionsfaktoren sind wertschaffend. Ihre gesellschaftlich nützlichen Aktivitäten sollten nicht vom Staat durch die Erhebung von Steuern bestraft werden. Die Aufgabe besteht vielmehr darin, das Wirtschaftswachstum in eine naturverträgliche Richtung zu lenken.

Die Besteuerung des Naturverbrauchs kann auf zwei Wegen erfolgen. Der eine Weg ist die Mengensteuer, der andere die Wertsteuer. Beide Steuerformen haben Vor- und Nachteile.

Mengensteuern werden in der Regel auf Stückzahlen von Gütern erhoben. Am Ende des 19. Jahrhunderts bildeten Mengensteuern in der Form von Warensteuern die Hauptquelle der Staatseinnahmen. Der Vorteil von Mengensteuern ist ihre relativ einfache Berechnungsgrundlage. Ihr Nachteil besteht darin, daß die steu-

erlichen Geldbeträge je Stück einer Gutsmenge gleichbleibend sind. Der Wert dieser Geldbeträge sinkt aber ständig durch die Inflation. Das war auch die Ursache, warum zum Beispiel die Tee-, Salz- und Zuckersteuer im Lauf des 20. Jahrhunderts bedeutungslos geworden sind.
Die inflationäre Entwertung der Mengensteuer ist unausweichlich, wenn sie nicht durch einen Preisindex der Inflationsrate angepaßt wird. Das verbietet aber das Nominalprinzip. Dieses Prinzip ist in Deutschland ein ehernes Gesetz. Es besagt, daß die Bemessungsbasen der Steuer- und Abgabensätze nicht automatisch an die Inflationsrate angepaßt werden. Wenn zum Beispiel die Steuer- oder Abgabensätze durch eine politische Entscheidung um 3 Prozent angehoben werden, so erhöht sich die reale Abgabenbelastung für die Wirtschaft oder die Bürger nicht, wenn im gleichen Zeitraum die Inflationsrate ebenfalls um 3 Prozent steigt. Wird die Mengensteuer also nicht ständig an die Inflation angepaßt, dann sinkt die reale Abgabenlast, obwohl die Abgabenhöhe je Menge gleichbleibt.
Wertbasierende Steuern traten nach dem Zweiten Weltkrieg ihren Siegeszug an. Dazu zählen zum Beispiel die Lohn- und Einkommensteuern und die Mehrwertsteuer. Sie haben den fiskalischen Vorteil, daß sie durch die Inflation nicht entwertet werden können. Diese Steuern können aber zu sozialschädlichen und umweltzerstörenden Nebenwirkungen führen.
Mehr als 60 Prozent der Staatseinnahmen werden in der Bundesrepublik durch die Lohn- und Einkommensteuern und das System der Sozialversicherung finanziert. Der Staat verteuert dadurch den Kostenfaktor der Arbeit. Dem Finanzminister mag der Goldregen dieser Steuern wie ein Bad im Jungbrunnen erscheinen. Seine Staatseinnahmen scheinen gesichert zu sein, denn die Arbeitnehmer und die Freischaffenden müssen ja arbeiten, um zu leben.
Die Besteuerung der Arbeit belastet aber nicht nur die Arbeitnehmer. Die Arbeitnehmer geben einen Teil ihrer Lohnsteuern über die Tarifverhandlungen durch Lohnforderungen an die Arbeitgeber weiter, genauso wird auch ein Teil der Mehrwertsteu-

er indirekt weitergegeben. Die Steuerbelastung der Arbeitnehmerhaushalte wird folglich über das soziale Geflecht: Staat → [Arbeitgeber ↔ Arbeitnehmer] je nach dem sozialpolitischen Kräfteverhältnis so lange hin und her geschoben, bis ein latentes finanzielles Kräftegleichgewicht ausgehandelt wurde. Die Mehrwertsteuer erhöht deshalb die Kosten des Faktors Arbeit genauso wie die direkten Steuern auf Arbeit.
Die Arbeitgeber in Deutschland tragen außerdem zu 50 Prozent die Lohnnebenkosten ihrer Arbeitnehmer. Die Würfel für die Rationalisierungsspirale sind damit gefallen. Die Wirtschaftsentwicklung schwenkt in die staatlich gewiesene Richtung ein und baut massenhaft Arbeitsplätze ab. Der künstlich verteuerte Faktor Arbeit wird durch den Faktor fixes Kapital ersetzt, der nicht so stark besteuert wird. Doch auch die relativ geringe Besteuerung des Kapitals hemmt die Wirtschaftsaktivitäten dieses Produktionsfaktors.
Faktisch signalisiert der Staat den beiden Produktionsfaktoren, daß sie ihre sozialen Aktivitäten im Lande soweit wie möglich einschränken sollten. Und das tun sie dann auch. Die Arbeitsplätze werden massenhaft wegrationalisiert, und das Kapital verlagert seinen Produktionsstandort ins weniger besteuerte Ausland, unter anderem mit der Folge immer größerer Löcher im Staatshaushalt. Damit ruiniert sich der Staat selbst. Seine scheinbar sicheren Einnahmequellen versiegen. Die staatliche Ausgabenseite übersteigt schließlich die Einnahmen. Der Finanzminister kann jetzt zwar versuchen, die Besteuerung der Arbeit und des Kapitals noch weiter in die Höhe zu treiben. Er beschleunigt dadurch aber nur die Teufelsspirale der Selbstzerstörung. Wenn schließlich die sozialen Kosten der Arbeit und des Kapitals größer sind als ihr sozialer Nutzen, dann ist auch das Schicksal des Staates besiegelt.
Die soziale Selbstzerstörung des Staatswesens infolge der Besteuerung von Arbeit und Kapital wird noch durch zwei weitere Prozesse verstärkt. Das sind erstens die staatlichen Subventionen für naturzerstörende Wirtschaftsaktivitäten und zweitens der fehlende Reproduktionspreis sozial verbrauchter Naturgüter.

Die Subvention des Naturverbrauchs wirkt wie eine zusätzliche Besteuerung der Arbeit. Die künstlich verbilligte Technik ersetzt die künstlich verteuerten Arbeitskräfte. Das ist die Wirkung der Subventionierung der deutschen Steinkohle. Die privaten Kosten des Verbrauchs von Arbeit und Kapital, die bei der Förderung der Kohle anfallen, werden durch die Subventionen künstlich verringert. Der subventionierte Kohlepreis verzerrt also das Preisgefüge dieses Energieträgers auf dem nationalen Markt. Der Staat signalisiert der Wirtschaft damit, daß er an einem möglichst hohen Verbrauch der einheimischen Kohle interessiert ist, und lenkt so die gesamte volkswirtschaftliche Aktivität in die Richtung weiterer Umweltzerstörung.

Die Wirtschaftskreise, die durch die alten naturzerstörenden Wirtschaftsstrukturen finanz- und politikmächtig geworden sind, wollen naturgemäß keine grundlegende Veränderung der Wirtschaftspolitik. Sie nutzen ihre Macht, um progressive Wirtschaftskräfte und Politiker daran zu hindern, die richtigen sozialen und ökologischen Weichen zu stellen. Daran ändert auch die Tatsache nichts, daß die meisten Politiker entsprechend ihrer parlamentarischen Pflicht im besten Glauben handeln.

Der real existierende Sozialismus ist nicht deshalb zusammengebrochen, weil sich die jeweilige sozialistische Partei- und Staatsführung persönlich bereichert hatte und korrumpiert war. Das ist eine weltweite Erscheinung. Der real existierende Sozialismus starb erstens daran, daß er die Marktgesetze auszuhebeln versuchte. Das führte zur Verschwendung der volkswirtschaftlichen Kräfte. Der soziale Zusammenbruch wurde zweitens durch den Raubbau an den eigenen Naturgütern beschleunigt. Somit starb der real existierende Sozialismus an seiner eigenen Unfähigkeit. Der Westen brauchte nur zwei Dinge zu tun: Er mußte darauf achten, daß kein Weltkrieg ausbrach, und er mußte die notwendige Geduld aufbringen, um das Ende des Sozialismus abzuwarten.

Genauso, wie der Zusammenbruch des real existierenden Sozialismus im System selbst begründet war, so ruiniert sich auch der real existierende Kapitalismus selbst. Es dauert nur etwas länger, weil dieses System mit den Faktoren Kapital und Arbeit etwas effizienter umgeht. Die Natur wartet darauf, daß sich dieser lästige Zeitgenosse entweder selbst zerstört – oder sein naturblindes Wirtschaftssystem operiert.

Instrumente

Auch für die ökosoziale Steuerreform gelten die traditionellen und bewährten Ziele der Besteuerung. Das sind das Fiskalziel, das Allokationsziel und das Verteilungsziel.
Nach dem Fiskalziel muß ein Steuersystem dauerhafte und stabile Einnahmen für die Erfüllung öffentlicher Aufgaben garantieren. Dieses Ziel muß unbedingt erfüllt werden, um die Funktionsfähigkeit des Staates zu garantieren. Der Stellenwert der beiden anderen Ziele erfuhr im Lauf der Zeit mehrere Umorientierungen. Die Allokationswirkung der Steuer soll volkswirtschaftliche Schlüsselgrößen wie Investitionen und Ersparnisse sowie Arbeitsangebot und -nachfrage nicht negativ beeinflussen. Das Verteilungsziel der Steuer orientiert auf die Verteilungsgerechtigkeit, die eine soziale Marktwirtschaft charakterisieren sollte.
Die genannten Steuerziele sind das Ergebnis einer konkreten historischen Entwicklung. Sie kristallisierten sich in Abhängigkeit von den sozialen Erfordernissen heraus. Der Grad der Umweltzerstörung in der Gegenwart macht es jetzt erforderlich, die Orientierung der Besteuerung durch das Umweltziel zu erweitern. Das Umweltziel einer Ökosteuer konzentriert sich in erster Linie auf die Verringerung des Naturverbrauchs der Haushalte. Das Umweltziel der Wirtschaft sollte durch eine brancheninterne Sonderabgabe erreicht werden.
Die ökosoziale Reform des Abgabensystems kann nach dem derzeitigen Stand der Diskussion folgendermaßen definiert werden:

Eine national orientierte ökosoziale Steuerreform ist die langfristig berechenbare und schrittweise Anhebung von Steuern für Haushalte auf nichtregenerierbare Energieformen. Die

Staatsquote bleibt infolge einer aufkommensneutralen Rückverteilung der Steuereinnahmen zur Verbesserung der sozialen Gerechtigkeit konstant.

Begleitende Maßnahmen:

- *Streichung aller Subventionen, die den Naturverbrauch fördern;*
- *Einführung einer Bodenversiegelungsabgabe in gewichtiger Höhe zum Zweck der späteren Entsiegelung;*
- *Einführung einer brancheninternen nationalen Sonderabgabe für den Verbrauch nichtregenerierbarer Energieträger, die nach Jahresfrist an die einzelnen Unternehmen der Branche aufkommensneutral zurückverteilt wird. Die Rückverteilung orientiert sich je zur Hälfte am Umsatz und der Mitarbeiterzahl der Unternehmen im Inland. Die Wirtschaft wird infolge der Rückverteilung der Energiesonderabgabe nicht zusätzlich belastet. Branchenintern jedoch führen die einzelnen Unternehmen infolge der Sonderabgabe einen Wettbewerb um den kleinsten Energieverbrauch bei höchstem Umsatz und vielen Beschäftigten.*

Der Verwaltungsaufwand zur Einführung von Energiesteuern für Haushalte und Energiesonderabgaben für die einzelnen Branchen der Wirtschaft sollte so klein wie möglich sein. Dies könnte dadurch erreicht werden, daß die neuen Abgaben auf das bereits existierende Steuer- und Abrechnungssystem aufgesetzt werden. Bei der Mineralölsteuer ist das zum Beispiel relativ leicht möglich.

Mineralölsteuer statt Kfz-Steuer

Wenn die Parlamentarier die sozialen Kosten für die Eintreibung der Kfz-Steuer einsparen wollen, ohne auf die Staatseinnahmen zu verzichten, dann sollten sie die Kfz-Steuer abschaffen und statt dessen die Mineralölsteuer in adäquater Weise anheben. Unter

der Voraussetzung gleicher Einnahmehöhen ergeben sich dadurch für den Staatshaushalt gleich mehrere Vorteile.
Auf der einen Seite werden die Kosten für die Erhebung der Kfz-Steuer eingespart. Auf der anderen Seite wird das Fahr- und das Kaufverhalten der Bürger durch die erhöhte Mineralölsteuer in eine sozial und ökologisch nützliche Richtung gelenkt. Die Lenkungswirkung dieser Umweltsteuer führt zur Entlastung des Straßenverkehrs. Dadurch verringert sich die Stauhäufigkeit. Die Kosten für die Reparatur und den Ausbau des Straßenverkehrsnetzes verringern sich ebenfalls. Die ökologische Lenkungswirkung einer gewichtigen Mineralölsteuer beeinflußt in einer Art Dominoeffekt die gesamte weitere Entwicklung der Infrastruktur. Vermeidbare Transporte und lange Transportwege werden reduziert. Die Autofahrer werden infolge der höheren Kosten für den Treibstoff zur Effektivierung der Mobilität veranlaßt. Vielfahrer steigen auf spritärmere Autos um. Die öffentlichen Verkehrsmittel werden stärker nachgefragt. Damit wäre die ökologische Lenkungswirkung dieser Umsteuerung eindeutig gegeben, und die ökonomische Effizienz wäre groß.
Die Umwelt und die Volkswirtschaft hätten einen großen Nutzen von dieser Reform. Das Verursacherprinzip käme zu seinem Recht. Der Umweltverbrauch eines Autos ist nicht in erster Linie davon abhängig, wie groß sein Hubraum ist. Entscheidend ist, wieviel Treibstoff pro Wirtschaftsleistung verbraucht wird. Wenn der Vielfahrer durch seine Tätigkeit einen großen ökosozialen Nutzen produziert, wird sich für ihn auch weiterhin seine Tätigkeit auszahlen. Hat sich die Tätigkeit eines Vielfahrers bisher aber nur deshalb gerechnet, weil er seinen Umweltverbrauch nicht zu bezahlen brauchte, dann weist die Steuer in die richtige Richtung. Genau das ist der Sinn dieser ökosozialen Umverteilung der Steuerlasten.
Die Energiesteuer ist die ökologisch und ökonomisch sinnvollste Möglichkeit einer Umweltverbrauchsteuer.
Dafür sprechen mindestens zwei Gründe: Erstens ist die Energie der Motor der Volkswirtschaft. Die zentrale Stellung der Energie garantiert, daß die Bemessungsbasis der Steuer genügend

groß ist. Der Finanzminister braucht also nicht um die Finanzierungskraft der Steuer zu bangen. Es wird auch dann genug Geld in die Staatskasse fließen, wenn die gewollte Lenkungswirkung der Steuer die Wirtschaftssubjekte veranlaßt, sparsamer mit der Energie umzugehen.
Zweitens ist der Energieverbrauch in den letzten Jahren zu einem Synonym für die wachsende Umweltzerstörung geworden. Es ist deshalb damit zu rechnen, daß eine Energiesteuer bei der Bevölkerung auf Verständnis stößt – vorausgesetzt, die sozialschädlichen Steuern werden schrittweise gestrichen.
Die Befürworter einer ökosozialen Steuerreform in der Wirtschaft sind vor allem in den Branchen zu suchen, die im Verhältnis zum Wertschaffungsprozeß einen relativ kleinen Energieverbrauch haben oder die im Sektor alternativer Energieformen tätig sind.
Wenn der Energiepreis steigt, erhöht sich natürlich auch der Preis für Rohstoffe, Transporte und Verpackungen. Die Ex-und-Hopp-Mentalität hat dann keine Chance mehr. Die Verteuerung der Energie führt automatisch zur Verteuerung aller Nachfolgeprozesse. Die gesamte Volkswirtschaft wird dann zu sozialen und ökologischen Einsparungen angeregt.

Die Steuer am Energie-Ende

Die Energiesteuer kann, wie im Falle einer Mineralölsteuer, auf die Endenergie erhoben werden, also auf Benzin, Diesel, Strom, Heizöl und Erdgas. Die Besteuerung der Endenergie führt aber zu negativen Begleiterscheinungen. Das wird am Beispiel der Stromerzeuger besonders deutlich: Die Steuer für Endenergie würde in der Regel nur den Stromverbrauch der Konsumenten verteuern. Die großen Stromerzeuger hätten in diesem Fall aber keinen Anreiz mehr, ihre riesigen energetischen Umwandlungsverluste zu reduzieren. Ihr Primärenergieeinsatz ist ja nicht besteuert. Die Gesellschaft verschenkt deshalb mit der Steuer auf Endenergie ein großes Sparpotential. Sie verzögert durch die

Besteuerung der Endenergie den längst überfälligen raschen Übergang zur Nutzung der Solarenergie. Außerdem wird durch die Besteuerung der Endenergie indirekt auch der Arbeits- und Kapitalverbrauch besteuert, der im Prozeß der Herstellung der Endenergie benötigt wurde. Damit verteuert die Steuer für Endenergie indirekt wieder sozial nützliche Tätigkeiten. Die ökosoziale Steuerreform sollte aber gerade die Besteuerung von Kapital und Arbeit reduzieren und schließlich abschaffen.

Die Steuer auf Primärenergie und den Verbrauch von Naturressourcen

Die Besteuerung der Primärenergie vermeidet dagegen die oben genannten Mängel. Es darf aber nur die Freisetzung gebundener Energie besteuert werden. Das sind in erster Linie die fossilen Brennstoffe und die Kernenergie. Außerdem sollte eine Ökosteuer von Wasserkraftwerken erhoben werden, deren Stromleistung größer als 1000 KW ist. Müllverbrennungsanlagen sollten ebenfalls der Primärenergiesteuer unterliegen. Der Bau und Betrieb dieser Energiewandler ist mit großen Eingriffen in den Naturhaushalt verbunden, und es wird dabei gebundene Energie freigesetzt.

Die Besteuerung der Primärenergie sollte außerdem durch eine gewichtige Steuer auf den Verbrauch von Naturressourcen, wie zum Beispiel Grundwasser und Bodenflächen, flankiert werden. Die Steuer für die Versiegelung von Boden muß auch für Deponieräume gelten, um die ungehemmte Abfallwut der Gesellschaft zu zügeln.

Die Lenkungswirkung der Primärenergiesteuer kann eine solarenergetische Wende einleiten. Diese Steuer regt Haushalte und Unternehmen an, Energieanlagen auf den Dachflächen ihrer Häuser zu installieren. Die großflächige Verbauung von Naturräumen mit Solaranlagen kann dagegen durch die Bodenversiegelungsteuer gebremst werden. Die Versiegelung oder Verbauung weiträumiger Bodenflächen ist ein gewichtiger Eingriff in den Naturhaushalt. Die Abgabe auf die Bodenversiegelung stellt auch hier die ökologischen Kosten der Zerstörung von Naturräumen in Rechnung.

Die Steuer auf Bodenversiegelung verhindert die allgegenwärtige Verbauung von Naturräumen. Zusammen mit der Energiesteuer orientiert sie die Bauherren und damit auch die Architekten auf solare Konstruktionsprinzipien.

Die Solarenergieanlagen auf den Dächern der Gebäude zur Selbstversorgung der Wirtschaftsteilnehmer bzw. Bürger bleiben dagegen steuerfrei. Diese Anlagen beanspruchen keine zusätzlichen Flächen, und die Verbauung durch die Gebäude wurde bereits mit der Grundsteuer beglichen.

Bei der Einführung einer Steuer auf Primärenergie muß, wie gesagt, zwischen gebundener Energie und freier Energie unterschieden werden. Die Bindung freier Energie ist grundsätzlich steuerfrei. Die Freisetzung gebundener Energie muß dagegen besteuert werden. In der zweiten Phase der Steuerreform müssen deshalb auch die Holzbrennstoffe und andere Formen der Bioenergie der Steuer unterliegen.

Die Primärenergiesteuer läßt die Nachfrage nach fossilen Brennstoffen im jeweiligen Land beziehungsweise in der Wirtschaftsunion sinken. Bei einem gewichtigen Nachfragerückgang kann sie sogar zu sinkenden Weltmarktpreisen führen. Die nationalen Steuersätze müßten deshalb ständig den Launen des Weltmarkts angepaßt werden, um die Planbarkeit und Berechenbarkeit der Verbraucherpreise zu garantieren und um die Lenkungswirkung der Steuer im Inland zu erhalten.

Bei starken Schwankungen der Weltmarktpreise für Primärenergie müßte folglich ständig gegengesteuert werden. Bei steigenden Weltmarktpreisen müßten die Steuersätze fallen, bei fallenden Weltmarktpreisen müßten sie steigen. Die ständige Nachregelung der Primärenergiesteuer verlangt aber einen großen verwaltungstechnischen Aufwand. Insgesamt führt also auch eine Primärenergiesteuer, die sich direkt am Weltmarkt orientiert, nicht zu dem gewünschten Erfolg.

Ein fester Energiepreis im Inland könnte dieses Problem lösen.

Er braucht nur in einem mehrjährigen Rhythmus der Entwicklungstendenz der Weltmarktpreise nachgeregelt zu werden.

Es gibt keinen Königsweg. Unter den vielen Möglichkeiten ist die Primärenergiesteuer aber die einfachste, wenn auch nicht die unproblematischste Lösung. Wer auf die vollkommene Lösung wartet, wird wohl niemals eine Lösung finden. Wer vorgibt, politisch so lange nicht handeln zu brauchen, bis eine Ideallösung gefunden ist, würgt die Steuerreform ab. Es gibt zwar keine Patentlösung, doch es gibt mehr oder weniger sinnvolle Lösungsansätze.

Modelle

Zwei Vorschläge einer Energiesteuerreform sollen hier stellvertretend für alle anderen diskutiert werden. Sie betreffen ökologische Steuerreformvorschläge für die Schweiz und für Deutschland. Beide Länder sind trotz ihrer strukturellen und völkerrechtlichen Unterschiede auf Grund ihres hohen Industrialisierungsgrads, ihres umwelttechnischen Entwicklungsstands, ihrer rechtsstaatlichen Verfassung und ihrer Wirtschaftsordnung miteinander vergleichbar. Die wesentlichen Unterschiede zwischen beiden Konzeptionen ergeben sich vor allem aus der unterschiedlichen völkerrechtlichen Situation beider Länder: Die Schweiz ist im Gegensatz zur Bundesrepublik Deutschland nicht in das Rechtssystem der Europäischen Gemeinschaft eingebunden.

Die Studie für die Schweiz wurde 1992 von S. P. Mauch und R. Iten[28] entwickelt. Die Studie für die Bundesrepublik Deutschland bezieht sich auf das Konzept des Deutschen Instituts für Wirtschaftsforschung aus dem Jahr 1995.[29]

Das Kernstück beider Studien ist die Energiebesteuerung auf der Einnahmenseite und die aufkommensneutrale Weitergabe der Einnahmen auf der Ausgabenseite. Beide Studien sehen eine Pro-Kopf-Rückerstattung eines Teils der Einnahmen vor. Damit wird die Steuer auch für einkommensschwache Haushalte sozial verträglich gestaltet. Der Anteil der Energiekosten (ohne Kraftstoffe) an den monatlichen Ausgaben liegt in Haushalten mit relativ niedrigen Einkommen mehr als doppelt so hoch wie in einkommensstarken Haushalten. Während einkommensschwache Haushalte 6,4 Prozent der Haushaltskasse für Energie ausgeben müssen, um ihren Mindestbedarf zu decken, liegen die Energiekosten in finanzstarken Haushalten nur bei 3 Prozent. Dennoch verbrauchen letztere pro Kopf mehr Energie als erstere. Die Rückerstattung ermöglicht es, die finanzschwachen Haushalte besserzustellen. Gleichzeitig werden alle Haushalte auf einen sparsamen Energieverbrauch orientiert.

Die Energiesteuern werden also verursachergerecht erhoben. Ein Teil des Gesamteinkommens wird unabhängig von der individuell eingezahlten Summe auf alle Bürger verteilt. Die sparsamen Energieverbraucher werden so belohnt [Bonus]. Die starken Energieverbraucher werden durch die hohen Abgaben zu einem sparsamen Energieverbrauch angehalten [Malus]. Das Bonus-Malus-System ist ein wirksames Instrument der ökosozialen Steuerreform. Es löst mehrere Probleme mit einer Maßnahme. Der zu erwartende volkswirtschaftliche Gewinn ist optimal.

Die Einzelfallprobleme, die sich aus der aufkommensunabhängigen Umverteilung ergeben können, müssen gesondert gelöst werden. So kann zum Beispiel das Problem der Pendler durch eine Entfernungspauschale in Rechnung gestellt werden. Wie diese Entfernung durch den Pendler überbrückt wird, ist seine Sache. Er erhält die Pauschale unabhängig davon, ob er mit dem Fahrrad, mit dem Auto oder mit dem Bus bzw. Zug fährt.

Ökologische Wirksamkeit und ökonomische Effizienz sind entscheidend für die Wirkung einer ökosozialen Steuerreform. Die Maximierung beider Zielstellungen ist allerdings problematisch. Deshalb muß ein Kompromiß gefunden werden. Die Wirtschaft benötigt zum Beispiel möglichst lange Anpassungszeiten. Das geht aber zu Lasten des schnellen Erreichens der ökologischen Zielstellung. Die beiden Studien berücksichtigen diesen Umstand. Sie ermöglichen den Wirtschaftssubjekten eine langfristige Planungssicherheit, um eine vorschnelle Entwertung des Kapitalstocks zu vermeiden und schrittweise Anpassungsreaktionen zu ermöglichen. Die Studien sehen vor, die Steuerreformvorschläge im Vorfeld der Beschlußfassung demokratisch zur Diskussion zu stellen. Dadurch wird allen Betroffenen ermöglicht, das Für und Wider abzuwägen und Veränderungsvorschläge einzubringen. Außerdem werden alle Wirtschaftssubjekte frühzeitig über den Beginn, den Basissteuersatz und die Progression der Abgaben informiert.

Zu den Gewinnern einer ökosozialen Steuerreform gehören aller Voraussicht nach die Branchen, die mit relativ wenig Energie und einem verhältnismäßig hohen Arbeitsaufwand einen großen Wertanteil produzieren. Dazu zählen zum Beispiel die Mikroelektronik, die Elektrotechnik und der Maschinenbau. Dazu gehören außerdem die Versicherungsindustrie und die Dienstleistungen der Gebietskörperschaften. Die großen Gewinner werden vor allem die Solartechnologie sein sowie alle Branchen, die auf der Anwenderseite Energie zu sparen helfen. Über den Nutzungsverkauf wird insbesondere die Langlebigkeit der Konsumgüter einen starken Entwicklungsimpuls erhalten.

Die Verlierer der ökosozialen Steuerreform sind zweifellos die Produzenten und Betreiber von großtechnischen fossilen und kernenergetischen Anlagen sowie die großen Energieverbraucher der Industrie. Die energieintensiven Branchen werden gezwungen sein, ihre innovative Kraft verstärkt auf die Nutzung von Einsparpotentialen zu konzentrieren. Das trifft vor allem auf den Chemiebereich zu. Dazu gehören aber auch die Bereiche Papier und Zellstoff, die Eisen- und Stahlindustrie, die Zementbranche, die Bereiche Bau-Steine-Erden, Intensivlandwirtschaft sowie der Autoindividualverkehr.

Beide Studien gehen davon aus, daß ein nationaler Alleingang machbar ist. Beide suchen einen Kompromiß zwischen der notwendigen volkswirtschaftlichen Lenkungswirkung der Steuer auf der einen Seite und der Vermeidung von übermäßigen Härten für die starken Energieverbraucher auf der anderen Seite. Es gibt Gewinner und Verlierer. Volkswirtschaftlich sinnvoll ist diese Steuer dann, wenn die privaten Kosten der Verlierer möglichst klein und der private Nutzen der Gewinner möglichst groß sind.

Die Schweiz

Eine Wertsteuer für Primärenergie schlugen die Autoren der Schweizer Studie auf der Einnahmenseite vor. Wertsteuern beziehen sich auf Preise. Die Steuereinnahmen werden also nicht durch die allgemeine inflationäre Tendenz entwertet. Betroffen sind die fossilen Energieträger und die Kernenergie, außerdem Müllverbrennungsanlagen und Wasserkraftwerke mit mehr als 100 kW Stromerzeugungskapizität. Die Steuer auf mittlere und große Wasserkraftwerke sollte das Wirtschaftsinteresse der potentiellen Anlagenbetreiber auf den Bau von kleinen Laufwasserkraftwerken lenken. Diese Anlagen sind ökologisch wesentlich verträglicher als ihre großen Brüder.
Das Hauptziel der Studie besteht in der Lenkung der Wirtschaftssubjekte zu einem energiebewußten Verhalten. Insbesondere soll die Emissionsmenge an Kohlendioxyd reduziert werden. Der Grad dieser Lenkungswirkung ist abhängig von der Preis-Nachfrage-Elastizität auf dem Energiemarkt.
Die Studie geht vom Jahr 1995 als Einführungsjahr der Energiesteuer aus [der Zeitpunkt spielt hier allerdings nicht die entscheidende Rolle] und sieht vor, die Energiepreise des Basisjahres 1990 mit einem einmaligen Steuererhebungssatz von 15 Prozent zu belasten. In den weiteren Jahren soll das Steueraufkommen jährlich progressiv um 4 Prozent steigen. Die vierprozentige Steigerungsrate soll dann noch um die doppelte Wachstumsrate des vorjährigen Bruttosozialprodukts [BSP] erhöht werden, das heißt: [Erhöhung = 4 Prozent + 2 × BSP%].
Zugleich soll die Wertsteuer an die schwankenden Weltmarktpreise angekoppelt werden. Um zu vermeiden, daß sich dadurch die internationalen Energiepreisschwankungen im Inland verstärken, schlagen die Autoren vor, einen Ausgleichsfonds aus den Einnahmen der Energiesteuer einzurichten, der Preisschwankungen abzupuffern gestattet.
Zu Beginn der Energiesteuererhebung würde sich die Gesamtbelastung der Bürger erhöhen und damit das Ziel der Aufkommensneutralität in Frage gestellt. Diesem Problem begegnet die

Studie durch eine überproportionale Senkung sozial schädlicher Steuern im gegebenen Zeitraum. Die Grenze der Steuersenkung wird allerdings durch den Finanzbedarf des Staates gezogen.
Die Einbeziehung der grauen Energie ist an der Studie besonders hervorzuheben. Graue Energie ist, wie gesagt, die Energiemenge, die zur Herstellung eines Guts benötigt wird. Der nationale Alleingang bei der Energiesteuer führt für energieintensive Branchen bekanntlich zu Wettbewerbsverzerrungen gegenüber den im Ausland hergestellten gleichwertigen Gütern.
Um das Konkurrenzgleichgewicht für die im Inland hergestellten energieintensiven Güter weitgehend zu erhalten, schlagen die Autoren der Schweizer Studie vor, den Import energieintensiver Güter mit Zöllen zu belegen. Beim Export inländischer Produkte mit hohem Energieanteil sollte dagegen eine Entsteuerung an den Außengrenzen vorgenommen werden. Diese Maßnahme soll die internationale Wettbewerbsfähigkeit der energieintensiven Branchen sichern und ihre Abwanderung vermeiden.
Wirtschaftliche Hilfen für die Umstrukturierung durch staatliche Programme zur Innovationsförderung und durch Risikogarantien sehen die Autoren ebenfalls vor. Damit soll der Widerstand der absehbaren Verlierer einer Energiesteuer gemildert werden. Die Abfederung der potentiellen Verlierer sollte allerdings nicht so weit gehen, daß die bezweckte Anpassungsreaktion zur Verringerung des Energiedurchsatzes verhindert wird.
Besonders belastete Unternehmen sollen zum Beispiel dann von der Energiesteuer befreit werden, wenn sie einen bestimmten Prozentsatz der Gesamtkosten des Unternehmens übersteigt. Insgesamt geht es darum, das Verhältnis von notwendiger Lenkungswirkung der Energiesteuer und Vermeidung übermäßiger Härten für Betroffene zu optimieren. Der notwendig gewordene Strukturwandel der gesamten Volkswirtschaft darf zwar nicht durch eine übermäßige Entlastung energieintensiver Branchen verzögert werden, andererseits sollen diese Branchen aber auch nicht dazu veranlaßt werden, Standortvorteile im Ausland zu suchen. Bei einem nationalen Alleingang ist also wirtschaftspolitisches Fingerspitzengefühl gefragt.

Deutschland

Die Studie des Deutschen Instituts für Wirtschaftsforschung sieht ebenfalls die Besteuerung von fossilen Brennstoffen und von Kernenergie vor. Die hier vorgeschlagene Energieabgabe ist aber eine Mengensteuer, paßt sich also nicht automatisch der inflationären Energiepreisbewegung an. Die Steigerungsstufen der jährlichen Steuerprogression müssen deshalb so hoch sein, daß sie die zu erwartende inflationäre Tendenz berücksichtigen.
Die DIW-Studie sieht erstens die Erhöhung des Energiepreises durch einen einmaligen Grundbetrag von neun Mark je Gigajoule Energiegehalt vor. Das entspricht etwa einer Anhebung des gegenwärtigen Strompreises um 10 Prozent. Ein Gigajoule sind 10^9 Joule bzw. 278 kWh. Durch diese einmalige Preisanhebung würde sich eine Kilowattstunde um 3,2 Pfennige verteuern. Die steuerliche Progression sollte in jährlichen Schritten von 7 Prozent erfolgen, das heißt, die Energiepreise steigen in jedem Jahr um diesen Prozentsatz an. Die DIW-Studie geht im Einführungsjahr der Energiesteuer von einer zusätzlichen Steuerbelastung der Wirtschaft und der Haushalte von nur 0,1 Prozent aus.
Den Primärenergieinput der Stromversorgungsunternehmen wollen die Autoren nicht besteuern, womit sie der monopolistischen Sonderstellung dieser Unternehmen Rechnung tragen und sie wahrscheinlich sogar noch festigen. Das widerspricht den Prinzipien einer Marktwirtschaft, und es läuft auch der politischen Tendenz zur Liberalisierung des Energiemarkts zuwider. Während die ganze Nation Energie einzusparen versucht, hätten die großen Stromversorger keinen Anlaß, besondere wirtschaftliche Anstrengungen zu unternehmen, um ihre Energieproduktivität zu erhöhen. Sie würden im Gegenteil durch Preisunterbietungen die Effizienzrevolution in den anderen Bereichen der Wirtschaft bremsen. Der Kraftwerkssektor hat aber bekanntlich energetische Umwandlungsverluste von mehr als 60 Prozent. Die Verbesserung der Energieproduktivität ist hier also längst überfällig.
Die Erhebung der Energiesteuer soll grundsätzlich bei den Brennstoffhändlern, bei den Importeuren von Energieträgern

und den Inhabern von Herstellungs- und Förderbetrieben erfolgen. Die Steuer wird dann im Moment des Kaufs der Primärenergie durch die Nachfrager gleich mitbezahlt. Dadurch bleibt der volkswirtschaftliche Vollzugsaufwand gering. Dieses Verfahren reduziert die Zahl der Steuerzahler und damit den Verwaltungsaufwand der Finanzämter. Es garantiert den Behörden die Übersichtlichkeit.

Die DIW-Studie sieht eine vollständige Rückgabe der Steuereinnahmen an die Wirtschaft vor, entsprechend dem jeweiligen konkreten Steueraufkommen.

Durch die Reduzierung der Arbeitgeberbeiträge zur Sozialversicherung der Arbeitnehmer und die Senkung weiterer Lohnnebenkosten sollen gleichzeitig die Kosten für den Faktor Arbeit verringert werden. Die Autoren versprechen sich davon einen Beschäftigungszuwachs von 2 Prozent, insgesamt etwa 500 000 zusätzliche Arbeitsplätze. Es ist allerdings zu bezweifeln, ob diese Zahlen erreicht werden können, da die Auslagerung großer energieintensiver Unternehmen droht. Es sind nämlich kaum Ausnahmeregelungen vorgesehen.

Die finanzielle Hilfestellung des Staates für die betroffenen Branchen, die der Studie nach aus der gestrichenen Steinkohlesubventionierung gezahlt werden soll, wird nicht ausreichen. Dagegen könnte eine Sonderabgabe in der bereits dargestellten Form [siehe S. 290] zu der gewünschten Schaffung von Arbeitsplätzen führen, ohne die Unternehmen zu vertreiben.

Unter dieser Bedingung setzt auch hier der Substitutionsprozeß Arbeit statt Energie ein, vorrangig auf zwei Gebieten: Zum einen wird die Handarbeit energieaufwendige Maschinenarbeit ersetzen; das sollte allerdings nur eine vorübergehende Erscheinung sein. Zum anderen wird die Substitution von Energie durch Qualifikation und Wissen auf lange Sicht zur Arbeitsbeschaffung führen. Ingenieure und Wissenschaftler werden dann stärker nachgefragt, um neue Lösungswege für den sparsamen Einsatz von gebundener Energie zu finden. Das Bildungswesen wird unter dieser ökosozialen Bedingung nicht mehr, wie bisher, zusammengestrichen, sondern eher ausgebaut. Die allgemeine Tendenz der wissenschaftlich-technischen Revolution zur Freisetzung der körperlichen Arbeit wird durch diese Reform nicht aufgehalten, sondern nur von den gegenwärtigen volkswirtschaftlichen Verzerrungen befreit.

Die Haushalte sollen einen Teil der Steuereinnahmen des Staates durch eine Pro-Kopf-Erstattung in Form des Bonus-Malus-Systems aufkommensneutral zurückerhalten. Energieverschwendende Haushalte werden dadurch zur Kasse gebeten (Malus), sparsame Haushalte werden belohnt (Bonus). Unter dem sozialen Strich ist bei einer gegebenen Umverteilung sogar mit einer Besserstellung sozial schwacher Haushalte zu rechnen, womit die Reform auch sozial verträglich gestaltet werden kann. Die Auszahlung des Öko-Bonus an die Bevölkerung läßt sich über die Einwohnermeldeämter relativ reibungslos abwickeln. Bagatellsteuern und ökosozial schädliche Subventionen sollen ersatzlos gestrichen werden.

Die Autoren der DIW-Studie schlagen vor, das »Investor-Nutzer-Dilemma« im Mietwohnungssektor durch Wärmepässe zu lösen. Das Dilemma besteht, wie beschrieben (siehe S. 275), darin, daß die Mieter durch die Energiesteuer direkt belastet werden, die Vermieter als Eigentümer aber keinen Vorteil von Investitionen für bessere Heizanlagen und einen guten Wärmeschutz der Außenwände haben. Dadurch entstehen Belastungen für die Mieter, die diese nicht vermeiden können.

Die Wärmepässe der Mietwohnungen sollen die Nachfrage beeinflussen. Die reale Situation auf dem Wohnungsmarkt neutralisiert aber den gut gemeinten Ansatz. Die vorgeschlagenen Wärmepässe für Mietwohnungen können zwar Auskunft über die Energieeffizienz der Immobilie geben, doch der allgemeine Mangel an Wohnraum steht der Lenkungswirkung dieser zusätzlichen Marktinformation entgegen. Die Wohnungen mit den schlechteren Wärmepässen werden dann zwar billiger, aber die geringeren Mietkosten dieser Wohnungen könnten durch den höheren Energieverbrauch überkompensiert werden. Die dort lebenden armen Familien würden sich die notwendige Raumwärme im Winter vielleicht nicht mehr leisten können.

Hier könnte das bereits dargestellte Contracting-System (siehe S. 271) Abhilfe schaffen. Es überantwortet die Wärmeversorgung von Wohnimmobilien dem Vertragspartner. Die Mieter schließen zum Beispiel mit einem Handwerksbetrieb einen Vertrag ab, der die Versorgung ihrer Wohnungen mit der notwendigen Raumwärme über das ganze Jahr garantiert. Dafür zahlen die Mieter dem Vertragspartner die üblichen Heizungskosten. Der investiert jetzt in neue Heizungsanlagen und in die Hausisolierung. Diese Investitionen müssen allerdings zur Sicherheit des Kreditgebers im Grundbuch der Immobilie eingetragen werden. Andernfalls geht die Investition in das Eigentum des Besitzers der Immobilie über. Die vertragliche Gestaltung des Contracting-Systems ist also bei der gegenwärtigen Rechtslage insbesondere bei Mietwohnungen schwierig.
Eine Besteuerung der grauen Energie sieht die DIW-Studie nicht vor. Damit tragen die Autoren der Zugehörigkeit der Bundesrepublik zur Europäischen Union Rechnung. Artikel 95 des EG-Vertrags [EGV] untersagt importdiskriminierende Maßnahmen im innergemeinschaftlichen Wirtschaftsverkehr.
Ein möglicher Konfliktbereich könnte sich außerdem durch Artikel 99 des EGV ergeben, der die Harmonisierung von Umsatz-, Verbrauch- und sonstigen indirekten Steuern fordert. Der Energiesteuer-Vorschlag der DIW-Studie stellt aber keine Verletzung dieser Forderung dar, wie die Autoren überzeugend nachweisen konnten.

Das Für und Wider

Die bundesdeutsche Steuergesetzgebung erlaubt grundsätzlich die Durchführung einer ökosozialen Steuerreform. Ihre angestrebte Lenkungswirkung entspricht vom Prinzip her den Lenkungszielen, die zum Beispiel auch die Tabaksteuer, die Branntweinsteuern und die gespreizte Mineralölsteuer verfolgen. Paragraph 3 der Abgabenordnung sieht ausdrücklich vor, daß die Einnahmenerzielung auch Nebenzweck sein kann.

Die Gefahr der ökosozialen Steuerreform könnte allerdings darin bestehen, daß bei zunehmender Lenkungswirkung das Steueraufkommen immer kleiner wird. Daraus entstehen langfristig Finanzierungslücken im Staatshaushalt. Den Autoren der DIW-Studie zufolge wird aber die Nachfrageelastizität kleiner als 1 sein. Die Nachfrageelastizität bezeichnet den Rückgang der Nachfrage infolge der Steuer im Verhältnis zur Preissteigerung. Es ist zum Beispiel nicht zu erwarten, daß sich bei einer Verdoppelung des Preises für Energie der Energieverbrauch halbiert. Außerdem ist die Steuer progressiv angelegt – es erfolgen jährliche Steueranhebungen. Das Steueraufkommen kann also zur Sicherung des Staatshaushalts nachgeregelt werden.
Die Einführung einer progressiven Energiesteuer sollte jedoch nicht zur Abschaffung der Mehrwertsteuer führen. Die Mehrwertsteuer wirkt als Verbrauchsteuer zusammen mit der Energiesteuer als zusätzliche Umweltsteuer. Sie sollte deshalb beibehalten werden und könnte im Bedarfsfall eine Anhebung erfahren. Bei der Sicherung des Staatshaushalts könnte die Mehrwertsteuer das Zünglein an der Waage sein.
Die Ertragskompetenzen der ökosozialen Steuerreform dürften das schwerwiegendere Problem sein. Dabei geht es um die Aufteilung der Steuereinnahmen zwischen Bund und Ländern. Konflikte im vertikalen wie im horizontalen Finanzausgleich sind hier vorprogrammiert. So wird sich zum Beispiel das Aufkommen der Umsatzsteuer durch die Erhöhung der Endverbraucherpreise verändern. Die Einnahmen aus der Mineralölsteuer werden sich bei zunehmender Lenkungswirkung infolge der Progression der Energiesteuer verringern.
Auch in den Bereichen der Lohn- und Einkommensteuern sowie der Gewerbe- und Körperschaftsteuern sind sinkende Einnahmen zu erwarten. Dadurch verändert sich insgesamt die Verteilung der Einnahmen zwischen den einzelnen Bundesländern und dem Bund. Die Folge sind Anpassungsnotwendigkeiten für den Finanzausgleich, der gemäß Artikel 107 des Grundgesetzes [GG] und im Zusammenhang mit Artikel 106 GG neu ausgehandelt werden muß. Die ökosoziale Steuerreform erfordert also einen

großen Aufwand in der Vorbereitungszeit und in der Phase der Nachregulierungen.
Die ökosoziale Steuerreform ist ein grundlegender Einschnitt in das Leben der Gesellschaft – ein allerdings erforderlicher Schritt, der nicht länger hinausgezögert werden darf. Jedes Jahr, das ungenutzt verstreicht, erhöht die Kosten dieser Reform. Der Weg zur ökosozialen Steuerreform wurde bereits durch die Anerkennung des Umweltschutzes als Staatsziel im Artikel 20a des Grundgesetzes der Bundesrepublik Deutschland geebnet. Dort heißt es:

> »Der Staat schützt auch in Verantwortung für die künftigen Generationen die natürlichen Lebensgrundlagen im Rahmen der verfassungsmäßigen Ordnung durch die Gesetzgebung und nach Maßgabe von Gesetz und Recht durch die vollziehende Gewalt und die Rechtsprechung.«

Sowohl die Studie für die Schweiz als auch die DIW-Studie sind originäre Konzepte für die prinzipielle Machbarkeit einer ökosozialen Steuerreform. Wenn sich der Widerstand der potentiellen Verlierer dieser Konzeptionen als so stark erweist, daß sich der große Wurf nicht umsetzen läßt, kann das Ziel auch in vielen kleinen Schritten erreicht werden. Der Lösungsdruck muß das kritische Maß übersteigen.
Das Maß wird spätestens dann überschritten, wenn der soziale und ökologische Zerstörungsprozeß auch für den sogenannten kleinen Mann unübersehbar ist. Dann wird aber kaum noch Zeit für eine langfristige Anpassungsphase der Unternehmen und der Haushalte sein. Die dann notwendigen schnellen und großen Schritte können aber zu sozialen Eruptionen führen, bei denen die demokratischen Errungenschaften in Mitleidenschaft gezogen werden.
Obwohl die Zeit drängt, hat sich der Bundesverband der Deutschen Industrie e.V. [BDI] 1994 gegen eine ökologische Steuerreform ausgesprochen. Nach Auffassung dieses Verbands gefährden Energiesteuern die Wettbewerbsfähigkeit und verursachen

Preisverzerrungen. Die Lenkungswirkung der Steuer wird als unsicher bezeichnet, und die Möglichkeit einer Aufkommensneutralität wird bestritten. Der BDI lehnt eine solche Steuer prinzipiell wegen ihres angeblich interventionistischen staatlichen Charakters ab. Er ist der Auffassung, daß durch diese Steuerreform eine »staatliche Rohstoffwirtschaft droht«.[30]

Die Gegner der ökosozialen Steuerreform sind gut organisiert. Sie treten als homogene Gruppe auf, und sie haben beträchtlichen machtpolitischen Einfluß in der Parteienlandschaft. Dennoch gibt es innerhalb dieser Wirtschaftsgruppe potentielle Verbündete. Diese Wirtschaftssubjekte gilt es zu identifizieren und als Partner zu gewinnen. Allerdings sind die Befürworter der ökosozialen Steuerreform bislang weder gut organisiert, noch haben sie derzeit den nötigen wirtschaftspolitischen Einfluß.

Der Förderverein Ökologische Steuerreform mit Sitz in Hamburg [Stubbenhuk 7, 20459 Hamburg, Telefon 0 40 / 37 03 54-17] arbeitet seit 1994 an der Veränderung dieses ungleichen Kräfteverhältnisses. Durch wissenschaftliche Aktivitäten und durch die Verbreitung der dabei erzielten Resultate in Politik und Öffentlichkeit wirbt der Verein für eine ökologisch motivierte und ökonomisch sinnvolle Wende in der Steuerpolitik. Im Gründungsjahr haben Anselm Görres, Henner Ehringhaus und Ernst Ulrich von Weizsäcker für den Verein ein erstes Memorandum vorgelegt, das unter dem Titel *Der Weg zur ökologischen Steuerreform* erschienen ist.[31] Derzeit wird ein neues Positionspapier erarbeitet, dessen öffentliche Vorstellung für das Frühjahr 1997 geplant ist. Darin soll der Fortgang der Debatte seit 1994 aufgegriffen und insbesondere den Wirkungen einer »Öko-Steuer« auf den internationalen Wettbewerb verstärkte Beachtung geschenkt werden. Es gilt zu vermeiden, daß eine zunächst nur national gültige Mehrbelastung des Energieverbrauchs zu Produktionsverlagerungen führt, die ökologisch nicht weiterhelfen und wirtschaftlich unerwünscht sind. Andererseits muß die Besteuerung so gestaltet werden, daß eine möglichst breite Wirkung zugunsten von Innovation und Umwelt tatsächlich erwartet werden kann.

Das Kräfteverhältnis zwischen Befürwortern und Gegnern der ökosozialen Steuerreform wird noch einen relativ langen Klärungsprozeß durchlaufen müssen. Es geht hier nicht um eine Schönheitsoperation der demokratischen Gesellschaft. Die Durchsetzung der ökosozialen Steuerreform entscheidet über das Wohl und Wehe des Zukunftsstandorts Deutschland. Der wirtschaftspolitische Selbstfindungsprozeß aller sozialen Schichten und wirtschaftlichen Gruppen muß deshalb öffentlich geführt werden.
Die soziale Verträglichkeit des neu zu schaffenden Steuersystems wird wahrscheinlich das Zünglein an der Waage sein. Keiner will nachher schlechter leben als vorher. Aber auch dieses Problem läßt sich lösen.

Bürgergeld und negative Einkommensteuer

Die soziale Verträglichkeit der ökosozialen Steuerreform kann durch die Reorganisation des Systems der sozialen Sicherheit erheblich verbessert werden. Die negative Einkommensteuer dient der Sicherung der Lebensgrundlagen der Bürger. Das System unterscheidet zwischen dem Bürgergeld zur Deckung des Existenzminimums aller Bürger und einer höher bemessenen Grenze für alle Erwerbstätigen.
Das Bürgergeld dient der finanziellen Grundabsicherung der nicht arbeitstätigen Bevölkerung. Dabei wird jedem Bürger das Existenzminimum garantiert. Anspruch darauf hat er, wenn er kein Bruttoeinkommen hat. Damit erhalten erstmals solche sozial nützlichen Tätigkeiten eine gesellschaftliche Anerkennung, die bisher kostenlos erbracht wurden. Dazu gehören auch die Arbeit im Haushalt und die Kindererziehung. Diese Tätigkeiten sind sozial nützlich, erhalten aber im gegenwärtigen Sozialsystem nicht die vollwertige finanzielle Anerkennung. Die häusliche Reproduktionsarbeit und die Kindererziehung sind zur Erhaltung der Familie als Keimzelle des Staates lebensnotwendig. Das Bürgergeld garantiert den hier engagierten Bürgern, die kein weite-

res Einkommen haben, ihre finanzielle Unabhängigkeit. Gleichzeitig übernimmt es die bisherige Funktion der Sozialhilfe und des Arbeitslosengeldes.
Das gegenwärtige System der Steuern und der Sozialversicherungsbeiträge führt zu einem Konflikt zwischen der prinzipiellen Arbeitswilligkeit der Bürger und dem geringen finanziellen Anreiz, eine schlecht bezahlte Arbeit aufzunehmen. Die Steuerabgaben und Sozialversicherungsabzüge sind infolge des niedrigen Existenzminimums so hoch, daß manche Empfänger von Sozialhilfe zusammen mit allen anderen möglichen Zuschüssen über mehr Geld verfügen können als Beschäftigte in schlecht bezahlten Jobs. Dieses Erdrosselungssystem der Arbeitswilligkeit ist sozial schädlich.
Die negative Einkommensteuer kann diese soziale Fehlorientierung beseitigen. Der wunde Punkt der bisherigen Sozialregelung ist die Relation zwischen der Höhe der Sozialhilfe auf der einen Seite und der bisherigen Bemessungsgrundlage des Existenzminimums zur Berechnung der Steuerabgaben und Sozialversicherungsbeiträge auf der anderen Seite.
Die negative Einkommensteuer sieht deshalb die Einführung eines absoluten Niedrigeinkommens vor. Die Bemessungsgrenze des Niedrigeinkommens muß aber wesentlich höher angelegt sein als das Bürgergeld, das für die nicht erwerbstätigen Schichten der Bevölkerung gezahlt wird. Das absolute Niedrigeinkommen erhalten alle diejenigen, die einer Erwerbsarbeit nachgehen. Wenn das Bruttoeinkommen oberhalb der Grenze des Niedrigeinkommens liegt, dann müssen, wie bisher auch, Steuern gezahlt werden. Wer weniger verdient, dessen Einkommen wird durch das Finanzamt bis zur Höhe des festgelegten Niedrigeinkommens aufgebessert und nicht besteuert.
Damit wäre nicht nur jedem Bürger ein Mindesteinkommen in Form des Bürgergelds garantiert. Es lohnt sich auch wieder, eine weniger gut bezahlte Arbeit aufzunehmen. Löhne für schlecht bezahlte Tätigkeiten werden durch das Finanzamt bis zur Grenze des garantierten Niedrigeinkommens aufgestockt. Die Arbeit lohnt sich dann auch auf dem zweiten Arbeitsmarkt.

Ein weiterer Vorteil des Systems besteht darin, daß das gesamte Steuersystem übersichtlicher wird. Zudem würden durch den Wegfall von etwa 90 verschiedenen Sozialleistungen und des damit verbundenen Aufwands enorme Verwaltungsmittel eingespart. Alle sozialen Fäden des Systems laufen dann beim Finanzamt zusammen.

Die negative Einkommensteuer und die ökosoziale Steuerreform ergänzen sich gegenseitig. Durch die verwaltungstechnische Entlastung können staatliche Finanzmittel in gewichtigem Umfang eingespart werden.

Kapitel 4

Die Perspektiven eines ökosozialen Weltmarkts

Der Weltmarkt funktioniert nach den gleichen Gesetzmäßigkeiten wie jeder andere Markt. Er ist kein homogenes Gebilde, sondern im ständigen Fluß der wirtschaftlichen Evolution begriffen. Das Weltwirtschaftssystem beruht zwar auf den nationalen Wirtschaftsformen, beeinflußt aber heute die Entwicklung der nationalen Wirtschaftsstrukturen stärker, als es selbst von diesen Strukturen beeinflußt wird. Daraus folgt, daß die politische Regulierung des Umweltverbrauchs auf lokaler, regionaler und nationaler Ebene nur so erfolgreich sein kann, wie es die internationalen Wirtschaftsverflechtungen zulassen.
Der Weltmarkt ist noch genauso blind und taub wie der Manchesterkapitalismus in der Mitte des 19. Jahrhunderts. Bisher gibt es in den GATT-Verträgen und G-7-Vereinbarungen nicht die erforderlichen ökologisch und sozial verträglichen Regulierungen des Weltmarktes, wenn man von den supranationalen Übereinkünften der Staaten bei der Nutzung von Atomenergie und der Produktion und Ausbringung von FCKW absieht.
Gerade in der Gegenwart offenbaren sich die Grenzen des nationalen Umweltschutzes und der sozialen Sicherheit nationaler Wirtschaften. Die Möglichkeit von Umweltdumping in einigen Ländern kehrt die mühsam erreichten nationalen Errungenschaften des Umweltschutzes in den Industriestaaten ins Gegenteil um, wenn, wie es heute der Fall ist, die großen Umweltverschmutzer in die Länder abwandern, in denen die Umweltpolitik noch in den Kinderschuhen steckt bzw. noch gar nicht existiert.
Derselbe Prozeß ist auch auf sozialem Gebiet zu beobachten. Die sozialen Errungenschaften der Industriestaaten sind dabei, sich

unter dem Druck der Abwanderung arbeitsintensiver Technologien in Niedriglohnländer schrittweise aufzulösen.
Auf der einen Seite zerstört der Weltmarkt die bisherigen umwelt- und sozialpolitischen Errungenschaften in den hochentwickelten Industriestaaten, auf der anderen Seite führt er die heute noch industriell unterentwickelten Staaten in die Epoche des Manchesterkapitalismus. Beide Tendenzen gefährden das soziale und das ökologische Gesamtsystem der Erde. Die internationalen Entwicklungstendenzen gehen zweifellos in Richtung einer beschleunigten Selbstzerstörung dieses Wirtschaftssystems. Das kann aber weder im Interesse der Industriestaaten noch der Entwicklungsländer liegen. Gesellschaftlicher Fortschritt besteht nicht darin, daß sich alle Länder am kleinsten gemeinsamen Nenner orientieren. Dadurch werden soziales Elend und hoher Naturverbrauch nur zum Allgemeingut aller Staaten.
Die Gesetze der Evolution schreiben uns vor, was zu tun und was zu lassen ist. Der Sinn menschlicher Existenz besteht darin, ökosoziale Reichtümer zu produzieren und die Wohlfahrt aller zu mehren. Der Verbrauch von Arbeit, Kapital und Naturgütern muß bei der Produktion und Verteilung der Güter kleiner sein als der ökosoziale Nutzen, der bei der Konsumtion der Güter entsteht. Unter dem energetischen Strich müssen entropische Gewinne entstehen. Die Weltwirtschaftsstruktur sollte ganz bewußt unter dieser Zielsetzung reorganisiert werden.

Maßnahmen zur Regulierung der Weltwirtschaft

Die entscheidenden Maßnahmen zur Erreichung dieses Ziels bestehen **erstens** in der Internalisierung der ökosozialen Kosten des Verbrauchs von fossilen Brennstoffen und der Kernenergie.
Zweitens muß der Verbrauch von stofflichen Ressourcen in das internationale Preisgefüge integriert werden. Maßstab der Preise für den Ressourcenverbrauch ist die Reproduktion der ver-

brauchten Ressourcen. Die Chancen der Wirtschaft liegen dabei sowohl in der Produktdaueroptimierung als auch im Recyclieren der stofflichen Komponenten.

Drittens muß der verbliebene Rest von Naturwäldern sowie der Arten- und Bodenschutz unter internationale Kontrolle gestellt werden. Naturreichtümer können nicht länger der zufällige Besitz einzelner Staaten sein. Jede Form des Privateigentums, sei es das Eigentum von Individuen oder von staatlichen Gemeinwesen, ist der sozialen Gemeinschaft verpflichtet. Das gilt ganz besonders für das Eigentum an Naturgütern.

Der Staat versteht sich in allen bürgerlichen Demokratien als potentieller Obereigentümer. Die Enteignung des Privateigentums im Interesse der Gemeinschaft ist deshalb in allen Demokratien gegen Entschädigung möglich. Das Grundgesetz der Bundesrepublik Deutschland sieht diese Möglichkeit in den Artikeln 14 und 15 vor.

Mit dem gleichen Recht kann sich die soziale Weltgemeinschaft als Obereigentümer der nationalen Naturreichtümer verstehen. Sie kann und muß auf der Grundlage des internationalen Völkerrechts die jeweiligen privaten und nationalstaatlichen Eigentümer verpflichten, im Interesse der globalen Gemeinschaft sozial und ökologisch nachhaltig zu wirtschaften. Das Natureigentum von Privatleuten, Unternehmen oder Staaten, die diesen Grundsatz verletzen, sollte nach internationalem Recht gegen Entschädigung enteignet werden.

Viertens sind über einen Sozialfonds die indigenen Naturvölker zu schützen. Dieser Schutz muß in erster Linie darin bestehen, daß diesen Völkern ihre angestammten Lebensräume zuerkannt werden. Die Einbeziehung dieser Menschengemeinschaften in den Lebensprozeß der Zivilisation darf nur insoweit erfolgen, wie es die indigenen Völker selber wünschen.

Diese vier Grundsätze gilt es in der nahen Zukunft international durchzusetzen. Den Autoren dieses Buches ist bewußt, daß die Umsetzung dieser Forderungen auf den ersten Blick unmöglich erscheint. Doch auch die Sklavenhalter konnten sich in der Früh-

phase der menschlichen Zivilisation nicht vorstellen, daß ihre Sklaven, die für sie nur sprechende Werkzeuge waren, einmal gleichberechtigte Mitbürger sein würden. Die Durchsetzung der oben genannten Forderungen ist für die menschliche Zivilisation überlebensnotwendig. Sie sind der ökosoziale Kategorische Imperativ der Weltgemeinschaft.
Die Menschen sind aus dem Naturprozeß hervorgegangen. Sie sind das Produkt der kosmischen Evolution. Es wäre ein Hohn des Schicksals auf die gesamte Natur- und Sozialgeschichte, würde sich der Mensch als unfähig erweisen, seine eigenen Belange nachhaltig zu regeln. Um zu überleben, wird er es schaffen müssen.
Ein wichtiger Schritt auf diesem Weg werden die weltweiten Verbote der weiteren Zerstörung des Regenwalds sowie aller Formen von FCKW sein. Im gleichen Atemzug muß die absolute Reduzierung der Emission von Treibhausgasen durchgesetzt werden.

Drei Wege zur Halbierung der weltweiten CO_2-Emissionen

Zur sozialverträglichen Begrenzung der weltweiten Emissionen von Luft- und Wasserschadstoffen eignen sich sowohl harte Mengenlösungen durch CO_2-Zertifikate als auch die weiche Preislösung durch CO_2-Abgaben. Die Wirkung von weltweiten Umweltzertifikaten bzw. -abgaben soll hier am Beispiel des Treibhauseffekts dargestellt werden. Der anthropogen verursachte Treibhauseffekt ist bekanntlich zu 50 Prozent das Ergebnis der Verbrennung fossiler Energieträger und der irreversiblen Zerstörung der globalen Waldflächen. Die Emissionsmengen von Kohlendioxyd [CO_2] müssen deshalb stark begrenzt werden. Diese Begrenzung kann mit Hilfe von länderspezifischen CO_2-Emissionsrechten vorgenommen werden. Die Vergabe dieser Rechte an die einzelnen Länder könnte auf zwei Wegen erfolgen.

Der eine Weg besteht in der länderspezifischen Verteilung der erlaubten Emissionsmengen. Eine internationale Kommission von Repräsentanten aller Länder sollte diese Verteilung vornehmen, indem sie die jeweiligen CO_2-Emissionsmengen den einzelnen Staaten zuteilt. Die CO_2-Emissionsrechte werden in Form von CO_2-Lizenzen vergeben, wobei die länderspezifischen Emissionsmengen des Jahres 1990 als Basismengen fungieren könnten. Diese Basismengen werden durch eine jährliche Entwertung der Zertifikate bis zum Jahr 2050 halbiert. Dadurch kann weltweit das notwendige Reduktionsziel erreicht werden.
Die Klimaforscher haben auf den verschiedenen Weltklimakonferenzen immer wieder darauf hingewiesen, daß die globalen Emissionen an Kohlendioxyd bis zur Mitte das 21. Jahrhunderts im Verhältnis zum Basisjahr 1990 halbiert werden müssen, um den Treibhauseffekt in erträglichen Grenzen zu halten.
Inakzeptabel ist diese Lösungsvariante aber für die Entwicklungsländer. Die Industriestaaten emittierten 1990 fast 80 Prozent der anthropogen ausgebrachten CO_2-Mengen. In den Industriestaaten leben aber nur etwa 30 Prozent der Weltbevölkerung. Die Emissionszertifikate der Industriestaaten müßten daher zur Erreichung der international angestrebten Halbierung der Weltemissionen an Kohlendioxyd gerechterweise in den kommenden 50 Jahren um etwa 80 Prozent entwertet werden. Die erlaubten CO_2-Mengen der industriell unterentwickelten Länder könnten dadurch in der gleichen Zeit verdoppelt werden, schon deshalb, weil bis zum Jahr 2050 mit einer Verdoppelung der Bevölkerung in diesen Ländern zu rechnen ist.
Der Vorteil von CO_2-Lizenzen besteht darin, daß sie ökologisch treffsicher sind. Sie können außerdem auf dem Weltmarkt gehandelt werden. Daraus erwächst ihre ökonomische Effizienz. Die Industriestaaten sind bei dieser Lösung gezwungen, die Energieproduktivität durch die Reorganisation ihrer Wirtschaftsstruktur zu erhöhen. Die benötigten CO_2-Mengen müßten sie auf dem Weltmarkt kaufen. Angebot und Nachfrage der CO_2-Emissionszertifikate bestimmen dann die Preise. Selbst dann, wenn die Industriestaaten den abhängigen und verschuldeten Entwicklungs-

ländern deren Zertifikate zu Spottpreisen abkaufen, wird das Reduktionsziel erreicht. Den Entwicklungsländern jedoch fehlt dann das Geld für die eigene Wirtschaftsentwicklung mit Hilfe der Solarenergie. Deshalb sollte ein weltweiter Mindestpreis der Zertifikate festgelegt werden. Er muß so hoch sein, daß sich die Nutzung der Solarenergie auch in den Industriestaaten rechnet.
Die Entwicklungsländer haben vom Prinzip her die gleiche Entwicklungschance, denn die geringe Verfügbarkeit an Kapital in diesen Ländern wird durch die besseren Naturbedingungen ausgeglichen, da sich die Entwicklungsländer überwiegend im Sonnengürtel der Erde befinden. So könnten sie zum Beispiel Solarenergie in die Industriestaaten verkaufen.
Die Industriestaaten werden ihr wissenschaftlich-technisches Potential nutzen, um ihre Energiebasis ebenfalls auf Solartechnologien umzustellen. Die erfolgreichsten Industriestaaten könnten sogar in der Lage sein, einen Teil ihrer Emissionszertifikate an interessierte Nachfrager zu verkaufen.

Der zweite Weg zur Halbierung der weltweiten CO_2-Emissionen besteht darin, die Vergabe der Zertifikate unterschiedslos pro Kopf der Weltbevölkerung vorzunehmen. Das Basisjahr könnte hier ebenfalls das Jahr 1990 sein. Das absolute Reduktionsziel bis zum Jahr 2050 sollte auch bei diesem Modell 50 Prozent sein. Die jährliche Menge an Kohlendioxydemissionen pro Land errechnet sich dann aus der Zahl der Weltbevölkerung dividiert durch die jeweils noch erlaubte Gesamtemissionsmenge, welche sich von Jahr zu Jahr bis zum Jahr 2050 reduziert. Die Pro-Kopf-Emissionen werden dann multipliziert mit der Zahl der Menschen in dem jeweiligen Land, die ein bestimmtes Mindestalter [beispielsweise sieben Jahre] überschritten haben.
Diese Regelung – insbesondere die Anrechnung des weiteren Bevölkerungswachstums in den Entwicklungsländern – wird den Industriestaaten als inakzeptabel erscheinen, zumal sie ihre eigene Bevölkerungsexplosion in der ersten Hälfte des 20. Jahrhunderts weitgehend beendet haben.
Die Gretchenfrage an die demokratische Verfassung dieser Staa-

ten lautet aber: Sind die zusätzlichen Menschen der Entwicklungsländer nicht auch Menschen? Haben sie nicht das gleiche Recht wie alle anderen auch? Diese Menschen kann man nicht als unerwünschte Mitbürger behandeln, wenn man den Weltfrieden nicht riskieren will.
Schließlich haben die Industriestaaten in den vergangenen 200 Jahren große Teile der globalen Umwelt kostenlos verbraucht. Im Sinne gleicher Menschenrechte und angesichts der bisherigen Umweltschäden, deren weltweite Hauptverursacher die Industriestaaten sind, ist die Pro-Kopf-Lösung international gerecht.
Die Industriestaaten werden zu Beginn der Einführung von Pro-Kopf-Emissionszertifikaten große Mengen an Berechtigungsscheinen zur CO_2-Emission von den Entwicklungsländern kaufen müssen. Die Entwicklungsländer hätten andererseits keinerlei Interesse mehr daran, die veraltete Technologie der Industriestaaten zu erwerben. Sie würden ihre regional günstige Sonnenlage nutzen und mit dem Geld der verkauften Zertifikate die eigene Solarindustrie als energetische Wirtschaftsgrundlage entwickeln. Sie müßten außerdem eine aktive Sozial- und Bevölkerungspolitik betreiben, damit die Wirtschaftserfolge nicht durch das Bevölkerungswachstum aufgezehrt werden, da sich ja der Pro-Kopf-Anteil der Zertifikate von Jahr zu Jahr verringert.
Die technologische Bindung des riesigen Potentials der freien Solarenergie auf der einen Seite und die sparsame Freisetzung aller Formen der gebundenen Energie auf der anderen Seite wird auch in den industriell unterentwickelten Ländern die Tür zur ökosozialen Marktwirtschaft öffnen. Die energetischen Chancen sind gerade in diesen Ländern sehr groß.

Der dritte Weg zur weltweiten Halbierung der CO_2-Emissionen bis zur Mitte des kommenden Jahrhunderts könnte eine CO_2-Sonderabgabe mit aufkommensneutraler Rückverteilung pro Kopf der Weltbevölkerung sein. Auch dabei sollte ein Mindestalter berücksichtigt werden, um das weitere Wachstum der Weltbevölkerung nicht noch zu fördern.
Die hier vorgeschlagene Preislösung ist zwar ökologisch weniger

treffsicher, dafür aber sozial gerecht. Der Verbrauch von fossilen und kernenergetischen Brennstoffen wird mit einer weltweiten Sonderabgabe belegt, die gleich beim Verkauf der Primärenergie an ihren Förderstellen erhoben wird. Die jährlichen Hebesätze der globalen Sonderabgabe sollten – mit Blick auf das fixierte Reduktionsziel des Jahres 2050 – an der weltweiten Lenkungswirkung der jeweils letzten zwei Jahre bemessen werden.
Die Einnahmen der Sonderabgaben fließen in einen globalen Energiefonds und werden jährlich aufkommensneutral pro Kopf der Weltbevölkerung auf die einzelnen Länder zurückverteilt.
Die alten und neuen Industriestaaten zahlen zu Beginn der Erhebung infolge ihres großen Energieverbrauchs viel Geld ein und erhalten relativ wenig zurück. Länder, die nichtregenerative Energieträger in deutlich geringerem Maß verbrauchen, erhalten aus dem »Energietopf« viel Geld. Die Vergabe dieser Gelder sollte zweckgebunden und an die Durchführung nationaler Sozialprogramme geknüpft sein. Sie sollte der Erhaltung der Regenwälder und Naturflächen dienen sowie für die naturverträgliche Entwicklung der nationalen Wirtschaft eingesetzt werden. Nachwachsende Energieträger sollten nur dann mit der Sonderabgabe belastet werden, wenn der jährliche Verbrauch ihre natürliche Wachstumsrate übersteigt.

Kapitel 5

Wirtschaft und Umwelt – Bilanz und Strategie

Bilanz des Umweltschutzes in den letzten 25 Jahren

Trend, Verursacher und Gründe der Umweltschäden

Die Fahrt geht weiter bergab. Global gesehen nehmen die Umweltschäden weiter zu. Das markieren einige Schlaglichter: Die Tropenwaldung schrumpft (jährlich um die Fläche Österreichs), die Ozonschicht baut sich weiter ab (nunmehr auch im Umkreis der Arktis), die globale Mitteltemperatur steigt (um 0,7 Grad Celsius seit 1860).

Auch im Inland ist der Gesamttrend trotz Erfolgen in vielen Bereichen (zum Beispiel SO_2-Reduzierung, Sanierung von Industrieanlagen und Flußläufen in den neuen Bundesländern) noch negativ (zum Beispiel Schadstoffanreicherung in Boden und Grundwasser, Abfallnotstand, Bodenversiegelung). Die in Geld ausdrückbaren jährlichen Umweltschäden in der Bundesrepublik Deutschland betragen rund 6 Prozent des Bruttosozialproduktes.

Verursacher und Gründe sind vielfältig. Die Industrie gehört neben der Energiewirtschaft, dem Verkehr, der Landwirtschaft und den Privathaushalten zu den Verursachern der Umweltschäden. Dabei tragen auch diejenigen Schadstoffemissionen, die sich im Rahmen der gesetzlichen Grenzwerte halten, erheblich zur Umweltbelastung bei, denn die Grenzwerte sind meist nur eine Kompromißformel aus dem ökologisch Erforderlichen, dem technisch Möglichen und dem wirtschaftlich Tragbaren.

Grund für die Umweltschäden ist nicht ein Zuviel an Technik, sondern ein Zuwenig an umweltangepaßter Technik, an umweltorientiertem Management-Know-how und an marktwirtschaftlichen gesetzgeberischen Anreizen für umweltbewußtes Management. Verursacher der Umweltschäden sind nicht nur große, sondern auch kleine und mittlere Unternehmen. Allein in Deutschland gibt es 1,1 Millionen Unternehmen mit einem Umsatz zwischen 0,25 und fünf Millionen DM.

Entwicklung und Auswirkungen der Umweltschutzgesetzgebung

Der Gesetzgebung wuchsen Zähne. In den siebziger Jahren begann der Gesetzgeber mit rund 25 umweltrelevanten Gesetzen und Verordnungen der Umweltzerstörung entgegenzuwirken. In den 100 Jahren davor waren es nur etwa ein Dutzend Gesetze gewesen. Die achtziger Jahre brachten mit etwa 80 neuen gesetzlichen Regelungen vorerst den Rekord. In den neunziger Jahren traten mehrere grundlegende Regelungen in Kraft, zum Beispiel das Umwelthaftungsgesetz (1991), Rücknahmepflichten für Verkaufsverpackungen (1992) und das Kreislaufwirtschaftsgesetz (1996).

Die Umweltschutzgesetze blieben keine Papiertiger. Die Behörden kontrollieren gewissenhafter, die Staatsanwälte verfolgen konsequenter, und die Richter urteilen strenger. Durch die Vorstandsetagen ging ein »ökologischer Ruck«, seitdem die Rechtsprechung für Umweltschäden oft den Vorstand selbst haftbar macht, indem sie zur Begründung die von ihm zu vertretenden Mängel in der Unternehmensorganisation heranzieht. Bei einem erheblichen Teil vor allem der kleinen und mittleren Unternehmen ist jedoch die Kenntnis der Gesetze und der Techniken zu ihrer Einhaltung noch förderbedürftig.

Die Gesetze waren kein Fluchtgrund für Unternehmen. Gesetzgebung und Vollzug gehören im europäischen Ländervergleich zu den effektivsten. Die Konsequenzen für das verarbeitende

Gewerbe waren nicht unerheblich, aber insgesamt tragbar. So lagen die Umweltschutzinvestitionen bzw. die laufenden Umweltschutzabgaben der Branchen im Jahre 1990 im Durchschnitt bei 0,27 bzw. 0,42 Prozent des Bruttoproduktionswertes.

Soweit Industrieunternehmen aus Deutschland ins Ausland verlagert wurden, waren nicht die strengen deutschen Umweltschutzgesetze der Grund. Das ergab eine Studie des Umweltbundesamts (1993). Entscheidend für Verlagerungen waren geringere Arbeitskosten, größere Kundennähe oder Dynamik des Marktes und Überspringung von Handelsschranken.

Die Umweltschutzindustrie erhielt Impulse. Die im Ländervergleich strenge deutsche Umweltgesetzgebung – die auf eine leistungsfähige Industrie und ein vitales Unternehmertum traf – trug dazu bei, daß sich die deutsche Industrie für Umweltschutztechnik überdurchschnittlich entwickelte. Zu Beginn der achtziger Jahre waren es noch rund 1000 Unternehmen, die in Deutschland Produkte und Dienstleistungen auf dem Markt für Umwelttechnik anboten. Heute konkurrieren hier bereits etwa 7000 deutsche Unternehmen.

Zu den Wachstumsmärkten gehören Vergärungs- und Biogasanlagen, Windkraftanlagen, dezentrale Energiesysteme, Kreislaufführungstechnologien und -systeme sowie Abfallbehandlungs- und -verwertungstechnologien. Im Jahre 1996 wuchs der Markt für Umwelttechnik in Deutschland gegenüber 1995 um 3,8 Prozent auf rund 73,2 Milliarden DM. Der Exportanteil in der deutschen Umweltbranche lag 1995 bei 20 Prozent. Auf dem Weltmarkt für Umwelttechnik ist Deutschland hinter den USA der zweitgrößte Exporteur.

Die Arbeitsplatzbilanz ist positiv. Durch den Umweltschutz wurden und werden weit mehr Arbeitsplätze geschaffen als vernichtet. Das war das Ergebnis einer vom Umweltbundesamt beim DIW, Berlin, in Auftrag gegebenen Studie, die im Mai 1993 veröffentlicht wurde. Die »Aktualisierte Berechnung der umweltschutzinduzierten Beschäftigung in Deutschland«, die von den vier deutschen Wirtschaftsforschungsinstituten im Auftrag des Bundesumweltministeriums in Projektgemeinschaft durchge-

führt und 1996 veröffentlicht wurde, ergab, daß 1994 insgesamt 956 000 Beschäftigte im Umweltschutz arbeiteten. Das entspricht der Größenordnung des Straßenfahrzeugbaus in Deutschland. 53 Prozent sind unmittelbar im Umweltschutz (zum Beispiel in der Abwasser- oder Abfallbeseitigung) beschäftigt, 47 Prozent in der Erstellung von Umweltschutzgütern und -leistungen (zum Beispiel im Filteranlagenbau). Nicht mitgezählt wurden dabei Personen, die in den Bereichen Energieeinsparung, erneuerbare Energien, Wasserversorgung oder bei Produktionsabläufen mit integrierter Umweltschutztechnik tätig waren.
In den alten Ländern ging im Untersuchungszeitraum die Zahl der Beschäftigten im gesamten Produzierenden Gewerbe um 9 Prozent zurück. Im gleichen Zeitraum und Untersuchungsgebiet nahm die Zahl der mit der Erstellung von Umweltschutzgütern und -leistungen beschäftigten Personen um 3 Prozent zu.
Die neuen Bundesländer profitieren. Die strengen Umweltschutzvorschriften der alten Bundesländer wurden auf die neuen Bundesländer erstreckt. Davon profitieren die neuen Bundesländer nicht nur ökologisch, sondern auch ökonomisch. Die von einigen Stellen befürchtete industriepolitische Bremswirkung ist ausgeblieben.
Nach der zitierten Arbeitsplatzberechnung des Bundesumweltministeriums haben die neuen Bundesländer mit 44 Prozent einen sehr hohen Anteil an den unmittelbar im Umweltschutz Beschäftigten. Von 224 000 Beschäftigten, die unmittelbar im Umweltschutz in den neuen Bundesländern arbeiten, sind 128 000 im Rahmen von Arbeitsförderungsmaßnahmen vor allem mit der Rekultivierung von Braunkohletagebauen oder der Sanierung alter Industriestandorte beschäftigt. Den Investitionsbedarf für den Umweltschutz in den neuen Bundesländern bis zum Jahre 2005 schätzt das Umweltbundesamt auf rund 244 Milliarden Mark.

Die Bewegung für umweltbewußtes Management

Unternehmer und Unternehmerinnen ergriffen die Initiative. Einige Unternehmen gingen schon frühzeitig freiwillig über die gesetzlichen Umweltschutzanforderungen hinaus. Ein mittelständisches Pionierunternehmen nahm bereits 1972 den Umweltschutz in seine Unternehmensziele auf und entwickelte sukzessive, verstärkt Anfang der achtziger Jahre, ein »integriertes System umweltorientierter Unternehmensführung«, das Umweltschutz als nicht nur technische, sondern als ganzheitliche unternehmerische Aufgabe definierte und verwirklichte. Ziel war, alle Unternehmensbereiche und alle Unternehmensebenen gleichzeitig am Unternehmenserfolg und an den Umweltschutzerfordernissen auszurichten.

1984 schlossen sich mehrere gleichgesinnte Unternehmen zu einem überparteilichen gemeinnützigen Arbeitskreis zusammen, der 1995 als Bundesdeutscher Arbeitskreis für umweltbewußtes Management e.V. (B.A.U.M.) eingetragen wurde. Hauptziele von B.A.U.M. sind die Verbreitung und Fortentwicklung umweltbewußten Managements durch zwischenbetrieblichen Erfahrungsaustausch sowie durch Kongresse, Pilotprojekte und Entwicklung neuer Berufsbilder. Heute gehören B.A.U.M. etwa 500 Unternehmen aller Branchen und Größen an. Auch der Bundesverband junger Unternehmer, die Unternehmensinitiative *future* e.V. und regionale Zusammenschlüsse wie die Umweltinitiativen der Wirtschaft in Ostwestfalen widmeten sich tatkräftig der Vermittlung betriebsökologischer Erfahrungen.

Der Umweltschutz half Kosten senken. Der betriebliche Umweltschutz wurde als Chance entdeckt, die Kosten zu senken und die Erträge zu steigern. Immer da, wo Energie, Wasser, Rohstoffe und Abfall eingespart werden, verringern sich für den Betrieb auch die Kosten. Es gilt zum Beispiel als Faustregel, daß kleine und mittlere Unternehmen 30 Prozent ihrer Energiekosten einsparen können. Bei der Abfall- und Abwasserreduzierung können vielfach kostspielige Wiederaufbereitungsanlagen am Ende der Produktionskette (End-of-pipe-Maßnahmen) durch umwelt-

bewußte Materialwirtschaft (Begin-of-pipe-Management) überflüssig gemacht werden.
Kostensenkende Umweltschutzmaßnahmen sind nicht immer eine Frage des Geldbeutels. Häufig kommt es mehr auf Wissen und Einfallsreichtum an. Bewährt hat sich ein Verbesserungsvorschlagswesen, bei dem Mitarbeiter, die kostenmindernde Vorschläge für den Umweltschutz machen, in den ersten beiden Jahren zu 30 Prozent am Einsparungsgewinn beteiligt werden.

Der Umweltschutz schuf neue Märkte. Mehr und mehr half umweltbewußtes Denken den Unternehmern, den Unternehmensgewinn auch durch Erschließung neuer Märkte zu erhöhen und abzusichern. War Umweltfreundlichkeit des Produkts gestern noch eine kaum honorierte Nebenleistung, so ist sie heute ein wichtiger Wettbewerbsvorteil und wird morgen eine Voraussetzung für die Verkäuflichkeit des Produkts überhaupt sein. Beispielsweise verzeichnete der Verband der Lackindustrie einen überdurchschnittlichen Anstieg bei lösungsmittelfreien Lacken. Die Marktanteile von Haushaltsreinigern auf Seifen- und Essigbasis explodierten in einem sonst stagnierenden Markt.
Der Trend zu einer umweltbewußteren Nachfrage der Verbraucher schlug auf das Nachfrageverhalten des Groß- und Versandhandels durch. Dabei erwies sich die Einkaufsmacht des Groß- und Versandhandels als kraftvoller marktwirtschaftlicher Hebel für die Verbreitung und Verbesserung des Angebots an umweltschonenden Waren.

Umweltbewußtes Management wurde systematisiert. Die Wissenschaft entwickelte die Konzepte der Praxis fort, systematisierte sie und integrierte sie in die Allgemeine Betriebswirtschaftslehre. Während auf der makroökonomischen Ebene die politische Praxis den umweltökonomischen Konzepten der Wissenschaft (zum Beispiel zur ökologischen Steuerreform) mühsam hinterherhinkt, war es auf der mikroökonomischen Ebene umgekehrt. Die Wissenschaft wurde – mit Ausnahme einiger Pioniere – durch die Kühnheit einiger betriebsökologischer Pilotprojekte fast überrumpelt. Heute gehört die Betriebsökologie zu den besonders kreativen Bereichen der Betriebswirtschaftslehre.

Umweltorientiertes Management muß planvoll, das heißt mit einer umfassenden Zielvorstellung, aber einer pragmatischen, wohldosierten Schrittfolge eingeführt werden. Es empfiehlt sich, zunächst die gesetzlich geforderten Umweltschutzmaßnahmen zu ergreifen, dann die ertragsfördernden, anschließend die ergebnisneutralen und schließlich, bei stabiler Finanzsituation des Unternehmens, die freiwillig den Ertrag belastenden Maßnahmen. Bewährte Checklistensammlungen sowie die EU-Öko-Audit-Verordnung und die ISO-Norm 14001 sind heute wichtige Orientierungshilfen für die Einführung eines umweltorientierten Managementsystems.

Eine internationale Bewegung kam ins Rollen. Seit 1984 hatte B.A.U.M. Gelegenheit, sein Unternehmensnetzwerk in Deutschland auszubauen. Nachdem B.A.U.M. und Schwesterverbände in Österreich (Bundesarbeitskreis für umweltbewußtes Management) und der Schweiz (Schweizerische Vereinigung für Ökologisch Bewußte Unternehmensführung) 1989 eine informelle internationale Zusammenarbeit begründet hatten, die 1990 um den Svenska B.A.U.M. (Näringslivets Miljöforum) erweitert wurde, entwickelte sich rasch eine Weltföderation von nationalen Unternehmensverbänden für umweltbewußtes Management, die offiziell im Jahre 1991 als International Network for Environmental Management e.V. (INEM) mit Hauptsitz in Deutschland, Wedel/Holstein bei Hamburg, eingetragen wurde. Den INEM angeschlossenen oder assoziierten Verbänden in über 30 Ländern gehören heute insgesamt etwa 5000 Unternehmen an.

Im Umweltjahr 1987/88 begann die EG mit den Vorarbeiten für die seit April 1995 geltende »EU-Verordnung über die freiwillige Beteiligung gewerblicher Unternehmen an einem Gemeinschaftssystem für das Umweltmanagement und die Umweltbetriebsprüfung«. Im Jahre 1990 bildeten 45 Unternehmensführer als wirtschaftsnahes Beratungsgremium für den Generalsekretär der United Nations Conference on Environment and Development (Rio 1992) den Business Council für Sustainable Development (BCSD), der sich mit dem World Industry Council for the Environment (1993 von der International Chamber of Commerce gegründet) 1995 zum World Business Council for Sustainable Development vereinigte und heute 126 Unternehmen umfaßt. Auf der Second World Industry Conference on Environmental Management im Jahre 1991 verkündete die International Chamber of Commerce (ICC) ihre Charter for Sustainable Development mit 16 Grundsätzen für die umweltorientierte Unternehmensführung. Das Dokument – an dessen Vorbereitung unter anderem ein von B.A.U.M. einberufenes Gremium von neun Wissenschaftlern und neun Industriepraktikern mitgewirkt hatte – war bereits nach wenigen Monaten von mehreren hundert Unternehmen unterzeichnet.

Das Wichtigste bleibt noch zu tun

Insgesamt war die deutsche Umweltschutzgesetzgebung der letzten 25 Jahre unverzichtbar. Ökonomisch war sie nicht nur tragbar, sondern in vielen Bereichen ein wichtiger Impulsgeber. Die auf Initiative deutscher Unternehmer entstandene Bewegung für umweltorientierte Unternehmensführung setzte international ein Beispiel. Gleichwohl waren auch in Deutschland Gesetzgebung und unternehmerische Initiative nur in der Lage, die Verschlechterung der ökologischen Situation sektoral zu verlangsamen.
Umweltorientierte gesellschaftliche Gruppen, nicht zuletzt Umweltschutzverbände und die Grünen sowie Vordenker in anderen Parteien, aber auch umweltorientierte Unternehmer, Gewerkschafter und Vertreter der Medien haben die Bewußtseinsbildung in der Bevölkerung vorangebracht. Die Bereitschaft der Bevölkerung, für den Umweltschutz konkret auf etwas zu verzichten, entwickelte sich dagegen nur langsam. Daher blieb der politische Handlungsspielraum für zukunftsorientierte, aber auf Mehrheiten angewiesene Politiker begrenzt.

Notwendige Handlungsschwerpunkte bis zum Jahr 2000

Neuausrichtung der Wirtschaft an der Zukunftsfähigkeit (»Nachhaltigkeit«)

Die bisherige deutsche Umweltgesetzgebung hat sich in vielen Bereichen positiv ausgewirkt. Gemessen am Ziel einer zukunftsfähigen (»nachhaltigen«) Wirtschaft war sie jedoch unzureichend. Auch die freiwillige umweltbewußte Unternehmensführung, die in vielen Bereichen mehr leistet, als das Gesetz verlangt, brachte nicht die Trendwende. Dazu war sie unter den gegenwärtigen wirtschaftspolitischen Rahmenbedingungen nicht in der Lage.
Nicht anders als ein Unternehmen treibt der Staat auf seine Selbstvernichtung zu, wenn er von der Substanz (nicht erneuerbare Ressourcen, Überlastung der Ökosysteme) anstatt von den Zinsen (erneuerbare Ressourcen) lebt. Er muß Mechanismen entwickeln, die ihm die Verfolgung des Ziels seiner langfristigen Existenzsicherung erlauben.

Emanzipation der Demokratie vom Kurzfristopportunismus

Unsere Demokratie muß Sorge tragen, daß sie in Langfristfragen nicht ausschließlich von wechselnden parlamentarischen Mehrheiten abhängig ist, die unter dem Einfluß von Interessengruppen häufig nur die – langfristig tödliche – kurzfristige Opportunität im Auge haben. Hier wartet wahrscheinlich eine der größten Zukunftsaufgaben für das Bundesverfassungsgericht. Es wird dazu beitragen müssen, eine Wirtschaftsentwicklung zu verhindern, die durch Ressourcenraubbau und Zivilisationsschäden mittelfristig das Grundrecht auf körperliche Unversehrtheit und langfristig das Grundrecht auf Leben in seinem Kern verletzt.

Aber kein Verfassungsorgan wird helfen können, wenn es nicht gelingt, das Umweltbewußtsein bei der Bevölkerung insgesamt zu stärken. Hier warten existentielle Herausforderungen auf die Politik, das gesamte Bildungswesen, staatliche Einrichtungen, Stiftungen, Verbraucher- und Umweltschutzverbände, Frauen- und Jugendverbände, Unternehmerverbände und Gewerkschaften sowie auf die Medien und die Kirchen. Der einzelne Unternehmer sollte nicht den Einfluß unterschätzen, den sein gelebtes Vorbild gerade in kleinen und mittelständischen Unternehmen auf die Mitarbeiter hat. Da zwei Drittel aller Arbeitnehmer bei kleinen und mittleren Unternehmen beschäftigt sind, liegt im unternehmerischen Vorbild ein großes politisches Potential.

Ökologische Steuerreform unter Entlastung von Arbeitsnebenkosten

Die Zeit ist reif für einen Effizienzsprung der Gesetzgebung. Zusätzlich zu den (nicht überflüssig werdenden) Geboten und Verboten sollte die Gesetzgebung die marktwirtschaftlichen Kräfte – durch Schaffung von Anreizen – für die Verwirklichung ihrer Umweltschutzziele einspannen. Nur so erreicht die Gesetzgebung die notwendige Lenkungswirkung für die große Zahl der Unternehmen sowie die erforderliche Dynamik der Innovation. Der wirksamste marktwirtschaftliche Hebel zur Erreichung einer solchen Entwicklung liegt in einer aufkommensneutralen ökologischen Steuerreform. Die steuerliche Belastung der Unternehmen ist bereits heute zu hoch. Deshalb müßte eine Verteuerung der Energie zum Beispiel durch Entlastung von Arbeitsnebenkosten mindestens ausgeglichen werden. Für energieintensive Branchen sind Übergangsregelungen unvermeidbar. Die deutsche Regierung sollte aus Wettbewerbsgründen auf europäische Vereinheitlichung drängen, jedoch zum Alleingang (notfalls mit flankierenden Maßnahmen zugunsten der deutschen Industrie) bereit sein.

Dynamisierung des Umweltbewußtseins in der europäischen Industrie

Der Grund für die mangelnde Aufgeschlossenheit mancher europäischer Länder gegenüber der erforderlichen umweltorientierten Gesetzgebung liegt oft in dem Beharrungsvermögen der örtlichen Industrielobby, die ihrer Regierung keine Bewegungsfreiheit läßt. Die wirksamste Gegenstrategie besteht darin, in den betreffenden Ländern spezialisierte Unternehmensverbände zu gründen oder zu fördern, denen nur »vorwärtsdrängende« Unternehmen angehören und die nicht genötigt sind, auf Hardliner und Bremser Rücksicht zu nehmen.

Entsprechende nationale Unternehmensverbände für umweltbewußtes Management (Schwestergesellschaften von B.A.U.M.) gibt es noch nicht in allen europäischen Ländern, so zum Beispiel noch nicht in Italien, Spanien, Portugal, Griechenland. Das International Network for Environmental Management (INEM) bemüht sich weltweit um die Gründung nationaler Unternehmensverbände für umweltbewußtes Management und gehört damit zu den stärksten Innovationskräften.

Förderung umweltverträglicher Wirtschaftsentwicklung in den ehemaligen Staatshandelsländern

Für eine umweltverträgliche Wirtschaftsentwicklung in den ehemaligen Staatshandelsländern sprechen gesundheitspolitische, wirtschaftliche, soziale, kulturelle und ökologische Gründe. Über die Flüsse, die Ostsee sowie durch Luftbewegungen gelangen in großen Mengen Schadstofffrachten vor allem von den angrenzenden ehemaligen Staatshandelsländern nach Deutschland. Ursachenbeseitigung an der Quelle führt deshalb unmittelbar zu einer Umweltverbesserung auch in Deutschland. Der Umweltentlastungseffekt pro investierter DM ist bei ökologischen Sanierungsmaßnahmen in den ehemaligen Staatshandelsländern meist höher als hierzulande. Denn dort geht es oftmals um elementare techni-

sche Ausrüstungen, die die Umwelt bereits erheblich entlasten, während mit den gleichen Investitionsmitteln in Deutschland oft nur eine Optimierung bereits hochentwickelter Umwelttechnik unter marginaler Umweltentlastung erreicht werden könnte.
Werden die Umweltstandards in den ehemaligen Staatshandelsländern nicht schrittweise planmäßig an die europäischen Umweltstandards herangeführt und wird statt dessen ein großes Gefälle hingenommen, so kann hierdurch die Integration von ehemaligen Staatshandelsländern in die Europäische Union stark behindert werden. Ein besonders effektives Mittel für die Förderung umweltverträglicher Wirtschaftsentwicklung in den ehemaligen Staatshandelsländern ist die Schaffung von Unternehmensverbänden für umweltbewußtes Management in allen ehemaligen Staatshandelsländern. Dieser Aufgabe hat sich INEM mit Hilfe der Deutschen Bundesstiftung Umwelt angenommen.

Beschleunigung der umweltorientierten Innovation in der Industrie

Fokussierung auf Schlüsseltechnologien. Die weltweit zunehmenden Umweltprobleme und der steigende Leidensdruck in der Bevölkerung, der politisches Handeln erzwingt, lassen den Weltmarkt für Umwelttechnik rasch expandieren. Er wird bis zum Jahr 2000 auf über eine Billion Mark wachsen. Allein zwischen 1994 und 1996 nahm weltweit die Zahl der in diesem Markt tätigen Unternehmen von 30 000 auf 40 000 zu. Wenn Deutschland seine starke Position im Export behaupten will, so müssen die Forschungsanstrengungen verstärkt werden. Das gilt besonders auch für integrierte Umweltschutztechniken, die End-of-pipe-Lösungen entbehrlich machen.
Schlüsseltechnologien verlangen fokussierte Anstrengungen. In Japan wurde 1990 das Research Institute of Innovative Technology for the Earth (RITE) gegründet. Es will im Umweltbereich eine genau definierte Gruppe von technischen Durchbrüchen erzielen, die als die wichtigsten eingestuft werden. Bei jedem der

sieben Projekte arbeiten das Industrieministerium MITI, wissenschaftliche Institute sowie jeweils etwa 16 meist große Unternehmen konzertiert zusammen.

Neuorientierung der Forschungspolitik. Daß Deutschland umweltrelevante Produkte zum Schwerpunkt seiner Forschung und Entwicklung überhaupt machen sollte, läßt sich aus der Delphi-Studie folgern, die das Fraunhofer-Institut für Systemtechnik und Innovationsforschung (ISI) im Auftrag des Bundesministeriums für Forschung und Technologie (BMFT) erstellte und die im August 1993 veröffentlicht wurde.

Nach der Studie, die alle Bereiche von Wissenschaft und Technik (unter anderem Medizintechnik und Luft- und Raumfahrt) umfaßt und ein repräsentatives Bild der Meinung der Fachleute aller Disziplinen gibt, sind an der Spitze der Wichtigkeitsskala:

1. Die Nutzung einer Bauplanungs- und Fertigungstechnik für die Stadtentwicklung im Einklang mit Natur und Umwelt,
2. die Neuentwicklung von Recyclingtechniken für kommunale Abfälle und
3. die weite Verbreitung energieautarker Gebäude und Wohnhäuser.

Förderung der Chancen der »technischen Opposition«. Eine der wichtigsten industriepolitischen Zukunftsaufgaben liegt in der Schaffung einer starken »technischen Opposition«. Ein Vorteil der Demokratie gegenüber anderen Staatsformen besteht darin, daß die Regierung stets mit einer Opposition konfrontiert ist. Diese ist in der Lage, die Regierung zu kontrollieren, bessere politische Wege vorzuschlagen und notfalls die Regierung abzulösen. Die Möglichkeit, eine politische Opposition zu bilden, ist verfassungsrechtlich gesichert.

Auf der Ebene der Technik befinden wir uns jedoch weiterhin in einer Art Monarchie oder Oligarchie. Hochinnovative Techniken werden oft von etablierten Konzernen durch Ausnutzung ihrer Marktmacht niedergehalten oder durch Aufkauf aus dem Verkehr gezogen bzw. in der Entwicklungsgeschwindigkeit gehemmt.

Hier sind neue wirtschaftspolitische, wettbewerbsrechtliche, besonders auch kartellrechtliche Maßnahmen erforderlich, die einer technischen Opposition starken Rückenwind geben. Wie die Demokratie von der politischen Opposition lebt, so die technische Entwicklung von der »technischen Opposition«.

Nutzung der Hebelwirkung der EXPO 2000. Zu einem hervorragenden Innovationsmotor könnte die EXPO 2000 werden, die im Jahr 2000 unter dem Motto »Mensch, Natur, Technik« in Hannover stattfinden soll. Das qualitativ Neue gegenüber allen früheren Weltausstellungen ist die Akzentuierung umwelt-, sozial- und kulturverträglicher Technologien, Systeme, Managementkonzepte und Wohlstandsmodelle mit langfristiger Zukunftsperspektive.

Ähnlich wie die von Kennedy für die Mondlandung gesetzte Zehnjahresfrist die amerikanische Industrie zu Hochleistungen in Technik und Management anspornte, so könnte der Termin der EXPO zum Ziel und Kristallisationspunkt weltweiter, besonders auch deutscher Entwicklungsanstrengungen werden. Mit der richtigen Welt-vorstellung und Welt-einstellung wird auch die Weltausstellung ein Erfolg werden.

Von der umweltorientierten Unternehmensführung zur umweltorientierten Staatsführung

Der Staat als »umweltorientiertes Unternehmen«

Während noch vor wenigen Jahren nur einzelne Pionierunternehmen begannen, das »integrierte System umweltorientierter Unternehmensführung« in die Praxis umzusetzen, trifft es heute in der Wirtschaftswelt auf rasch wachsende Zustimmung. Je mehr die Menschheit durch Überbevölkerung, Umweltzerstörung und Ressourcenerschöpfung existentiell bedroht wird, desto zwingender stellt sich die Forderung, den Staat – ebenso wie das einzelne Unternehmen – ganzheitlich umweltorientiert zu führen.

Die Staatsregierungen sollten deshalb – nicht anders als die Unternehmensleitungen – alles daransetzen, in allen Ressorts und auf allen Ebenen neben den traditionellen Zielen die Ziele des Umweltschutzes und der Ressourcenschonung anzustreben. Ähnlich wie sich auf betrieblicher Ebene zeigte, daß mehr Umweltschutz dem betrieblichen Erfolg nicht im Wege steht, sondern letzteren sogar maßgeblich fördern kann, so wird eine umweltorientierte Staatsführung die kulturelle und wirtschaftliche Entwicklung des Staates nicht behindern, sondern sie qualitativ fördern und nachhaltig absichern (sustainable development). Wie umweltorientiertes Management dem einzelnen Unternehmen einen Wettbewerbsvorteil verschafft, so erhöht umweltorientierte Staatsführung die Chancen des Staates im wirtschaftlichen Wettbewerb mit anderen Staaten.

Prinzipien der Organisation

Verankerung in der Führungsspitze. Die Integration der Ökologie in die Staatspolitik obliegt dem Bundeskanzler. Es ist von zentraler Bedeutung, ökologiegerechte Staatsziele zu formulieren und dem Bruttosozialprodukt einen qualitativen Fortschrittsindikator zur Seite zu stellen. Wie die Unternehmensleitung dafür haftet, daß Aufbau- und Ablauforganisation einen integrierten betrieblichen Umweltschutz sicherstellen, so trägt der Kanzler letztlich die entsprechende Verantwortung im Staat. Dazu tritt die brisante Funktion der Personalauswahl für die Ministerien (Minister, politische Spitzenbeamte, auch Spitzen der Laufbahnbeamten). Eine ökologische Mindestkompetenz sollte als unverzichtbares Kriterium der Ministrabilität gelten.
Durchsetzung bei allen Ressorts. Aus den vom Bundeskanzler vorgegebenen Richtlinien der Umweltschutzpolitik sollten die Ressorts handlungsorientierte Strategien ableiten. Sie sollten den umweltpolitischen Status quo jeweils für den eigenen Bereich feststellen, Schwachpunkte im Hinblick auf Soll-/Ist-Differenzen untersuchen, Prioritätenlisten nach der umweltpoliti-

schen Dringlichkeit erstellen und die daraus resultierenden Aktivitäten bestimmten Abteilungen, Unterabteilungen und Referaten zuweisen.

Institutionalisierung von Querschnittsfunktionen. In Deutschland wird die umweltpolitische Koordination derzeit durch den Kabinettsausschuß für Umweltfragen und den »ständigen Abteilungsleiterausschuß für Umweltfragen« geleistet, in denen jeweils die Bundesministerin für Umwelt, Naturschutz und Reaktorsicherheit den Vorsitz hat und in denen alle Ministerien vertreten sind. Derartige Ausschüsse sollten im Rahmen eines »Integrierten Systems umweltorientierter Staatsführung« eine Schlüsselstellung erlangen.

Gewährleistung unabhängiger Kontrolle. Es empfiehlt sich die Schaffung einer dem »Öko-Controlling« im betrieblichen Bereich ähnlichen Funktion. Der staatliche »Öko-Controller« sollte dem Umweltschutzminister und dem Bundeskanzler gegenüber direkt verantwortlich sein und zumindest die Kompetenz haben, Beurteilungen über die ökologische Zielerreichung der einzelnen Fachressorts vorzunehmen. Er sollte ähnlich unabhängig agieren können wie der Rechnungshof.

Realisierung von Chancen

In einem ganzheitlich umweltorientierten Staat werden die natürlichen Lebensgrundlagen (zumindest national) wiederhergestellt bzw. geschont. Damit verbessern sich das physische und psychische Wohlbefinden aller Bewohner sowie die ökologische, soziale und ökonomische Gesamtsituation und Attraktivität des Staates. Die Loyalität der Bevölkerung gegenüber einem ökologisch verantwortungsbewußten Staat ist besonders ausgeprägt.

In einem gesamtheitlich umweltorientierten Staat wird ein verschärftes Augenmerk der Unternehmensleitungen auf umwelttechnische Lösungen gelenkt. Eine Zunahme von Arbeitsplätzen in der umwelttechnischen Industrie ist die Folge. Gleichzeitig wird die internationale Wettbewerbsfähigkeit dieses zukunftsträchtigen Industriesektors gestärkt. Wirtschaft und Landwirtschaft entwickeln sich stärker in Richtung umweltorientierter Produkte. Dadurch läßt sich der Absatz auf den internationalen Märkten, die zunehmend von einer umweltorientierten Nachfrage bestimmt sein werden, langfristig absichern. Die Wirtschaftskraft nimmt zu, da weniger Energie und Ressourcen vergeudet werden und der Geist rationellen und effizienten Ressourceneinsatzes in sämtliche Wirtschaftsbereiche ausstrahlt.

Vermeidung von Risiken

Durch einen ganzheitlich umweltorientierten Staat wird die alarmierende Zunahme von Umwelt- und Zivilisationskrankheiten in der Bevölkerung deutlich abgebremst. Mittels Verringerung der Luftbelastung kann gleichzeitig dazu beigetragen werden, daß sich das Waldsterben sowie die fortschreitende Zerstörung architektonisch wertvoller Bauwerke und sonstiger Kulturdenkmäler verlangsamen. Der Gefahr, daß die von Industrie, Energiewirtschaft, Verkehr, Landwirtschaft und Privathaushalten hervorgerufenen Umweltschäden weiter zunehmen, wird entgegengewirkt.

Durch rechtzeitige Anpassung der sozialen Marktwirtschaft an die Anforderungen des Umweltschutzes beugt der Staat radikalen politischen Veränderungen vor, die die Abschaffung der freiheitlichen Wirtschaftsverfassung zur Folge haben könnten mit allen nachteiligen Konsequenzen für die Versorgungslage und die Freiheitsrechte der Bevölkerung. Indem der Staat langfristig, planvoll und organisch – unter Einbeziehung grenzüberschreitender Umweltprobleme – die Anpassung des Gemeinwesens an umweltseitige Anforderungen betreibt, beugt er der Gefahr von ökologisch bedingten Krisen, Kriegen, Revolutionen und Umstürzen vor und dient dadurch dem Frieden.

Von der betriebswirtschaftlichen zur volkswirtschaftlichen Verantwortung des Unternehmers

Das Wirtschaftssystem mit einprogrammierter Selbstzerstörung

In dem halben Jahrhundert nach Ende des Zweiten Weltkriegs haben Unternehmer und ihre Mitarbeiterinnen und Mitarbeiter am Zeichentisch und an der Werkbank, im Labor, im Büro und vor Ort beim Kunden eine bewundernswerte Aufbauarbeit geleistet. Qualitätsprodukte von Weltgeltung wurden entwickelt, Verkaufs- und Produktionsgesellschaften im In- und Ausland gegründet und Millionen interessanter Arbeitsplätze geschaffen. Die Bevölkerung wurde aus einer tiefgreifenden Not- und Mangelsituation in einen Wohlstand von historischem Ausmaß geführt.

Andererseits erkennen immer mehr verantwortungsbewußte Unternehmer, daß der Koloß unserer technischen Zivilisation in ihrer jetzigen Form auf tönernen Füßen steht. Die endlichen Rohstoffreserven unserer Erde werden sukzessive aufgebraucht, und die Biosphäre, unsere natürliche Lebensgrundlage, wird kontinuierlich zerstört. Ein Unternehmen, das nicht von den Erträgen der Substanz, sondern von der Substanz selbst lebt, steuert unvermeidlich in den Konkurs. Das gleiche gilt für unsere technische Zivilisation als Ganzes. Die Selbstvernichtung unserer technischen Zivilisation dauert zwar länger. Dafür sind die Vernichtungswirkungen aber umfassend. Unsere technische Zivilisation erfüllt die Wohlstandsbedürfnisse unserer Generation unter Inkaufnahme dessen, daß deshalb spätere Generationen ihre Überlebensbedürfnisse nicht mehr erfüllen können. Sie ist in ihrer gegenwärtigen Ausrichtung nicht »nachhaltig« (»sustainable«) oder – allgemeinverständlich formuliert – nicht »zukunftsfähig«.

Die umweltorientierte Unternehmensführung mit bloßer Verzögerungswirkung

In den Stolz der verantwortungsbewußten Unternehmer für das in der Vergangenheit Aufgebaute mischt sich zunehmend die Sorge um das der Zukunft Gestohlene. Der Unternehmer weiß, daß sein Unternehmen sich – direkt oder indirekt, mehr oder weniger – an dem Aufbrauchen der endlichen Rohstoffressourcen der Erde beteiligt und durch Schadstoffemissionen – auch wenn diese innerhalb der gesetzlichen Grenzwerte bleiben – zur fortschreitenden Umweltzerstörung beiträgt. Von Aufbauwillen beseelt, sieht sich der Unternehmer wider Willen in ein weltweites Zerstörungswerk verstrickt.

Tausende von Unternehmern sind auf dem Wege, diese Verstrikkung zu lockern. Viele führen ein Managementsystem ein, das alle Unternehmensbereiche – von der Mitarbeiterausbildung über Marketing, Produktentwicklung und Produktion bis hin zur Architektur der Produktionsgebäude – nicht nur am Unternehmenserfolg, sondern auch am Umweltschutz ausrichtet (»umweltorientierte Unternehmensführung«). Sie machen die Erfahrung, daß in vielen Fällen gleichzeitig der Ressourcenverbrauch und die Umweltbelastung verringert und der Unternehmenserfolg vergrößert werden können.

Andererseits ist den weitsichtigen Unternehmern bewußt, daß ihre »umweltorientierte Unternehmensführung« den Ressourcenverbrauch nur verlangsamt und die Schadstoffemissionen lediglich verringert. Würden schlagartig alle Unternehmen der Welt in gleicher Weise ein »umweltorientiertes Management« einführen, so würde die Selbstzerstörung des Wirtschaftssystems zwar etwas hinausgezögert, jedoch nicht abgewendet. Umweltorientierte Unternehmensführung mildert die Beteiligung des Unternehmers an dem weltweiten Zerstörungswerk, ohne sie aufzuheben. Das Messer wird nicht aus der Wunde gezogen, sondern nur langsamer vorangetrieben.

Die wirtschaftlichen Rahmenbedingungen als Vergewaltigung des Unternehmergewissens

Der verantwortungsbewußte Unternehmer gibt sich mit solcher Teillösung allein nicht zufrieden. Er möchte Unternehmer sein dürfen, ohne die Umwelt zerstören zu müssen. Im Einklang mit seinem Gewissen könnte er erst dann Unternehmer sein, wenn alle Materialien, die er verwendet, regenerativ sind oder recycliert werden, wenn er ausschließlich regenerative Energie einsetzt und wenn, etwa wegen Nutzung integrierter Umwelttechnik, fast keine Schadstoffe an die Umwelt abgegeben werden. Erst dann würde sein Handeln zukunftsfähig sein.

Die gegenwärtigen gesamtwirtschaftlichen Rahmenbedingungen machen es dem Unternehmer jedoch unmöglich, zukunftsfähig zu handeln. Seine Produktion würde so teuer werden, daß Wettbewerber, die sich nicht zukunftsfähig verhalten und entsprechend geringere Kosten tragen, ihn aus dem Markt drängen würden. Würde der Unternehmer konsequent seiner langfristigen wirtschaftlichen Vernunft und seinem Gewissen folgen, um die Ressourcen und natürlichen Lebensgrundlagen zu erhalten, so würde er mit dem Konkurs bestraft werden, würde das Feld dem Wettbewerber überlassen müssen, der sich überhaupt nicht um den Umweltschutz kümmert, und wäre in Zukunft daran gehindert, seine unternehmerischen Fähigkeiten zum Wohle seiner Familie, seiner Mitarbeiter, der Unternehmenseigentümer und der Gemeinschaft aller Bürger einzusetzen.

Die gesamtwirtschaftlichen Rahmenbedingungen verurteilen die verantwortungsbewußten Unternehmer zu einem bohrenden inneren Zwiespalt: Sie können als Unternehmer nur dann überleben, wenn sie ihre Beteiligung an der wirtschaftssystembedingten Zerstörung unserer Lebensgrundlagen in Kauf nehmen. Einige Unternehmer versuchen sich diesem quälenden Zwiespalt durch mentale Flucht zu entziehen, sei es durch selbstberuhigende Technikgläubigkeit (»die Technik hat immer eine Lösung gefunden«), durch resignierenden Defätismus (»wir können sowieso nichts mehr machen«) oder durch gesteigertes Drauflospowern unter bewußter oder unbewußter Konfliktverdrängung. Im letzten Fall können Managerkrankheiten und physische oder seelische Zusammenbrüche die Folge sein. Immer mehr Unternehmer fühlen sich von der Politik allein gelassen oder »verheizt«, wenn ihnen zugemutet wird, unternehmerische Leistungen lebenslänglich unter Vergewaltigung ihres Gewissens zu erbringen.

Die Änderung der Rahmenbedingungen als politisches Ziel der Unternehmer

Mutige Unternehmer stellen sich dem Zwiespalt, dem sie von der Politik ausgesetzt werden, und schreiten offensiv auf seine Lösung zu. Sie begnügen sich nicht damit, auf der mikroökonomischen Ebene, das heißt bei ihrem Betrieb, die Nutzung von endlichen Ressourcen sowie die Belastung der Umwelt zu minimieren. Vielmehr werden sie darüber hinaus auf der makroökonomischen Ebene tätig, das heißt auf der Ebene der staatsbürgerlichen Stimmabgabe, der Verbände und gegebenenfalls der Politik, um dazu beizutragen, die wirtschaftlichen Rahmenbedingungen in ihrer Gesamtheit so fortzuentwickeln, daß sie im Einklang mit ihrem Gewissen Unternehmer sein können.
Diese Unternehmer setzen sich deshalb dafür ein, daß die marktwirtschaftlichen Kräfte für den Umweltschutz mobilisiert werden, indem der Gesetzgeber marktwirtschaftliche Anreize für die Ressourcenschonung und Verringerung der Umweltbelastung einführt. Da das effizienteste marktwirtschaftliche Anreizsystem mittels einer ökologischen Steuerreform (unter kompensierender Entlastung der Unternehmen von Arbeitsnebenkosten) geschaffen werden könnte, engagieren sie sich für diese Steuerreform. Dadurch erhöhen sie die Chancen, daß unsere technische Zivilisation sich von Ressourcenvernichtung und Schadstoffüberlastung emanzipiert und naturverträglich und zukunftsfähig wird. Gleichzeitig sichern sie die langfristige Existenz ihres Unternehmens.
Wegen der zunehmenden Verbreitung umweltorientierter Unternehmensführung ist die Wirtschaft immer besser in der Lage,

sich rasch und effizient auf neue, zukunftsfähige gesamtwirtschaftliche Signale einzustellen. Insofern ist umweltbewußte Unternehmensführung der Wegbereiter für ein zukunftsfähiges Wirtschaftssystem.

Zusammenfassung

Die Umweltschäden dehnen sich weltweit, mit sektoralen Ausnahmen auch in Deutschland, aus. Die Industrie gehört einschließlich der kleinen und mittleren Unternehmen zu den Verursachern. Die Zahl der Umweltschutzgesetze und die Strenge ihres Vollzugs nahmen zu. Das gab den Unternehmen aber keinen Grund für eine Flucht ins Ausland. Günstig wirkten sich die Umweltschutzgesetze auf die Umwelttechnikindustrie, die Wirtschaft in den neuen Bundesländern sowie die Zahl der Arbeitsplätze im gesamten Deutschland aus.
Auf Unternehmerseite entstand in Deutschland Mitte der achtziger Jahre eine Initiative für umweltbewußtes Management, die zu einer internationalen Bewegung wurde. Die Unternehmer entdeckten zunehmend, daß umweltorientiertes Management ihnen einen Wettbewerbsvorteil verschaffen kann, indem es zur Kostensenkung und Schaffung neuer Märkte beiträgt. Die Methoden umweltorientierter Unternehmensführung wurden systematisiert und standardisiert und entwickeln sich dynamisch.
Umweltorientierte gesellschaftliche Gruppen haben das Umweltbewußtsein in der Bevölkerung gefördert, jedoch nicht in dem Maße, daß eine zukunftsfähige Wirtschaftspolitik Mehrheiten gefunden hätte. Die Bilanz des Umweltschutzes in den letzten 25 Jahren lautet: Der Gesetzgeber, die Unternehmen und die meinungsbildenden Gruppen haben Schlimmeres verhindert, ohne das Notwendige zu erreichen.
Notwendige Handlungsschwerpunkte bis zum Jahre 2000 und darüber hinaus sind die Neuausrichtung der Wirtschaft an der

Zukunftsfähigkeit (»Nachhaltigkeit«), die Emanzipation der Demokratie vom Kurzfristopportunismus, die ökologische Steuerreform unter Entlastung der Unternehmen von Arbeitsnebenkosten, die Dynamisierung des Umweltbewußtseins in der europäischen Industrie und die Förderung umweltverträglicher Wirtschaftsentwicklung in den ehemaligen Staatshandelsländern.
Ein weiterer Handlungsschwerpunkt liegt in der Beschleunigung der umweltorientierten Innovation in der Industrie. Wirtschaftspolitik und Industrie sollten hierbei integrierte Umweltschutztechniken besonders fördern und Anstrengungen auf Schlüsseltechnologien fokussieren, umweltrelevante Produkte zum Schwerpunkt der deutschen Forschung und Entwicklung überhaupt machen und eine »technische Opposition« fördern, die technische Revolutionen einleitet. Die motivatorische Hebelwirkung der EXPO 2000 sollte entschlossen genutzt werden.
Die guten Erfahrungen mit umweltorientierter Unternehmensführung lassen sich auf den Staat übertragen. Leitvorstellung ist der Staat als umweltbewußtes Unternehmen. Auf den Staat übertragbare Organisationsprinzipien sind: Verankerung des Umweltschutzes in der Führungsspitze, Durchsetzung bei allen Ressorts, Institutionalisierung von Querschnittsfunktionen und Gewährleistung unabhängiger Kontrolle.
Durch eine ganzheitlich umweltorientierte Staatsführung kann der Staat seine Verantwortung für die Schonung der Rohstoffressourcen und die Erhaltung der natürlichen Lebensgrundlagen besser wahrnehmen und gleichzeitig seine kulturelle und wirtschaftliche Entwicklung nachhaltig qualitativ fördern. Umweltorientierte Staatsführung stärkt die Position im wirtschaftlichen Wettbewerb mit anderen Staaten, beugt radikalen politischen Veränderungen vor und dient der Sicherung des Friedens.
Während die Staatsführung sich mehr an den Methoden der umweltorientierten Unternehmensführung ausrichten sollte, ist der umweltorientierte Unternehmer herausgefordert, durch überbetriebliche Aktivitäten vermehrt auf den Staat Einfluß zu nehmen. Das gegenwärtige Wirtschaftssystem ist langfristig nicht lebensfähig, da es begrenzte Rohstoffressourcen aufbraucht und die

Aufnahmefähigkeit der Biosphäre für Schadstoffe überfordert. Werden die Unternehmen umweltorientiert geführt, so sind Rohstoffverbrauch und Umweltbelastung geringer. Der Zusammenbruch des gegenwärtigen Wirtschaftssystems wird durch weite Verbreitung der umweltorientierten Führung von Unternehmen jedoch lediglich hinausgezögert, nicht abgewendet. Je mehr Unternehmen umweltorientiert geführt werden, desto schneller und umfassender kann die Wirtschaft auf neue, zukunftsfähige Rahmenbedingungen reagieren.

Unter den aktuellen wirtschaftlichen Rahmenbedingungen ist ein Unternehmer, der in der Gegenwart wirtschaftlich überleben will, genötigt, seine Beteiligung an der Zerstörung unserer natürlichen Lebensgrundlagen in Kauf zu nehmen und damit gleichzeitig seinem Unternehmen die langfristige Zukunft zu rauben. Künftig wird jede Partei, die dem Unternehmer einen solchen existentiellen Konflikt aufnötigt, damit rechnen müssen, daß die Unterstützung aus dem Unternehmerlager wegbricht.

Der verantwortungsbewußte Unternehmer will seinem Unternehmen eine langfristige Zukunft sichern, auch wenn der Wettbewerbskampf des jeweils laufenden Jahres bereits seine volle Aufmerksamkeit und Kraft erfordert. Er möchte Unternehmer sein dürfen, ohne die Umwelt zerstören zu müssen. So bleibt ihm kaum eine andere Wahl, als durch seine staatsbürgerliche Stimmabgabe, durch seine Verbandsaktivitäten und gegebenenfalls durch politisches Engagement dazu beizutragen, daß die Wirtschaft zukunftsfähige Rahmenbedingungen erhält.

Ein notwendiger Bestandteil solcher Rahmenbedingungen ist die ökologische Steuerreform. Sie verringert den Ressourcenverbrauch und die Umweltbelastung und erhöht gleichzeitig die Wettbewerbsfähigkeit der Volkswirtschaft und der einzelnen Unternehmen. Ihre hohe Wirksamkeit erlangt die ökologische Steuerreform dadurch, daß sie mittels eines Systems von Anreizen die marktwirtschaftlichen Kräfte mobilisiert. Die Marktwirtschaft hat unserem Land schon einmal in einer ernsten Lage geholfen. Sie wird es wieder tun, wenn wir ihrer Dynamik eine zukunftsfähige Richtung geben.

Schluß

Sein oder Nichtsein

Noch hat die Menschengemeinschaft die Qual der Wahl. Sie kann prinzipiell zwischen zwei Extremen wählen: Das Leben oder der Tod bzw. das Siechtum. Die soziale Realität wird sich mehr oder weniger schnell entweder zu der einen oder zu der anderen Seite neigen. Auch ein langsamer, aber irreversibler Umweltverbrauch führt zur Zerstörung der Umwelt. Es dauert nur etwas länger. Über kurz oder lang führt die Vernichtung der lebensnotwendigen Umwelt stets zur Selbstvernichtung der Zivilisation.
Nachhaltig kann die Weltgemeinschaft nur existieren, wenn sie ökosoziale Gewinne produziert. Dazu muß sie den Prozeß des irreversiblen Naturverbrauchs beenden. So, wie die Menschheit die Periode der Versklavung von Menschen überwunden hat, kann sie auch die gegenwärtige Epoche der Natursklaverei hinter sich lassen. Dazu muß sie aber das naturblinde Auge der nationalen Marktwirtschaften öffnen und letztlich auch auf dem Weltmarkt neue Rahmenbedingungen schaffen. Diese Jahrhundertaufgabe steht uns bevor – oder wir haben künftig keine Aufgabe mehr.

Anmerkungen

Kapitel 1
Wollen wir uns selbst verbrennen?

1 Hopfmann, J.: *Altäthiopische Volksweisheiten im historischen Gewand,* Peter Lang, Frankfurt am Main, Berlin, Bern, New York, Paris, Wien 1992, S. 248
2 Vgl.: Hennicke, P.: Einleitungsvortrag; in: *Wuppertal Texte, Solarwasserstoff – Energieträger der Zukunft?* Birkhäuser, Berlin, Basel, Boston 1995, S. 21
3 Vgl.: Hohmeyer, O.; Gärtner, B.: *Social Costs of Climate Change – A Rough Estimate of Orders of Magnitude,* FhG-ISI, Karlsruhe 1992
4 Vgl.: Hennicke, P.: Einleitungsvortrag, a. a. O., S. 18
5 Siehe: Wilson, E. O.: Die Vielfalt der Arten und Ökosysteme ist bedroht, in: *Die Zeit,* Nr. 26, 23. Juni 1995, S. 42
6 Steger, U. (Hrsg.): *Handbuch des Umweltmanagements,* C. H. Beck, München 1992, S. 439
7 Vgl.: Hopfmann, J.: *Umweltstrategie,* C. H. Beck, München 1993, S. 16ff.
8 Hopfmann, J.: *Altäthiopische Volksweisheiten im historischen Gewand,* a. a. O., S. 214
9 Vgl.: *Berlin: Klima '96. Aktuelle Informationen der Senatsverwaltung für Stadtentwicklung, Umweltschutz und Technologie zu Klima und Energie,* Nr. 14, Dezember 1996, S. 4
10 Weitere Informationen: European Committee for Solar Cooking Research [ECSCR], Coordinator, c/o Synopsis, Route d'Olmet, F-34700 Lodève
11 Siehe dazu: Pollmann, U.: Babylonische Bauten, in: *Die Zeit,* Nr. 44, 25. Oktober 1996, S. 38
12 Vgl.: Hermes-Bürgschaften für den Drei-Schluchten-Damm – ein folgenschwerer Fehler. Intellektuell bankrott, in: *Die Zeit,* Nr. 51, 13. Dezember 1996, S. 18
13 Siehe dazu: Hopfmann, J.: *Der Sonnenweg aus der Energiefalle der Industriegesellschaft,* Teil III, Das Kriterium des Fortschritts, R. G. Fischer, 1995, S. 14ff.
14 Siehe: Treutler, W.: Die Prignitz – Kreis der bleibenden Energie, in: *Stachlige Argumente,* Feb. 1996, Nr. 97, S. 38
15 Siehe dazu: Wolfrum, O.: Der große Schwindel Windstrom, in: *Frankfurter Allgemeine Zeitung,* 24. Oktober 1996, Nr. 248, S. 9
16 Siehe: World Bank, *The Forest Sector,* Policy Paper, Washington, D. C., 1991
17 Siehe: Arnold, J. E. M.: *Long Term Trends in Global Demand for and Supply of Industrial Wood,* Oxford Forestry Institute 1991

18 Weizsäcker von, E. U.; Lovins, A. B.; Lovins, L. H.: *Faktor vier,* Droemer Knaur, München 1995, S. 15

19 Weizsäcker von, E. U. (Hrsg.): *Umweltstandort Deutschland. Argumente gegen die ökologische Phantasielosigkeit,* Birkhäuser, Berlin/Basel/Boston 1994, S. 263

20 Weizsäcker von, E. U.; Lovins, A. B.; Lovins, L. H.: *Faktor vier,* a. a. O., S. 267

21 Ebenda, S. 268

22 Schmidt-Bleek, F.: *Wieviel Umwelt braucht der Mensch? MIPS – das Maß für ökologisches Wirtschaften,* Birkhäuser, Basel/Berlin 1994

23 Siehe: Schmidt-Bleek, F.: Rohstoffe effizienter nutzen: Was Unternehmen und Verbraucher tun können; in: Weizsäcker von, E. U. (Hrsg.), *Umweltstandort Deutschland,* a. a. O., S. 265

24 Siehe: Weizsäcker von, E. U.; Lovins, A. B.; Lovins, L. H.: *Faktor vier,* a. a. O., S. 268f.

25 Schmidt-Bleek, F.: Rohstoffe effizienter nutzen, a. a. O., S. 272

26 Umsteuern in der Krise. Gemeinsame Erklärung von führenden deutschen Unternehmen und dem BUND (Bund für Umwelt und Naturschutz Deutschland) für eine ökologische Steuerreform, in: *argumente, Umwelt contra Wirtschaft,* Bonn, Juli 1994

27 Winter, G.: *Das Umweltbewußte Unternehmen. Ein Handbuch der Betriebsökologie mit 28 Check-Listen für die Praxis,* 5., vollständig neubearbeitete Auflage, C. H. Beck, München 1993, S. 500

28 Ebenda, S. 407

29 Schmidheiny, St.: *Kurswechsel. Globale unternehmerische Perspektiven für Entwicklung und Umwelt,* Artemis & Winkler, München 1992, S. 14

30 Ebenda, S. 53

31 Ebenda, S. 226 und 233

32 Ebenda, S. 68

Kapitel 2

Die Geburtsfehler der Marktwirtschaft

1 Vgl.: Repetto, R.: *Wasting Assets: Natural Resource in the National Income Accounts,* Washington, D. C., World Resources Institute, 1989

2 Hahlen, Johann: Wie Ökologie und Ökonomie endlich zusammen kommen, in: *D/R/S,* Nr. 163, 16. Juli 1996

3 Leipert, Ch.: Ökologische Folgekosten des Wirtschaftens und Volkswirtschaftliche Gesamtrechnung, in: Steger, U. (Hrsg.): *Handbuch des Umweltmanagements,* C. H. Beck, München 1992, S. 127

4 Siehe: Die Gentechnik vom Sockel holen. Ein *Zeit*-Gespräch mit Helmut Born, dem Generalsekretär des Deutschen Bauernverbandes / Von Fritz Vorholz, in: *Die Zeit,* Nr. 51, 13. Dezember 1996, S. 28

5 Siehe: Markus, F.: Nur Verschwender sollen büßen, in: *die tageszeitung,* 3. Juli 1996

6 Siehe: Albrecht, J.; Faller, P.; Kurbjuweit, D.; Saller, W.: Verstrahlt, verölt, vergiftet, in: *Die Zeit,* Nr. 46, 11. November 1994, S. 12
7 Ebenda, S. 14
8 Siehe: Gsteiger, F.: Der atomare Nichtsnutz. Gnadenstoß für Frankreichs schnellen Brüter, in: *Die Zeit,* 18. Oktober 1996, S. 49
9 Teurer Sprit ist der Wirtschaft billig, in: *die tageszeitung,* Ausg. West, 6. /7. Juli 1996, S. 3

Kapitel 3
Schritte in die ökosoziale Zukunft

1 Siehe: Office of Technology and Assessment: *Serious Reduction of Hazardous Waste,* Washington, D. C., U. S. Government Printing Office, 1986
2 Siehe: OECD: *Environmental Policy and Technical Change,* Paris 1985
3 Siehe: Horn, M.: Unter dem Druck von Kunden und Kosten, in: *Die Zeit,* Nr. 33, 11. August 1995, S. 20
4 Siehe: Stelz, H.: Einfach weg damit, in: *Die Zeit,* Nr. 45, 1. November 1996, S. 16
5 Siehe dazu auch: Kirchgeorg, M.: *Ökologieorientiertes Unternehmerverhalten. Typologien und Erklärungsansätze auf empirischer Grundlage,* Wiesbaden 1990, S. 290
6 Vgl.: Stahel, W. R.; Börling, M.: *Wirtschaftliche Strategien der Dauerhaftigkeit,* Bankverein Heft 32, Basel 1987
Stahel, W. R.: Technische Langzeit-Systeme als Beitrag zur Abfallvermeidung, in: *Ökologische Abfallwirtschaft,* Kongreßmaterialien, Berlin 1989;
Stahel, W. R.: *Langlebigkeit und Materialrecycling,* Vulkan, Essen 1991;
Stahel, W. R.; Gomringer, E.: Internationales Forum für Gestaltung/IFG, *Gemeinsam nutzen statt einzeln verbrauchen,* Anabas, Gießen 1993;
Stahel, W. R.: Dematerialisierung – mit weniger Material wirtschaften. Langlebigkeit als neue Produktqualität, in: *Neue Zürcher Zeitung,* Internationale Ausgabe, Nr. 227, 30. September 1996, W. 227f.
7 Pollock, C.: Realizing Recycling's Potential, in: Lester R. Brown u. a., *State of the World 1987,* New York 1987
8 *Environmental Consciousness: A strategic Competitiveness Issue for the Electronic and Computer Industry,* Hrsg.: The Microelectronics and Computer Technology Corporation [MCC], 1993
9 Entwurf eines Energiegesetzes – *Drucksache 11/7322* vom 1. 6. 1990
10 Siehe: Hustedt, M.: Sonnenwende. Neue Wege in der Energiepolitik, in: *Schrägstrich,* 1–2/1996, S. 4
11 Bondo, J.: *Energie & Miljo,* Tek-Sam, Roskilde Universitetscenter, 1990
12 Energiministeriet, *Energi 2000 – Handlingsplan for en baeredygtig udvikling,* Copenhagen 1990
13 Johansen, H. Chr.: *Danmark i tal – register,* Gyldendals bogklubber 1993
14 Rasmussen, H. E. & Hoybye, S.: *Ny handlingsplan for implementering af vindkraft i Danmark,* Tek-Sam, Roskilde Universitetscenter 1994

15 Siehe: Petersen, H.: *Wind Turbine Characteristics and Costs 1982–95,* Riso National Laboratory, Roskilde 1995

16 Siehe: Scheer, H.: *Sonnenstrategie: Politik ohne Alternative,* Piper, München/Zürich 1993

17 EUROSOLAR: Energiepolitik Deutschland, in: *Solarzeitalter,* Heft 4/1995, S. 8–10

18 Vgl.: *Berlin: Klima '96. Aktuelle Information der Senatsverwaltung für Stadtentwicklung, Umweltschutz und Technologie zu Klima und Energie,* Nr. 14, Dezember 1996, S. 6

19 Siehe: *Grünstift-Special,* Heft 7/1995, S. 19

20 Siehe: Contracting – eine Idee gewinnt an Boden, oder: Wie man Energiesparen zum Geschäft macht, in: Weizsäcker von, E. U. (Hrsg.): *Umweltstandort Deutschland. Argumente gegen die ökologische Phantasielosigkeit,* a. a. O., S. 197

21 Siehe: Bonus, H.: Umweltökonomie und die Probleme ihrer politischen Umsetzung, in: Steger, U. (Hrsg.): *Handbuch des Umweltmanagements,* C. H. Beck, München 1992, S. 34ff.

22 Siehe: Steuern/Abgaben – Völlig daneben. Der Staat behandelt seine Leistungsträger schlecht wie nie zuvor. Wer mehr und besser arbeitet, hat immer weniger davon. Der soziale Konsens zerbricht, in: *Wirtschaftswoche,* 1/2 1996, 4. 1. 1996, S. 12

23 Siehe: Die deutsche Ökoindustrie hat ihren Spitzenplatz am Weltmarkt verloren, in: *Die Zeit,* Nr. 14, 29. März 1996

24 Siehe: Hennicke, P.; Müller, M.: Mehr Gewinn und Arbeit durch Vermeiden, in: *Frankfurter Rundschau,* 10. November 1995, S. 7

25 Vgl.: Kulick, H.: Junge bilden Riesenkoalition, in: *die tageszeitung,* Ausgabe West, 9. /10. 12. 1995

26 Weizsäcker von, E. U.: Die Ökosteuer ist kein Arbeitsplatzkoller, in: *Frankfurter Rundschau* vom 13. 6. 1996, S. 5

27 Siehe: Weizsäcker von, E. U.: *Erdpolitik,* a. a. O., Kapitel 11; vgl. dazu auch: Krebs, C.; Reiche, D.: *Der mühsame Weg zu einer ökologischen Steuerreform,* Peter Lang, Frankfurt a. M. 1996; siehe auch: Weizsäcker von, E. U.; Lovins, A. B.; Lovins, L. H.: *Faktor Vier,* a. a. O., Kapitel 7

28 Siehe: Mauch, S. P.; Iten, R.: Schweizer Fallbeispiel, in: Weizsäcker von, E. U. et al.: *Ökologische Steuerreform,* 1992, S. 87–230

29 Siehe: Deutsches Institut für Wirtschaftsforschung (DIW) Hrsg. Bach, St. et al.: *Wirtschaftliche Auswirkungen einer ökologischen Steuerreform,* Duncker & Humblot, Berlin 1995

30 Siehe: BDI (Hrsg.): *Fakten und Argumente,* Drucksache Nr. 273, Köln 1994, S. 104f.

31 Siehe: Görres, A.; Ehringhaus, H.; Weizsäcker von, E. U.: *Der Weg zur ökologischen Steuerreform,* Olzog, München/Landsberg 1994

Register